漢字検定
準1級
頻出度順問題集

高橋書店

本書で合格できる理由

本書は公益財団法人 日本漢字能力検定協会主催の「日本漢字能力検定」準1級の問題集です。本試験の出題分野に対応し、本書だけで効率よく合格できるよう、様々な工夫を施しています。

理由 1 最新の出題傾向をしっかりカバー

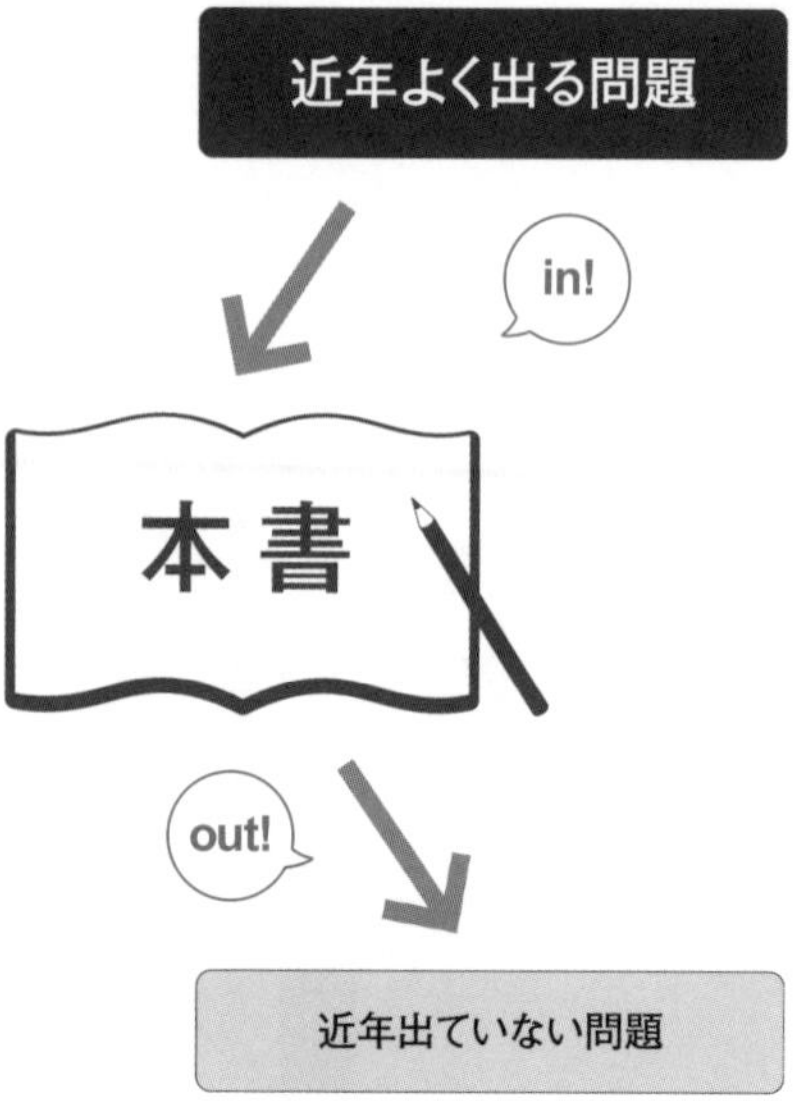

数百問を入れ替えて
大改訂！

本書は、日本漢字能力検定（以下漢字検定）の試験内容を分析し、頻出度順に収録した問題集です。定期的に改訂を行い、そのたびに直近の検定で出された全問題を分析し、収録内容を見直しています。今改訂では、最新の出題傾向により対応した問題集になるよう、数百問を入れ替え、近年の試験によく出る問題を充実させました。

最近の試験でよく出題される漢字 BEST 10!

下記は、近年の出題率が高い漢字です。本書は過去10年以上の試験を分析し、定期的に頻出度の見直しをしているため、近年よく出る漢字もしっかり網羅しています。

漢字	2003～2012年 出題率	2013～2022年 出題率	漢字	2003～2012年 出題率	2013～2022年 出題率
阿	33.33%	41.38%	蒼	16.67%	31.03%
嘉	13.33%	31.03%	劫	16.67%	27.59%
牽	13.33%	31.03%	倦	16.67%	27.59%
恰	20.00%	31.03%	忽	16.67%	27.59%
笠	13.33%	31.03%	厭	26.67%	27.59%

理由 2 よく出る問題から学習できる

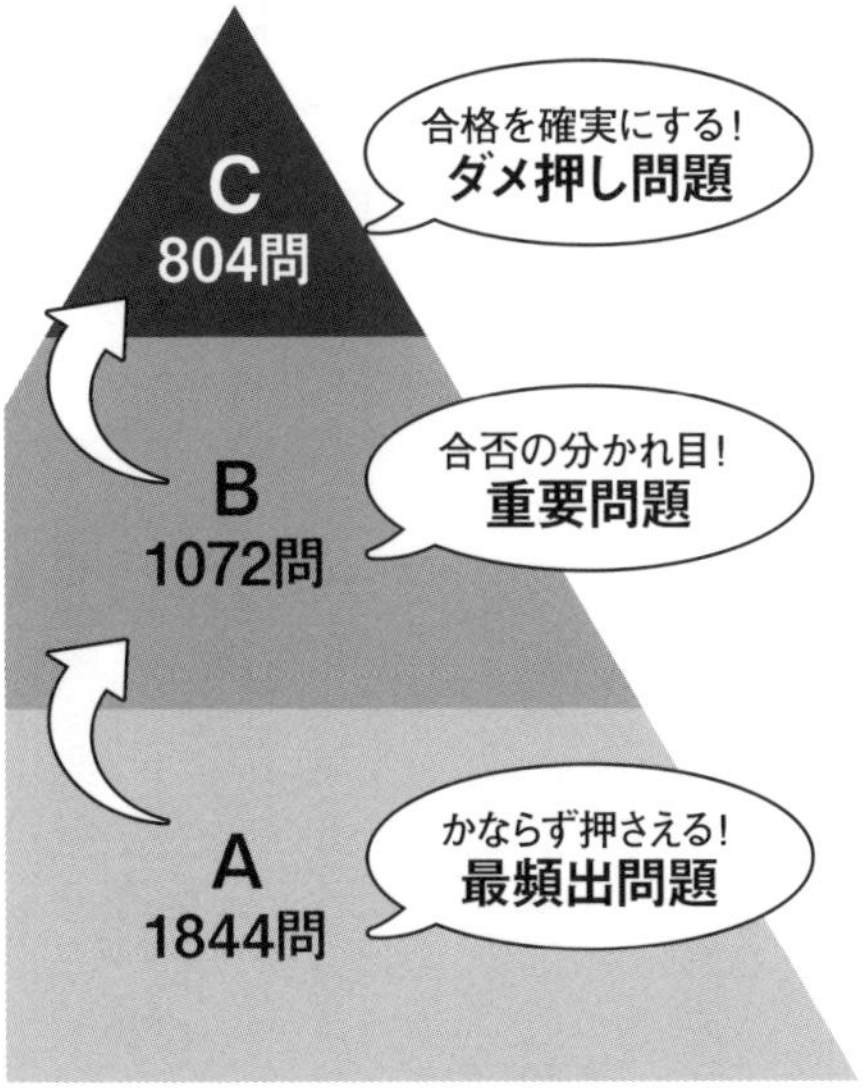

合格に必要な問題から
優先して学べる!

漢字検定準1級の出題範囲は、常用漢字を含む約3000字です。これをすべて覚えるには多くの時間がかかります。

そこで本書では十数年分の過去問題を分析し、試験によく出る順に3ランクに振り分けました。そのため、試験直前で時間がないときは重要な問題を優先して効率よく学習できる内容になっています。もちろん、Cランクまですべての問題をこなせば、万全な態勢で本番に挑めます。

理由 3 重要な漢字を繰り返し学べる

「阿《あ》」 出題率約 41%

「曲学阿世」、「阿附迎合」、「阿鼻叫喚」、「阿《おもね》る」、「阿《あ》漕《こぎ》」、「四阿《あずまや》」 6種収録

「嘉《か》」 出題率約 31%

「嘉辰令月」、「嘉瑞」、「嘉《よみ》する」、「嘉《よ》い」、「嘉《か》猷《ゆう》」、「嘉《か》節《せつ》」 6種収録

重要漢字は異なる例文で
繰り返し出題!

出題範囲の漢字のなかには、一度も試験に出たことがないものや、数十年で一度しか出ていないものもあります。

本書は学習者が最も効率的に学習できるように、過去に試験で出題された回数が多い漢字を優先して収録しています。

さらに、一度でしっかり学習できるよう、試験によく出る超重要漢字は例文を変えて繰り返し出題しています。何度も解くことで、分からなかった漢字も自然と覚えられます。

本書の特長と使い方

試験を受ける人が効率的に学習できるよう、本書は誌面や付録にも様々な工夫を施しています。うまく使いこなして、確実に合格に近づきましょう。

頻出度順で効率よく学べる!

過去10年以上の出題問題を分析し、頻出度順にA、B、Cのランクに分けています。よく出る問題から解けるので、効率的な学習ができます。

かならず押さえる!

頻出度 A

読み──①

※次の──線の訓読みをひらがなで記せ。

□1 来た道を**辿**ってゴールを目指す。
□2 その人の力量は**擢**んでている。
□3 近所のうわさ話に**殆**困っている。
□4 会社の**柵**を断ち切りたい。
□5 性格が**捌**けているといわれる。
□6 **巽**の方角にきれいな星が点在する。
□7 **萎**れかけた花を水に挿す。
□8 意識不明の状態から**蘇**った。
□9 父は**頗**る上機嫌で出迎えてくれた。
□10 その山には**椙**が林立している。
□11 すばらしい贈り物を**嘉**する。
□12 帰宅途中で**屡**訪れる店だ。
□13 どんな些細なことも**忽**せにしない。
□14 人を**詑**くことなく生きていきたい。
□15 夕暮れに湖の**漣**を見つめていた。
□16 知人に**誹**られ気がふさぐ。
□17 **葎**は広い範囲に亘って密生する。
□18 眼鏡に**適**う人物はいなかった。
□19 旧例に**泥**んでいては進歩がない。
□20 その**頑**さは誰に似たのだろう。
□21 **荻**の根茎が地中を走る。
□22 子供の頃、神社の**狛犬**が怖かった。
□23 生活のため玩具などを**鬻**ぐ。
□24 我が子の**幼**い仕草に心が和む。

標準解答

1 たど　2 ぬき　3 ほとほと　4 しがらみ　5 さば　6 たつみ　7 しお　8 よみがえ　9 すこぶ　10 すぎ　11 よみ　12 しばしば
13 ゆるが　14 あざむ　15 さざなみ　16 そし　17 むぐら　18 かな　19 なず　20 かたくな　21 おぎ　22 こまいぬ　23 ひさ　24 いとけな

目標正答率 95%

／54

18

一問一答でサクサク進める!

問題と同じページに、標準解答も掲載しています。ページをめくらなくてもすぐに答え合わせができるので、学習スピードがアップします。

学習に役立つ ダウンロード特典

■頻出漢字学習ポスター　■学習用解答記入用紙
■模擬試験

高橋書店のホームページまたは下記のダウンロードページにアクセスしてください
https://www.takahashishoten.co.jp/kanken-poster/

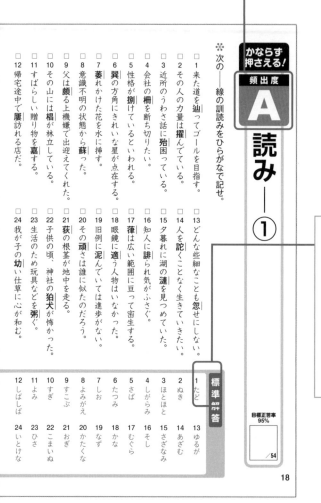

3804問の充実した問題数!

出題範囲の問題をたっぷり解けるので、着実に合格に近づきます。頻出度が高い漢字は必ず覚えられるよう、例文を変えて繰り返し出題しています。

チェックボックスで苦手な問題がわかる!

すべての問題にチェックボックスがついています。解けなかった問題にチェックをつけることで、苦手な問題だけを素早く確認できます。

赤チェックシートで素早く解ける!

付録のシートで正解を隠せるようにしてあります。すぐに答え合わせができるので、通学・通勤の車中などでも、クイズ感覚で学習できます。

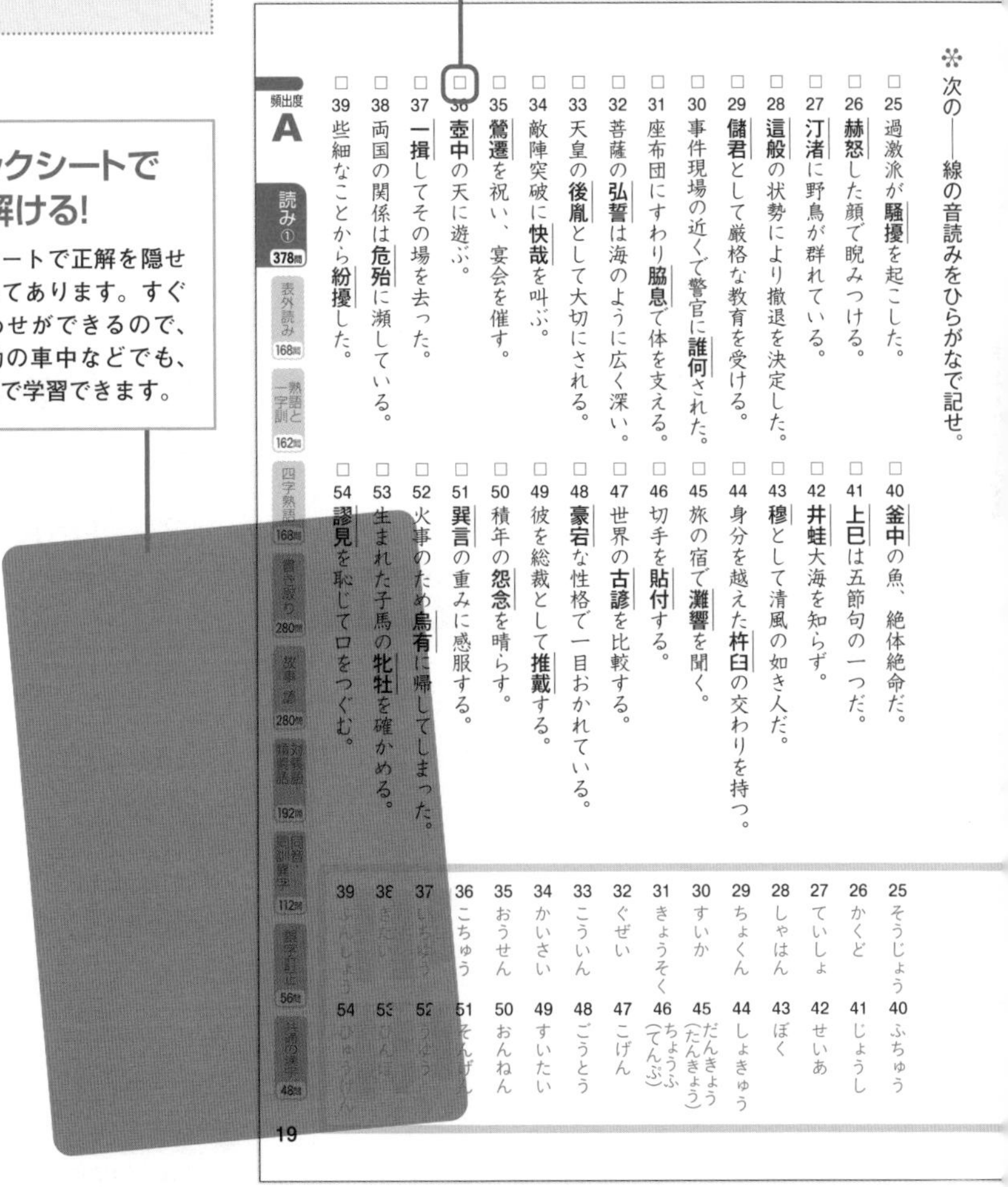
頻出度 A
読み① 378問
表外読み 168問
熟語と一字訓 162問
四字熟語 168問

※次の――線の音読みをひらがなで記せ。

□ 25 過激派が騒擾を起こした。
□ 26 赫怒した顔で睨みつける。
□ 27 汀渚に野鳥が群れている。
□ 28 這般の状勢により撤退を決定した。
□ 29 儲君として厳格な教育を受ける。
□ 30 事件現場の近くで警官に誰何された。
□ 31 座布団にすわり脇息で体を支える。
□ 32 菩薩の弘誓は海のように広く深い。
□ 33 天皇の後胤として大切にされる。
□ 34 敵陣突破に快哉を叫ぶ。
□ 35 鶯遷を祝い、宴会を催す。
□ 36 壺中の天に遊ぶ。
□ 37 一揖してその場を去った。
□ 38 両国の関係は危殆に瀕している。
□ 39 些細なことから紛擾した。
□ 40 釜中の魚、絶体絶命だ。
□ 41 上巳は五節句の一つだ。
□ 42 井蛙大海を知らず。
□ 43 穆として清風の如き人だ。
□ 44 身分を越えた杵臼の交わりを持つ。
□ 45 旅の宿で灘響を聞く。
□ 46 切手を貼付する。
□ 47 世界の古諺を比較する。
□ 48 豪宕な性格で一目おかれている。
□ 49 彼を総裁として推戴する。
□ 50 積年の怨念を晴らす。
□ 51 巽言の重みに感服する。
□ 52 火事のため烏有に帰してしまった。
□ 53 生まれた子馬の牝牡を確かめる。
□ 54 謬見を恥じて口をつぐむ。

25 そうじょう　26 かくど　27 ていしょ　28 しゃはん　29 ちょくん　30 すいか　31 きょうそく　32 ぐぜい　33 こういん　34 かいさい　35 おうせん　36 こちゅう　37　38　39
40 ふちゅう　41 じょうし　42 せいあ　43 ぼく　44 しょきゅう　45 だんきょう（たんきょう）　46 ちょうふ（てんぷ）　47 こげん　48 ごうとう　49 すいたい　50 おんねん　51 そんげん　52　53　54

19

まとめて確認できる便利な巻末資料付き!

まとめて覚えると効果的な「四字熟語」「熟語と一字訓」「難読漢字」を一覧にしました。試験直前に素早く確認できます。

力試しができる模擬試験2回分付き!

頻出漢字から作成した本番そっくりの問題を2回分収録しているので、自分の実力や苦手分野の確認ができます。

おすすめ学習プラン

本書は、試験直前で対策を始める人、じっくり学習して万全に対策したい人、どちらにもお使いいただけるようにできています。試験本番までのおすすめ学習プラン例を紹介します。

申し込み

試験の
3〜1か月前

1か月で決める!

短期集中プラン

学習時間目安
2時間／1日

1か月前

●頻出度A・Bを一巡する

・赤チェックシートを使いながらまず解いてみる
・解けなかった問題はチェックをつける
・解けなかった書き問題は、正解をノートに書いて覚える

2週間前

●頻出度A・Bの正解率を高める

・まずは頻出度Aから、チェックをつけた問題の「読む・書く↓解く」を繰り返す
・自信をもって解けるようになった問題には○をつける
・頻出度Aの8割が解けるようになったら、頻出度Bに取り組む

P10の出題傾向と分野ごとの攻略ポイントも参考にして学習しよう

2〜3か月で決める!

長期じっくりプラン

学習時間目安
30分／1日

3か月前

●頻出度A・B・Cを一巡する

・赤チェックシートを使いながらまず解いてみる
・解けなかった問題はチェックをつける
・解けなかった書き問題は、正解をノートに書き留める
・学習する総ページ数を学習日数で割り、「毎日6ページやる」などと決めて習慣的に取り組む

2か月前

●頻出度A・Bの正解率を高める

・まずは頻出度Aから、チェックをつけた問題だけを解き直す。書きの問題は、ノートに書き留めた正解を繰り返し書いて覚える
・自信をもって解けるようになった問題には○をつける
・頻出度Aの8割が解けるようになったら、頻出度Bに取り組む

「頻出漢字学習ポスター」もダウンロードし、移動中の隙間時間なども学習を進めよう

2週間前

●頻出度Cの要点を押さえる

・解けるようになった問題も含めて、頻出度A・Bのチェックをつけた問題を再確認する
・頻出度Cは、配点が高い書き問題と馴染みがない四字熟語だけでも押さえておく
・模擬試験を解き、得点が低かった苦手分野は頻出度Cまで押さえておくと安心

頻出度A・Bの正解率がまだ8割以下の人は、引き続きそちらも学習しよう

試験直前

●チェックをつけた問題を直前確認

・試験会場までの移動中や会場待機中に、最後まで○がつかなかった問題を確認する

巻末資料を使って、一覧でチェックするのもおすすめ

合格!

目標得点

170／200点

学習のポイント

準1級試験は範囲が膨大なため、短期間の学習で合格するのは至難の業。全体を一度は押さえたうえで、頻出度の高い問題の正解率を上げることを優先した、効率的な学習をしよう。

1か月前

●頻出度Cも完璧にする

・頻出度Cでチェックをつけた問題を、繰り返し解く
・模擬試験にも挑戦し、苦手だった分野は頻出度Cも重点的に学習する

2週間前

●苦手問題を徹底的につぶす

・頻出度A・Bはほぼ完璧に、頻出度Cは9割ほど解けるようになるまで、学習を繰り返す
・頻出度A~Cの、最初に解けずにチェックをつけた問題は、改めて試験前に再度すべて確認する
・『漢字辞典』や『四字熟語辞典』にも目を通し、知識の幅を広げる

『漢検要覧』にも目を通し、字体や書き順を間違えて覚えていないか確認をしておくと安心

合格!

目標得点

190／200点

学習のポイント

準1級試験の学習期間は、3か月あっても足りないくらい。本書の頻出度Cまでは当然押さえ、そのうえで他の参考書や過去問にも取り組める余裕をもって学習を進めよう。

※ここで紹介しているのは本書を使用した効率的な学習方法の一例ですが、合格を保証するものではありません。

「漢字検定」受検ガイド

「漢字検定」試験の概要を紹介します。各級の内容や主な対象学年、試験スケジュールなどを見て、自分なりの受検プランを立ててみましょう。

受検資格と受検級

級位には10級から1級まで12段階あり、どの級でも自由に受けられます。主な対象学年は左の表のとおりです。また試験時間がずれているため、別の級2～4つを同じ日に受けることも可能です。

ただし、漢字の読み書き能力には個人差が大きいため、どの級を受検するかは、問題集や模擬試験で実力を推し量ったうえで検討するのがよいでしょう。初めての受検なら高校生で4級、社会人で3級をお勧めします。

検定会場

全国47都道府県の主要都市

検定実施頻度と時期

年3回（6月・10月・翌年1～2月中の日曜日）

※個人受験のほかに団体受検、ＣＢＴ（コンピュータ）受検も行われています。詳細は公益財団法人 日本漢字能力検定協会にお問い合わせください。

申し込み方法

個人受検では、インターネットで専用サイトにアクセスして申し込む。クレジットカード、コンビニ店頭、二次元コード決済で検定料を支払う。

手続き後、試験日の1週間前ごろまでに受検票が送られてきます。検定日4日前になっても届かない場合は、日本漢字能力検定協会に問い合わせましょう。

検定日の約5日後に、漢検協会ホームページにて標準解答が公開され、検定日の約30日後にはＷＥＢで合否結果が公開されます。

検定日の約40日後、全員に「検定結果通知」が郵送されます。合格者には「合格証書」と「合格証明書」が同封されます。

各級（準1～5級）の出題範囲・配点・検定概要

	準1級	2級	準2級	3級	4級	5級
主な対象学年（目安）	大学・一般程度	高校卒業 大学・一般程度	高校 在学程度	中学校 卒業程度	中学校 在学程度	小学校6年生 修了程度
漢字の読み	30点	30点	30点	30点	30点	20点
表外読み	10点					
熟語と一字訓	10点					
漢字の書き取り	40点	50点	50点	40点	40点	40点
四字熟語	30点	30点	30点	20点	20点	20点
故事・諺	20点					
対義語・類義語	20点	20点	20点	20点	20点	20点
共通の漢字	10点					
誤字訂正	10点	10点	10点	10点	10点	
文章題	20点					
送り仮名		10点	10点	10点	10点	10点
同音・同訓異字		20点	20点	30点	30点	
部首・部首名		10点	10点	10点	10点	10点
熟語の構成		20点	20点	20点	20点	20点
漢字識別				10点	10点	
音と訓						20点
同じ読みの漢字						20点
熟語作り						10点
画数						10点
合格基準	80%程度	80%程度	70%程度	70%程度	70%程度	70%程度
満点	200点	200点	200点	200点	200点	200点
検定時間	60分	60分	60分	60分	60分	60分

※検定に関する情報は、過去試験を弊社独自に分析し作成したものです。

検定試験の問い合わせ先

公益財団法人 日本漢字能力検定協会

●フリーダイヤル 0120-509-315 （土日・祝日・お盆・年末年始を除く 9:00～17:00）
　※検定日とその前日にあたる土日は窓口を開設
　※検定日は 9:00～18:00

●所在地
　〒605-0074 京都市東山区祇園町南側551番地　TEL 075-757-8600　FAX 075-532-1110

●ホームページ
　https://www.kanken.or.jp/

※実施要項、申し込み方法等は変わることがあります。詳細は協会ホームページなどでご確認ください。

※出題分野・内容（出題形式、問題数、配点）等は変わることがあります。実際に出題された内容については『漢検 過去問題集』（公益財団法人 日本漢字能力検定協会発行）を参照してください。

出題傾向と攻略ポイント

漢字検定準1級では10の分野（設問）で出題されます。ここでは、分野ごとの出題傾向や学習するうえでの注意点、攻略するためのポイントについて解説します。

※検定に関する情報は、過去試験を弊社独自に分析し作成したものです。

読み

1問1点×30問

傾向 音読みが20問。訓読みが10問。

攻略ポイント

◎音読みは熟語中心に、訓読みはこつこつと覚える

例 咽喉（インコウ）・嗚咽（オエツ）・咽下（エンカ）

読みの3分野で対象となる漢字は準1級配当漢字がほぼ9割ですが、2級以下の漢字や表外音訓からも出題されます。

音読みは訓読みに比べて読み方が比較的少ないものの、右例の「咽」のように、読み方が複数ある漢字もあります。こうした場合、「咽」を（イン）（エツ）（エン）と漢字一字の読みとして覚えているだけでは、二字熟語の読みは答えられません。一字の音を覚えるのではなく、音読みごとに二字熟語を拾い出し、各々確実に読めるようにしておきましょう。

訓読みは、すぐには正解が思いつかない、難しい漢字が出題されます。一字一字を丁寧に学習しておきます。

表外の読み

1問1点×10問

傾向 常用漢字の表外読みが問われる。

攻略ポイント

①『漢検要覧 1／準1級対応』の「常用漢字の表内外音訓表」を活用する

例 厳（おごそか・きびしい・いかめしい）

右例の「厳」では、赤字の（いかめしい）が表外読みです。（いかつい）という読みもありますが、これは1級対象の訓読みのため、出題されません。『漢検要覧 1／準1級対応』にはこの区別が明記されているので、まとめてチェックしておくことをお勧めします。

②表外読みは文脈から掴む

例 徒（ズ・かち・いたずらに・ともがら・あだ）

右例のように、表外読みが複数ある漢字の場合は、「徒花（あだばな）にすぎない」など、文章中での正しい読みを答えます。また、表外読みを答える問題なので、「見える（まみえる）」を（みえる）と答えるなどすると誤答になります。

熟語の読み 一字訓読み　1問1点×10問

傾向 ほぼ全問が準1級配当漢字。

攻略ポイント

◎熟語の意味に合った一字訓の読みを考える

例 稽る（とどこおる）
稽留《けいりゅう》（とどこおってゆっくりしていること）

試験では「熟語の読みと、その語義にふさわしい訓読みを記せ」と指示されます。

「稽」のように、（とどこおる）（とどめる）（かんがえる）など、複数の読みがある場合には注意が必要です。これは、送りがなから答えを想像できるとしても、「稽留」の意味を理解しておかないと、うっかり間違えてしまう場合があるからです。熟語と一字訓をペアで覚える習慣をつけましょう。

書き取り　1問2点×20問

傾向 20問中4問（2対）程度が同音・同訓異字の問題。

攻略ポイント

①画数の多い複雑な字は繰り返し書いて覚える

例 鬱／欝（ウツ）　囊／嚢（ノウ・ドウ）

右例のように、総画が25以上の複雑な漢字も多数出題されます。繰り返し書いて、正しい字を覚えることが大切です。

②文脈から意味をくみ取り、漢字に直す

例 月のエイキョを基にして暦を作る

右例の設問では、（エイキョ）から、すぐに正しい漢字を思い描くのはなかなか困難です。そこで、「月」「暦」をキーワードに、文脈から意味をくみ取って（エイキョ）―（月の）満ち欠け―「盈虚」というように正しい熟語を導き出します。文脈から内容を把握して正しい漢字を書くには、熟語や漢字そのものが持つ意味の理解が不可欠なのです。

③同音異義語は意味による使い分けを整理しておく

例
査証―調査して証明すること・旅券の裏書き証明
詐称―氏名・年齢などを偽って称すること
些少―分量や程度が極めてわずかなこと

前ページの例は、過去に頻出した同音・同訓異義語で、「些」は準1級配当漢字です。例えば（サショウ）の同音異義語は、2級までなら「査証」「詐称」が対象でしたが、準1級では「些少」が加わります。2級以下よりも配当漢字が増えた分、熟語も増えるため、より難しくなります。それぞれの熟語の意味の違いや使い分けを把握しておくことが重要です。

④見慣れない熟語は意味を調べ、書いて覚える

例 彊諫—叫喚—郷関（キョウカン）

（キョウカン）という読みでは、「共感」「教官」などが思い浮かびますが、準1級の検定試験では、右例のように、普段あまり目にしない熟語が出題されます。各々の熟語の意味を正しく理解し、正確に書けるようにしておきましょう。

※本書は日本漢字能力検定協会発行の『漢検　漢字辞典』『漢検　四字熟語辞典』に準じています。解答は基本的に標準字体で記載し、許容字体を省略しています。本書巻末の準1級配当漢字の音訓表も見て、各々の字の正しい形と許容字体（正解と見なされる漢字）を確認しておきましょう。正解が複数ある場合は、代表的な漢字を掲載しています。

※本書では、過去の出題傾向と学びやすさを考慮し「書き取り」と「同音・同訓異字」の問題を区別して収録しています。

四字熟語

書き取り：1問2点×10問
意味と読み：1問2点×5問

傾向　少なくとも一字は準1級配当漢字を含む四字熟語が出題されやすい。

攻略ポイント

◎四字熟語の構造パターンを把握する

問1は上下二文字の書き取りが10問。問題と同数の選択肢がひらがなで示されるので適切なものを選び漢字に直します。問2は意味にあてはまる四字熟語を選択肢から選び、傍線部分の読みを答える問題が5問です。

四字熟語は二字熟語をつなげたものが多く、その構造パターンを把握していれば、そこから答えを導くこともできます。

◆上の二字と下の二字が似ていて一対になっているもの

例 堅牢（かたくてじょうぶ）＋堅固（かたくてしっかりしている）

◆上の二字と下の二字が反対の意味で一対になっているもの

例 半醒（半ばさめていること）＋半睡（半ば眠っていること）

◆上の二字と下の二字が主語と述語の関係になっているもの

例 良禽（主語）＋択木（述語）→かしこい鳥は木をえらんですむこと

◆上の二字と下の二字が修飾語・被修飾語の関係、または連続関係にあるもの

例 意気（修飾語）＋軒昂（被修飾語）→気持ちが奮い立つようす

故事・諺

1問2点×10問

傾向 準1級配当漢字を含む熟語や一字訓が中心。

攻略ポイント

①過去の出題文をしっかり覚える

例 荒馬の轡は前からとれ（くつわ）
親の欲目と他人の僻目（ひがめ）

右例は過去に頻出した問題で、「轡」「僻」はともに準1級配当漢字です。準1級配当漢字を含んだ故事成語や諺が多く出題されるので、過去にどんな故事・諺が出題されているか把握しておきましょう。本書の全問にトライし、辞書などを使って一つ一つの意味を把握しておくとよいでしょう。

②キーワードとなる語彙に注目する

例 蠅 「顎でハエを追う」「臭い物にハエがたかる」
鳶 「山伏の果てはトビになる」「夜のトビに雨具を貸すな」

一つの故事や諺のうち、書き取りの問題となりうる語彙に着目し、その語彙を含む諺をすべてチェックしておくのも効率的な学習法といえます。右例はどれも準1級配当漢字ですが、同じ漢字を用いた故事・諺は数多くあります。これらは、関連づけながらまとめて覚えるとよいでしょう。

対義語・類義語

1問2点×10問

形式 対義語と類義語が5問ずつ計10問。選択肢を二字熟語に直す。

攻略ポイント

①語彙数を増やす

例 飛躍（ひやく）―（対義語）―逼塞（ひっそく）
寛容（かんよう）―（対義語）―峻厳（しゅんげん）

豊富な熟語の知識が問われる分野です。より多くの熟語に触れ、その意味を正確に理解していないと解けません。

例えば、右例のように「飛躍」「寛容」は馴染みのある熟語ですが、対義語を選択肢からすぐに選び出すのは意外に困難です。これは、「飛躍（急速に進歩すること）」に対して、「逼塞（落ちぶれて忍びかくれること）」、「寛容（人をゆるし受け入れること）」に対して「峻厳（極めてきびしいこと）」と、それぞれの二字熟語の意味を正確に知っていないと解けず、できるかぎり語彙数を増やす努力が必要となります。

②二つ以上ある対義語・類義語はまとめて覚える

例 覚醒―催眠・昏睡（対義語）　拘泥―固執・執着（類義語）

右例のように、複数の対義語や類義語がある熟語もあります。熟語の意味の幅を広げて覚えていきましょう。

共通の漢字

1問2点×5問

形式 二つの熟語に共通する漢字一字の読みを選択肢から選び、漢字に直す。

攻略ポイント

◎様々な熟語の知識を身につけておく

「○牙・○徴」のように、二つの熟語に共通する漢字一字の読みを選択肢から選び、漢字に直す書き取り問題です。「熟語を確定」し、「漢字を書く」という二段階が必要となります。ただ、漢字は比較的やさしいものが用いられがちなので、例文から熟語がわかるかどうかで、正答できるか否かが決定してしまうといえるでしょう。

　熟語は、ほとんどが常用漢字から出題されます。なるべく多くの熟語の知識を、確実に蓄積しておくことが必要になります。

誤字訂正

1問2点×5問

形式 30～35字の設問中、間違っている一字を訂正する書き取り問題。

攻略ポイント

①疑わしい字の意味を考えて違いをつきとめる

例　エンジンを搭載　塔（高く細長い建物）→×　搭（のせる）→○

例　針を指す　指す（ゆびさす）→×　刺す（とげなどをチクリとさす）→○

設問文をサラッと読んでしまうと誤字をうっかり見逃してしまいがちです。まずはゆっくり目で形を追い、違和感を覚えたら意味を確かめることが大切です。

②準1級漢字と結びつく熟語を覚える

　どれが誤字かがわかっても、さらに、①正しい文字がわかり、②その字を書けなければなりません。そのためには、準1級漢字と結びつく熟語を、できるだけ多く覚えておくことが必要です。一字一字正しい字を覚えるという基本に立ち返って、学習することが大切です。

文章題

傾向 ほとんどが明治から昭和の文豪の文芸作品や論説文からの出題。

書き取り：1問2点×5問
読　み：1問1点×10問

攻略ポイント

①同音異義語のある熟語に注意する

例 サイガイ―際涯（はて・かぎり・きわ）
ケイユウ―京邑（みやこ）

実際の作品に登場する漢字の読み・書きが出題されるため、総合的な漢字の知識・理解力が問われます。過去に出題された作品に目を通しておくのも効果的でしょう。書きの問題は準1級配当漢字を中心に出題されますが、読みからは思い浮かばない熟語も出題されるため、注意が必要です。右例のような同音異義語を持つ熟語から正解を導き出すには、熟語の意味を理解し、文脈をくみ取って判断する必要があります。

②読みの問題は表外読み・熟字訓・当て字が中心

例 概ね（おおむね）　荒む（すさむ）　谷まる（きわまる）
漸く（ようやく）　独活（うど）　流石（さすが）

読みの問題では、準1級配当漢字にからめた熟語や一字訓、「概ね」「漸く」などの表外読み、「独活」「流石」といった熟字訓や当て字が多く出題される傾向が見られます。

採点の基準

①字体

解答は、筆画を正しく明確に書きます。くずした字体や、乱雑な書き方は採点の対象になりません。1級・準1級の解答は、『漢検要覧 1／準1級対応』（公益財団法人 日本漢字能力検定協会発行）に示す「標準字体」「許容字体」および「旧字体一覧表」によります。

②仮名遣い・送りがな

内閣告示の「現代仮名遣い」「送り仮名の付け方」によります。この規定は1～10級の全級に適用されます。

③部首

『漢検要覧 2～10級対応』（公益財団法人 日本漢字能力検定協会発行）収録の「部首一覧表と部首別の常用漢字」によります。

④筆順

原則は、文部省（現 文部科学省）編『筆順指導の手びき』のとおり、常用漢字一字一字の筆順は、『漢検要覧 2～10級対応』収録の「常用漢字の筆順一覧」に示すとおりとします。

◆ 目次 ◆

第１章 頻出度 Ⓐ　かならず押さえる! 最頻出問題1844

第２章 頻出度 Ⓑ　合否の分かれ目! 重要問題1072

第３章 頻出度 Ⓒ　合格を確実にする! ダメ押し問題804

第４章 文章題　語彙力の幅を広げる実力問題84

巻末資料

かならず押さえる！

最頻出問題1844

第1章

頻出度

A

かならず押さえる！
頻出度
A

読み ①

※次の――線の訓読みをひらがなで記せ。

□ 1 来た道を**辿**ってゴールを目指す。
□ 2 その人の力量は**擢**んでている。
□ 3 近所のうわさ話に**殆**困っている。
□ 4 会社の**柵**を断ち切りたい。
□ 5 性格が**捌**けているといわれる。
□ 6 **巽**の方角にきれいな星が点在する。
□ 7 **萎**れかけた花を水に挿す。
□ 8 意識不明の状態から**蘇**った。
□ 9 父は**頗**る上機嫌で出迎えてくれた。
□ 10 その山には**椙**が林立している。
□ 11 すばらしい贈り物を**嘉**する。
□ 12 帰宅途中で**屢**訪れる店だ。
□ 13 どんな些細なことも**忽**せにしない。
□ 14 人を**詑**くことなく生きていきたい。
□ 15 夕暮れに湖の**漣**を見つめていた。
□ 16 知人に**誹**られ気がふさぐ。
□ 17 **葎**は広い範囲に亘って密生する。
□ 18 眼鏡に**適**う人物はいなかった。
□ 19 旧例に**泥**んでいては進歩がない。
□ 20 その**頑**さは誰に似たのだろう。
□ 21 **荻**の根茎が地中を走る。
□ 22 子供の頃、神社の**狛犬**が怖かった。
□ 23 生活のため玩具などを**鬻**ぐ。
□ 24 我が子の**幼**い仕草に心が和む。

目標正答率
95%
／54

標準解答

1 たど	13 ゆるが
2 ぬき	14 あざむ
3 ほとほと	15 さざなみ
4 しがらみ	16 そし
5 さば	17 むぐら
6 たつみ	18 かな
7 しお	19 なず
8 よみがえ	20 かたくな
9 すこぶ	21 おぎ
10 すぎ	22 こまいぬ
11 よみ	23 ひさ
12 しばしば	24 いとけな

※次の——線の音読みをひらがなで記せ。

□25 過激派が**騒擾**を起こした。
□26 **赫怒**した顔で睨みつける。
□27 **汀渚**に野鳥が群れている。
□28 **這般**の状勢により撤退を決定した。
□29 **儲君**として厳格な教育を受ける。
□30 事件現場の近くで警官に**誰何**された。
□31 座布団にすわり**脇息**で体を支える。
□32 菩薩の**弘誓**は海のように広く深い。
□33 天皇の**後胤**として大切にされる。
□34 敵陣突破に**快哉**を叫ぶ。
□35 **鶯遷**を祝い、宴会を催す。
□36 **壺中**の天に遊ぶ。
□37 **一揖**してその場を去った。
□38 両国の関係は**危殆**に瀕している。
□39 些細なことから**紛擾**した。
□40 **釜中**の魚、絶体絶命だ。
□41 **上巳**は五節句の一つだ。
□42 **井蛙**大海を知らず。
□43 **穆**として清風の如き人だ。
□44 身分を越えた**杵臼**の交わりを持つ。
□45 旅の宿で**灘響**を聞く。
□46 切手を**貼付**する。
□47 世界の**古諺**を比較する。
□48 **豪宕**な性格で一目おかれている。
□49 彼を総裁として**推戴**する。
□50 積年の**怨念**を晴らす。
□51 **巽言**の重みに感服する。
□52 火事のため**烏有**に帰してしまった。
□53 生まれた子馬の**牝牡**を確かめる。
□54 **謬見**を恥じて口をつぐむ。

25 そうじょう
26 かくど
27 ていしょ
28 しゃはん
29 ちょくん
30 すいか
31 きょうそく
32 ぐぜい
33 こういん
34 かいさい
35 おうせん
36 こちゅう
37 いちゆう
38 きたい
39 ふんじょう
40 ふちゅう
41 じょうし
42 せいあ
43 ぼく
44 しょきゅう
45 だんきょう(たんきょう)
46 ちょうふ(てんぷ)
47 こげん
48 ごうとう
49 すいたい
50 おんねん
51 そんげん
52 うゆう
53 ひんぼ
54 びゅうけん

かならず押さえる!

頻出度

A

読み ②

※次の――線の訓読みをひらがなで記せ。

□ 1 お礼の手紙を**認**める。
□ 2 彼の成功に**肖**りたい。
□ 3 **鵜**の目鷹の目で狙っている。
□ 4 この論説は時流に**阿**っている。
□ 5 作品が**苛**い評価をされる。
□ 6 落語家の**噺**を聞く。
□ 7 人の親切を**蔑**ろにする。
□ 8 泣く子を必死に**宥**めている。
□ 9 脱穀後の**籾**がらを掃除する。
□ 10 **煽**てられていい気になる。
□ 11 母の死を**戚**む。
□ 12 その決定は大きな**歪**みを生んだ。
□ 13 昔の**誼**で口ききしてくれた。
□ 14 **笈**を背負って行脚に出かけた。
□ 15 次々に案件を**捌**いていく。
□ 16 そのシーンは**宛**ら映画のようだ。
□ 17 二人の問題は**姑**く置いておく。
□ 18 **鐙**を蹴って馬に合図を送る。
□ 19 海外に**坐**らにして日本の事件を知る。
□ 20 作物を**蝕**む害虫を排除する。
□ 21 **賂**いの品と知り受け取りを拒否する。
□ 22 雪の上に**轍**が続いている。
□ 23 小さな穴から部屋の中を**覗**いた。
□ 24 **俄**か評論家になって批評する。

目標正答率 95%

／54

標準解答

1	したた	13	よしみ
2	あやか	14	おい
3	う	15	さば
4	おもね	16	さなが
5	から	17	しばら
6	はなし	18	あぶみ
7	ないがし	19	いなが
8	なだ	20	むしば
9	もみ	21	まいな
10	おだ	22	わだち
11	いた	23	のぞ
12	ひず(ゆが)	24	にわ

※次の――線の音読みをひらがなで記せ。

□25 地域の**俗諺**を調べる。
□26 案内役の**雛僧**に名を告げる。
□27 **孜孜**として学問に励む。
□28 時代を見抜く**慧眼**で危機を乗り切る。
□29 この辺りは建物が**櫛比**している。
□30 土地の**稗史**に興味がある。
□31 未だ父母の**膝下**に留まる。
□32 同盟の**紐帯**となる条約を結ぶ。
□33 **禰宜**は神主の下に位する。
□34 仕事での失敗を**弥縫**する。
□35 **儲君**には厳しい作法をしつける。
□36 演習用に**廠舎**が仮設される。
□37 **祁寒**でも子供たちは元気だ。
□38 **郁郁**たる梅花に時を忘れる。
□39 **翠嵐**のなかを歩く。
□40 **穆穆**たる天子に仕える。
□41 **熊胆**は胃薬などとして珍重される。
□42 彼とは**爾汝**の間柄だ。
□43 サッカーで**頸椎**を損傷する。
□44 **暴戻**な領主に抗議する。
□45 花の描かれた**罫紙**を購入する。
□46 **蔚蔚**たる原始林が広がる。
□47 **末梢**にとらわれて本質を忘れる。
□48 宇宙工学の**碩学**として有名だ。
□49 政治家の疑惑が**払拭**できない。
□50 **晦渋**な文章を読み下す。
□51 **夙夜**、仕事に勤しむ。
□52 **翠黛**の山に絵筆をとる。
□53 植物が土地に**馴化**していく。
□54 文化人類学に**造詣**が深い。

25 ぞくげん
26 すうそう
27 しし
28 けいがん
29 しっぴ
30 はいし
31 しっか
32 ちゅうたい（じゅうたい）
33 ねぎ
34 びほう
35 ちょくん
36 しょうしゃ
37 きかん
38 いくいく
39 すいらん
40 ぼくぼく
41 ゆうたん
42 じじょ
43 けいつい
44 ぼうれい
45 けいし
46 うつうつ
47 まっしょう
48 せきがく
49 ふっしょく（ふっしき）
50 かいじゅう
51 しゅくや
52 すいたい
53 じゅんか
54 ぞうけい

かならず押さえる！
頻出度
A

読み―③

※次の――線の訓読みをひらがなで記せ。

□1 歌舞伎の立ち回りで**砧**拍子が響く。
□2 完成は**偏**に君の努力によるものだ。
□3 着物の女性の**艶姿**に見とれる。
□4 **韮**には独特のにおいがある。
□5 私たちの**媒**は会社の部長です。
□6 **醬**とは、なめ味噌の一種だ。
□7 幼子の柔らかい髪を**櫛**る。
□8 庭先に**鴇色**の花が咲き乱れる。
□9 山と山の**硲**をひたすら進む。
□10 稲から**籾殻**を取り除く。
□11 解決策がない難題を**店晒**しにする。
□12 **擢**んでたセンスで業界のトップとなる。
□13 **蔑**みをこめて睨みつける。
□14 その古戦場は**巽**の方角にある。
□15 **哨**を門に立たせて警備を強化する。
□16 強力な助っ人のおかげで**捗**った。
□17 子どもの**姦**しい声が聞こえる。
□18 **濆**れた心で朗読しないでほしい。
□19 祭りで**榊**の枝を使う。
□20 地図を**辿**って目的地に着く。
□21 **舷**をつかんで揺れに耐えた。
□22 雪が解けて**雫**がしたたっている。
□23 厳しい言葉に**萎**れ返った。
□24 相手の**怯**む隙に攻め込んだ。

目標正答率
95%
／54

標準解答

1	きぬた
2	ひとえ
3	あですがた
4	にら
5	なかだち
6	ひしお
7	くしけず
8	ときいろ
9	はざま
10	もみがら
11	たなざら
12	ぬき
13	さげす
14	たつみ
15	みはり
16	はかど
17	かしま
18	けが
19	さかき
20	たど
21	ふなばた（ふなべり）
22	しずく
23	しお
24	ひる

✲次の――線の音読みをひらがなで記せ。

□25 古句を**補綴**し詩文を作る。
□26 耳を**聾**する騒音が安眠を妨げた。
□27 父の**枕頭**にはいつも本がある。
□28 堂内の**厨子**に秘仏を安置する。
□29 融通**無碍**の境地に達する。
□30 **亥月**を迎えて紅葉が見頃だ。
□31 舞台で**艶冶**な舞いを披露する。
□32 吹雪の中、**蓑笠**の翁に出会った。
□33 古代中国では**亀卜**で占った。
□34 長身**痩軀**でモデルのようだ。
□35 **徽章**を胸につける。
□36 **蟬脱**の境地に達する。
□37 **犀利**な筆致でぐいぐい読ませる。
□38 助役が**瀆職**で捕まった。
□39 互いに署名**捺印**する。
□40 番傘には**桐油**を使う。
□41 死を悼み**挽歌**を送る。
□42 猛獣が**爪牙**を向けて獲物に迫る。
□43 **熊掌**は中国で美味の象徴とされている。
□44 激しい**口吻**でなじられた。
□45 周囲の疑惑を**払拭**する。
□46 正月から**椿事**が起こる。
□47 彼はなかなかの**尤物**だ。
□48 **禾穀**の豊かな土地で生活する。
□49 **厩舎**からいななきが聞こえる。
□50 **乃公**とは自分のことを指す。
□51 **堰堤**を設けて川の水位を調整する。
□52 僧侶が**錫杖**を鳴らす。
□53 先生に**欽慕**の情を抱く。
□54 **彼此**の別について論議する。

25	ほてい（ほてつ）
26	ろう
27	ちんとう
28	ずし
29	むげ
30	がいげつ
31	えんや
32	さりゅう（さりつ）
33	きぼく
34	そうく
35	きしょう
36	せんだつ
37	さいり
38	とくしょく
39	なついん
40	とうゆ
41	ばんか
42	そうが（そうげ）
43	ゆうしょう
44	こうふん
45	ふっしょく（ふっしき）
46	ちんじ
47	ゆうぶつ
48	かこく
49	きゅうしゃ
50	だいこう
51	えんてい
52	しゃくじょう
53	きんぼ
54	ひし

かならず押さえる！
頻出度
A
読み—④

※次の——線の訓読みをひらがなで記せ。

□1 **梯**を使って屋根の修理をする。
□2 **八重葎**の覆う庭で過ごす。
□3 歳を重ね何事も**恕**せるようになった。
□4 袖の**綻**びを直してもらう。
□5 論語に「**矩**をこえず」とある。
□6 無人の**苫屋**で一晩雨露を凌ぐ。
□7 牛肉の**佃煮**が好物だ。
□8 **瓢**に酒を入れて小山を散策する。
□9 「**瑞穂**の国」との美称が使われる。
□10 昔は、藁で作った**沓**を履いていた。
□11 洋服を**矢鱈**に買い込んだ。
□12 **凍**てつく朝に新聞を配る。
□13 **周**く知られるところとなった。
□14 わが社はネット産業の**魁**といわれる。
□15 人心を**煽**って暴動を起こす。
□16 昔の戦争には**鑓**が使われた。
□17 牡馬の**蹄**の音が鳴り響く。
□18 会議の内容を**悉**に記録する。
□19 永年の功労を**讃**えて表彰する。
□20 細い**岨道**を通って山を越える。
□21 六十**匁**が一両にあたる。
□22 他人の欠点をあからさまに**尤**める。
□23 よく水が**捌**ける土壌にする。
□24 上官の命令に**叛**いて行動する。

目標正答率 95%
／54

標準解答

1 はしご
2 やえむぐら
3 ゆる
4 ほころ
5 のり
6 とまや
7 つくだに
8 ふくべ（ひさご）
9 みずほ
10 くつ
11 やたら
12 い
13 あまね
14 さきがけ
15 あお
16 やり
17 ひづめ
18 つぶさ
19 たた
20 そばみち（そわみち）
21 もんめ
22 とが
23 は
24 そむ

✻次の——線の音読みをひらがなで記せ。

□25 人柄が表れた**暢達**な筆跡だ。
□26 **杏林**とは医者の美称だ。
□27 内紛に乗じて隣国を**併呑**する。
□28 資金不足で計画は**頓挫**した。
□29 **些事**にこだわると大局を見失う。
□30 昔、高官は**卿相**と呼ばれていた。
□31 ヨーロッパの古き**都邑**を訪ねる。
□32 純文学について**喋喋**と論じた。
□33 **鉄桶**の防備でつけいるすきがない。
□34 積年の**仇怨**を晴らす時が来た。
□35 **鬱散**に酒でも飲まないか。
□36 王より**優渥**なる処遇を受ける。
□37 幼少の頃より**穎脱**した神童だった。
□38 政党の**領袖**となる。
□39 優勝者に**賞牌**を授与する。

□40 血縁や地縁は社会の**紐帯**である。
□41 古代の漢籍に**倭訓**を付ける。
□42 珍しい世界の切手を**蒐集**する。
□43 雪の中を**蓑笠**の翁が歩いていく。
□44 功名を立てて**桑梓**の地に帰る。
□45 **肴核**既に尽きて杯盤狼ぜきたり。
□46 天皇の**輔弼**として政治を助ける。
□47 綱紀の**匡正**を行う。
□48 遠方で暮らす**姪孫**に文を送る。
□49 **弓箭**の出を鼻にかける。
□50 **頁岩**は泥土が積み重なってできた。
□51 鶴**九皐**に鳴き、声、天に聞こゆ。
□52 **萱堂**には大変お世話になりました。
□53 **岡阜**に登って町を眺める。
□54 ショックで**瞳孔**が開いた。

25 ちょうたつ	40 ちゅうたい（じゅうたい）
26 きょうりん	41 わくん
27 へいどん	42 しゅうしゅう
28 とんざ	43 さりゅう（さりつ）
29 さじ	44 そうし
30 けいしょう	45 こうかく
31 とゆう	46 ほひつ
32 ちょうちょう	47 きょうせい
33 てっとう	48 てっそん
34 きゅうえん	49 きゅうせん
35 うっさん	50 けつがん
36 ゆうあく	51 きゅうこう
37 えいだつ	52 けんどう
38 りょうしゅう	53 こうふ
39 しょうはい	54 どうこう

かならず押さえる！
頻出度
A

読み――⑤

※次の――線の訓読みをひらがなで記せ。

□ 1 灸の治療を施して腰痛を和らげる。
□ 2 殆うく大事故になるところだった。
□ 3 酷い言葉に苛まれた。
□ 4 君子の政務を傍で丞ける。
□ 5 現在の技術では奈ともしがたい。
□ 6 郁しい花の香りを胸いっぱい吸い込む。
□ 7 竈で煮炊きをする。
□ 8 その昔、この辺りは廓だった。
□ 9 一疋の絹布で羽織をあつらえる。
□ 10 三たび思いて而る後行う。
□ 11 樵として山の中で生活する。
□ 12 母の悲しそうな姿が心を掠めた。
□ 13 雨に託けて練習をサボる。
□ 14 川の俣にゴミがたまっている。
□ 15 瑞瑞しい歌声が心にとまる。
□ 16 椴松の製材を床板に用いる。
□ 17 二頭が轡を並べてゴールした。
□ 18 笑いながら欠点を論う。
□ 19 少女を拐して連れ回す。
□ 20 遜った態度に好感をおぼえる。
□ 21 堆く積み上げられた本の山に驚く。
□ 22 家の建築に栂の木を使う。
□ 23 魁として盗賊団を統轄する。
□ 24 落ち葉が川面を韓紅に染める。

目標正答率
95%
／54

標準解答

1 やいと
2 あや
3 さいな
4 たす
5 いかん
6 かぐわ
7 かまど
8 くるわ
9 ぴき
10 しか
11 きこり
12 かす
13 かこつ
14 また
15 みずみず
16 とどまつ
17 くつわ
18 あげつら
19 かどわか
20 へりくだ
21 うずたか
22 とが(つが)
23 かしら
24 からくれない

✻次の――線の音読みをひらがなで記せ。

□25 稲の**禾穂**を調べる。
□26 初対面で照れくさそうに**掻頭**する。
□27 **赫灼**たる太陽の光を浴びる。
□28 **茅屋**に招いて酒を酌み交わす。
□29 万死を**矛戟**の下に免ることを得たり。
□30 終日**盤桓**して名刹の風景を楽しむ。
□31 人民が徳治の**馨香**をたたえる。
□32 日本の古い**世諺**を調べる。
□33 **琉璃**色に光る宝石に魅せられる。
□34 伝統的な**捺染**の技術を伝承する。
□35 **曽遊**の地を再び訪ねる。
□36 **芝蘭**の室に入るが如し。
□37 **衣桁**に着物が掛けてある。
□38 彼女の母は**豊頬**の美人だ。
□39 古代中国の**揖譲**の礼を学ぶ。
□40 この物語の主人公は**妖姫**だ。
□41 両者の立場を**秤量**する。
□42 昔話を**集輯**する。
□43 無知**蒙昧**の輩ほど楽観している。
□44 海軍で**烹炊**班に所属していた。
□45 シャツの破れを**補綴**する。
□46 イソギンチャクは**腔腸**動物だ。
□47 恩師の**斌斌**たる人柄が偲ばれる。
□48 **鰐魚**を海の神とする説話がある。
□49 ご**諒恕**のほどお願い申し上げます。
□50 **竪子**与に謀るに足らず。
□51 吾に大樹有り、人之を**樗**と謂う。
□52 **象箸**と玉杯を贈られた。
□53 **畢生**の大作を書き上げた。
□54 先祖の霊をまつる**霊廟**がある。

25 かすい
26 そうとう
27 かくしゃく
28 ぼうおく
29 ぼうげき
30 ばんかん
31 けいこう
32 せいげん
33 るり
34 なっせん
35 そうゆう
36 しらん
37 いこう
38 ほうきょう
39 ゆうじょう
40 ようき
41 しょうりょう（ひょうりょう）
42 しゅうしゅう
43 もうまい
44 ほうすい
45 ほてい（ほてつ）
46 こうちょう
47 ひんぴん
48 がくぎょ
49 りょうじょ
50 じゅし
51 ちょ
52 ぞうちょ
53 ひっせい
54 れいびょう

かならず押さえる!

頻出度

A

読み―⑥

目標正答率 95%

／54

※次の――線の訓読みをひらがなで記せ。

□1 塙に展望所と遊歩道を整備する。
□2 足に負った傷を庇う。
□3 鉦や太鼓を叩いて収穫を祝う。
□4 船頭の見事な歌声に舷をたたく。
□5 納屋が風雨に曝されて朽ちる。
□6 鴇は特別天然記念物だ。
□7 勝利を知り乍ち明るくなった。
□8 岩山が壁のように峭っている。
□9 徒に時間ばかりが過ぎた。
□10 勝って汚名を雪ぐ。
□11 野蒜は味噌で食べるのが一番だ。
□12 着物の裳裾をからげる。
□13 先取点に弥が上にも興奮する。
□14 戦争中の壕の跡を埋める。
□15 諒に申し訳ない。
□16 遠来の客を夷顔で饗応した。
□17 過ちを文る。
□18 物差しの度を読んで記録する。
□19 稿を清書する。
□20 冬の晴れた空に奴凧を高く揚げる。
□21 日よけに簾をおろす。
□22 丑と寅との中間の方角を艮という。
□23 木の皮などを原料にして紙を漉く。
□24 造幣局では紙幣を摺っている。

標準解答

1 はなわ
2 かば
3 かね
4 ふなばた（ふなべり）
5 さら
6 とき
7 たちま
8 そばだ
9 いたずら
10 すす（そそ）
11 のびる
12 もすそ
13 いや
14 ほり
15 まこと
16 えびすがお
17 かざ
18 めもり
19 したがき
20 やっこだこ
21 すだれ（す）
22 うしとら
23 す
24 す

※次の——線の音読みをひらがなで記せ。

□25 知人の**鶯遷**をお祝いした。
□26 四方に**城砦**を築く。
□27 **庚申**信仰は道教に由来する。
□28 時間を忘れて推理小説を**耽読**した。
□29 表面に**粟粒**大の汚れが付着する。
□30 **杜漏**な計画はすぐに破綻した。
□31 香木の質の良いものを**伽羅**と呼ぶ。
□32 人の**云為**をいちいちあげつらう。
□33 苦しい事情を御**憐察**下さい。
□34 **荏苒**として日を送る。
□35 **柴扉**に暮らしております。
□36 **屑屑**として仕事に励む。
□37 家族で祖母の**椿寿**を祝った。
□38 **厩肥**を使って作物を育てる。
□39 **嫉妬**は愛情の裏返しだ。
□40 **袖珍**本を携帯する。
□41 修験者が**兜巾**をかぶっている。
□42 **佳肴**に舌鼓を打つ。
□43 山中にはいくつかの**邑落**がある。
□44 全会一致で社長に**推挽**された。
□45 **禾黍**の生長を楽しみにする。
□46 帰国の**允許**をいただいた。
□47 備蓄しておいた**稲粟**を食べ尽くした。
□48 瞑想にふけり**無碍**の境地に達した。
□49 戦争では**尖兵**として戦った。
□50 引きあげられた船が**曳航**される。
□51 彼の**凋落**ぶりは目を覆うばかりだ。
□52 **廟議**により決定が下された。
□53 中国の**朔北**の地を訪れる。
□54 **苧麻**の繊維で布を織り縄を作る。

25	おうせん	40	しゅうちん
26	じょうさい	41	ときん
27	こうしん	42	かこう
28	たんどく	43	ゆうらく
29	ぞくりゅう	44	すいばん
30	ずろう	45	かしょ
31	きゃら	46	いんきょ
32	うんい	47	とうぞく
33	れんさつ	48	むげ
34	じんぜん	49	せんぺい
35	さいひ	50	えいこう
36	せつせつ	51	ちょうらく
37	ちんじゅ	52	びょうぎ
38	きゅうひ	53	さくほく
39	しっと	54	ちょま

かならず押さえる！
頻出度
A
読み ⑦

※次の――線の訓読みをひらがなで記せ。

□ 1 研究論文は五百ページに亘る。
□ 2 永年の苦労を嘉して賞が与えられた。
□ 3 お呪いのおかげでうまくできた。
□ 4 顎足つきの招待を受ける。
□ 5 一日の出来事を具に報告する。
□ 6 日本の醱酵食品には麹が必要だ。
□ 7 蕗の葉を傘代わりにする。
□ 8 貴婦人が礼装時に檜扇を持つ。
□ 9 霊験灼な神社にお参りする。
□ 10 鍍金がはげる。
□ 11 息子は鍔のない帽子が好きだ。
□ 12 屋根に梯子をかける。
□ 13 夕暮れの茜雲がきれいだ。
□ 14 両親の生活は約やかなものだった。
□ 15 蕊は花の生殖器官だ。
□ 16 源氏物語の四十八巻は早蕨だ。
□ 17 虫が集っている。
□ 18 花々の郁しい香をかぐ。
□ 19 孟浩然の広陵に之くを送る。
□ 20 総力を挙げて塘を築く。
□ 21 コップの水が零れる。
□ 22 杏の実をジャムにする。
□ 23 元の鞘におさまった。
□ 24 孫に濃やかな愛情を注ぐ。

目標正答率
95%
／54

標準解答

1 わた
2 よみ
3 まじな
4 あご
5 つぶさ
6 こうじ
7 ふき
8 ひおうぎ
9 あらたか
10 めっき
11 つば
12 はしご
13 あかね
14 つづま
15 しべ
16 さわらび
17 たか
18 かぐわ
19 ゆ
20 つつみ
21 こぼ
22 あんず
23 さや
24 こま

※次の――線の音読みをひらがなで記せ。

□ 25 一面の**禾穎**が秋を告げている。

□ 26 **塵芥**の処理をきちんと行う。

□ 27 大王は**卜占**にて政事を執り行った。

□ 28 **暁闇**をついて旅路に就いた。

□ 29 ここに収入印紙を**貼用**する。

□ 30 **荻花**の風景に秋を感じる。

□ 31 **甥姪**が集まり祝ってくれた。

□ 32 橋の**勾欄**に見事な装飾が施されている。

□ 33 その生き物は木の穴に**棲息**する。

□ 34 路傍で拾った子犬を**鍾愛**する。

□ 35 彼女の**湛然**とした態度に感心する。

□ 36 師のご**叱正**を仰いだ。

□ 37 **凋残**の姿に切なさをおぼえる。

□ 38 失敗した事業の赤字を**補塡**する。

□ 39 穢れた世界を**厭離**する。

□ 40 美しい景色を前に**名諺**を口ずさむ。

□ 41 **舌尖**鋭く相手に詰め寄る。

□ 42 敵軍の将は**焚刑**に処せられた。

□ 43 時に**蟹行**鳥跡に倦みたる眼を移す。

□ 44 **沃土**を耕して作物を作る。

□ 45 **老爺**が道具の手入れをしている。

□ 46 **閏月**がある年を調べる。

□ 47 秋になると鮭が川を**遡上**する。

□ 48 裁判官が証人に**審訊**する。

□ 49 両軍相まみえて**剣戟**を振るう。

□ 50 殿の前に**膝行**して寄る。

□ 51 皇帝を前にして神妙に**叩首**する。

□ 52 **花蕊**から柔らかな香りがする。

□ 53 酒や賭け事に**耽溺**する。

□ 54 契約書に署名とともに**押捺**する。

25 かえい	40 めいげん
26 じんかい	41 ぜっせん
27 ぼくせん	42 ふんけい
28 ぎょうあん	43 かいこう
29 ちょうよう（てんよう）	44 よくど
30 てきか（てっか）	45 ろうや
31 せいてつ	46 じゅんげつ
32 こうらん	47 そじょう
33 せいそく	48 しんじん
34 しょうあい	49 けんげき
35 たんぜん	50 しっこう
36 しっせい	51 こうしゅ
37 ちょうざん	52 かずい
38 ほてん	53 たんでき
39 おんり（えんり）	54 おうなつ

かならず押さえる！

頻出度 A

表外読み——①

※次の——線の表外読みをひらがなで記せ。

□1 頑に心を閉ざす。
□2 事業の失敗を憾む。
□3 転んで強かに腰を打った。
□4 慈善事業に与する。
□5 使途不明金のゆくえを糾す。
□6 過去をあれこれ論う。
□7 お祭りに託けて大騒ぎする。
□8 バチカンでローマ法王に見える。
□9 態とらしい大げさな反応をする。
□10 約めて言えば、これが結論です。
□11 偏に皆様のご協力のお陰です。
□12 裏切り行為を知って激しく詰った。
□13 お年寄りを労る心が大切だ。
□14 物語の主人公に擬える。
□15 件の儲け話はうさん臭い。
□16 漢字の読み書きに長けている。
□17 夢物語に現をぬかす。
□18 友人の立場を慮って対処する。
□19 事件を発端から具に調べる。
□20 屋外は風が吹き遊んでいる。
□21 行き場を失って屯する。
□22 生死の掟に殉う。
□23 戦禍の悲惨さに心が惨む。
□24 内情を徐に明かした。

目標正答率 90%

／56

標準解答

1 かたくな
2 うら
3 したた
4 くみ
5 ただ
6 あげつら
7 かこつ
8 まみ
9 わざ
10 つづ
11 ひとえ
12 なじ
13 いたわ
14 なぞら
15 くだん
16 た
17 うつつ
18 おもんぱか
19 つぶさ
20 すさ
21 たむろ
22 したが
23 いた
24 おもむろ

□ 25 君主の暴虐ぶりに皆**戦**いた。
□ 26 蟻が残飯に**集**っている。
□ 27 芸能人に**肖**って同じ髪型にする。
□ 28 蓮の**台**の半座を分かつ。
□ 29 悪い慣習は**革**めるべきだ。
□ 30 気持ちが自然に**解**れた。
□ 31 師匠に**扱**かれて腕を上げる。
□ 32 シテとして**尉**を担う。
□ 33 瓶の**括**れた部分を持つ。
□ 34 参加には**某**かのお金が必要です。
□ 35 膨大な資料を**閲**する。
□ 36 工場設立から五十年に**垂**とする。
□ 37 機械の調子は**概**ね良好です。
□ 38 大将が**殿**に控える。
□ 39 **因**に僕と彼女は兄妹です。
□ 40 和解の**緒**が見つからない。
□ 41 **転**た慚愧《ざんき》の念に堪えない。
□ 42 作り事だとは**努努**思わなかった。
□ 43 何があっても生き**存**えてみせる。
□ 44 猫を一**番**で飼う。
□ 45 彼の行いは人の道に**戻**る。
□ 46 父の作業着は**鈍**色だ。
□ 47 **妄**りに信じてはいけない。
□ 48 **寡**暮らしの父を気にかける。
□ 49 祖父の時代に**墾**いた土地。
□ 50 クラスで彼女に**敵**う者はいない。
□ 51 幼い子を**拐**すとは許せない。
□ 52 星が庭を**清**かに照らす。
□ 53 出世するほど**頭**を垂れて働く。
□ 54 **都**てここに書いてある通りです。
□ 55 伝統に**法**って進められた。
□ 56 **万**承ります。

25	おのの	41	うた
26	たか	42	ゆめゆめ
27	あやか	43	ながら
28	うてな	44	つがい
29	あらた	45	もと
30	ほぐ	46	にび
31	しご	47	みだ
32	じょう	48	やもめ
33	くび	49	ひら
34	なにがし	50	かな
35	けみ	51	かどわか
36	なんなん	52	さや
37	おおむ	53	こうべ
38	しんがり	54	すべ
39	ちなみ	55	のっと
40	いとぐち	56	よろず

かならず押さえる！

頻出度

A

表外読み――②

※次の――線の表外読みをひらがなで記せ。

□1 予め資料を作成しておく。
□2 辛い貧困生活を堪え忍ぶ。
□3 団くなって花見を楽しんだ。
□4 陸でもない仕事にうんざりする。
□5 適入った喫茶店で旧友に会った。
□6 仕事は粗予定通りに進んだ。
□7 流行の服を上手く着熟す。
□8 応に故郷の事を知るべし。
□9 互いに協力し合うことを盟う。
□10 会社組織を人体に準える。
□11 邪なたくらみが暴かれる。
□12 客間を和風に設える。
□13 事の真偽を厳しく質す。
□14 捜査の網の目を潜り抜ける。
□15 周く世間に知れ渡っている。
□16 苦しい胸の裏を聞いてもらう。
□17 日照りが続き草木が末枯れた。
□18 銀座を漫ろ歩く。
□19 名声を縦にした英雄だ。
□20 茶を点てて客人をもてなす。
□21 草で縄を糾う。
□22 席を巻く勢いで人気を占める。
□23 猛勉強して成績向上に力める。
□24 先方の提案を諾う。

目標正答率 90%

／56

標準解答

1 あらかじ
2 つら
3 まる
4 ろく
5 たまたま
6 ほぼ
7 こな
8 まさ
9 ちか
10 なぞら
11 よこしま
12 しつら
13 ただ
14 くぐ
15 あまね
16 うち
17 うら
18 そぞ（すず）
19 ほしいまま
20 た
21 あざな
22 むしろ
23 つと
24 うべな

□ 25 **罷**り間違えば大事故だ。

□ 26 **辱**いお言葉感謝いたします。

□ 27 格下に負けて**態**がない。

□ 28 長年の**凝**りを捨てて和解する。

□ 29 水質の調査結果を**報**せる。

□ 30 冷たい水で喉を**潤**びらせる。

□ 31 相手をにらみ据えて**嚇**した。

□ 32 将軍を**翼**ける役職につく。

□ 33 バラの花が**芳**しい香りを放つ。

□ 34 古寺の**階**を上る。

□ 35 **刺**のある言葉に傷ついた。

□ 36 宣教師として布教に**勤**しむ。

□ 37 彼の**直**向きさが信頼を生んでいる。

□ 38 前後の**弁**えもなく発言してしまう。

□ 39 皆が**斉**しく立ち上がった。

□ 40 **謙**って敬意を示す。

□ 41 目の前を黒い影が**過**った。

□ 42 窓から様子を**斥**う。

□ 43 功績を称えた作家の**碑**がある。

□ 44 予想は外れたが**寧**ろ好い結果だ。

□ 45 恩師に**事**える。

□ 46 説教するなど**痴**がましい。

□ 47 翠は羽を以て自ら**残**なう。

□ 48 観光収入はドイツに**比**ぶ。

□ 49 保存のため大根を**埋**ける。

□ 50 カメムシが悪臭を**放**る。

□ 51 ビルが**参差**として並び立つ。

□ 52 炭には小さな**孔**が空いている。

□ 53 **序**での節はお立ち寄りください。

□ 54 **打打**と釘を打つ。

□ 55 このケーキはハートを**象**っている。

□ 56 しばらくの間、友人を**匿**う。

25 まか
26 かたじけな
27 さま(ざま)
28 しこ
29 しら
30 ほと
31 おど
32 たす
33 かぐわ
34 きざはし
35 とげ
36 いそ
37 ひた
38 わきま
39 ひと
40 へりくだ

41 よぎ
42 うかが
43 いしぶみ
44 むし
45 つか
46 おこ
47 そこ
48 なら
49 い
50 ひ
51 しんし
52 あな
53 つい
54 ちょうちょう
55 かたど
56 かくま

かならず押さえる！
頻出度
A

表外読み—③

※次の——線の表外読みをひらがなで記せ。

□1 客の**需**めに応じて和服を仕立てる。
□2 爆発で**塊**が周囲に飛び散った。
□3 不満を持つ民衆が口々に**喚**いた。
□4 ライバル企業が急速に勢いを**伸**す。
□5 失敗し財産も地を**掃**うに至った。
□6 **遍**く全国に医療を提供する。
□7 働き詰めで健康を**害**なう。
□8 **少**くしてすでに巨匠の風格を備える。
□9 私生活を**漫**りに話すべきではない。
□10 神学に関する**籍**の初版本を読む。
□11 神前でこれまでの己の所業を**白**す。
□12 歌手としての新境地を**拓**いた。
□13 為す術もなく手を**束**ねている。
□14 武士には本名のほかに**字**がある。
□15 学芸会で**首**めのセリフをとちった。
□16 会議の内容を**諦**らかにする。
□17 **条**の通らない主張を繰り返す。
□18 愛用の品とともに**棺**に納める。
□19 洞ヶ峠を**極**め込む。
□20 **端**から相手にされなかった。
□21 隣家の犬が**頻**りに吠えている。
□22 住民票の**謄**しを提出する。
□23 時代の趨勢に**抗**うことはできない。
□24 米を**炊**ぐ間に夕食のおかずを作る。

標準解答

1 もと	2 つちくれ	3 わめ	4 の	5 はら	6 あまね	7 そこ	8 わか	9 みだ	10 ふみ	11 もう	12 ひら
13 つか	14 あざな	15 はじ	16 つまび	17 すじ	18 ひつぎ	19 き	20 はな	21 しき	22 うつ	23 あらが	24 かし

目標正答率 90%

／56

□25 神出鬼没の敵の影に**脅**える。
□26 医師から短時間の外出が**聴**された。
□27 名勝に**准**えて造った庭園だ。
□28 火が**爆**ぜる暖炉の周りでくつろぐ。
□29 牧師が静かに**宣**う声が聞こえる。
□30 努力で成功を**購**う。
□31 事がうまく運ばずに**鬱**ぎ込む。
□32 古墳を**発**いて古代を研究する。
□33 情報不足で**確**とは断定できない。
□34 強烈な刺激臭に思わず鼻を**撮**んだ。
□35 手出しができず無力感に**苛**まれる。
□36 山の中腹に石の**階**が見える。
□37 **郭**によって城への敵の侵入を防ぐ。
□38 手柄を立て王に**謁**える。
□39 天子**親**ら朝敵を征伐する。
□40 恩師の忠告も頑として**肯**じない。
□41 **額**ずいて詫び、誠意を示す。
□42 足に**創**を負う。
□43 右に行くか**将**左に行くか。
□44 違反の**廉**で取り調べを受けた。
□45 不正が**露**になる。
□46 悲しい知らせに泣き**号**んだ。
□47 **奇**しくも同年齢だった。
□48 先輩に**効**うが、うまくいかない。
□49 **方**に父が訪ねた日だった。
□50 版を改め大幅に**訂**す。
□51 焼き魚の身を**解**す。
□52 **布袋**は七福神のひとりだ。
□53 失恋してから心が**荒**んだ。
□54 風雨を**衝**いて決行する。
□55 国境に**標**が立てられる。
□56 飲酒運転の**科**で逮捕される。

25	おび
26	ゆる
27	なぞら
28	は
29	のたま
30	あがな
31	ふさ
32	あば
33	しか
34	つま
35	さいな
36	きざはし
37	くるわ
38	まみ
39	みずか
40	がえん
41	ぬか
42	きず
43	はた
44	かど
45	あらわ
46	さけ
47	く
48	なら
49	まさ
50	ただ
51	ほぐ
52	ほてい
53	すさ
54	つ
55	しめ
56	とが

かならず押さえる！
頻出度
A

熟語と一字訓――①

目標正答率100%
／54

※次の熟語の読みとその語義にふさわしい訓読みをひらがなで記せ。

□1 嬰鱗
□2 嬰れる

□3 礪行
□4 礪く

□5 岨峻
□6 岨つ

□7 曝書
□8 曝す

□9 肇国
□10 肇める

□11 劃然
□12 劃る

□13 掩蓋
□14 掩う

□15 夷坦
□16 夷らか

□17 轟音
□18 轟く

□19 葺屋
□20 葺く

□21 翫笑
□22 翫る

□23 阻碍
□24 碍げる

標準解答

1 えいりん
2 ふ

3 れいこう
4 みが

5 そしゅん（しょしゅん）
6 そばだ

7 ばくしょ
8 さら

9 ちょうこく
10 はじ

11 かくぜん
12 くぎ

13 えんがい
14 おお

15 いたん
16 たい

17 ごうおん
18 とどろ

19 しゅうおく
20 ふ

21 がんしょう
22 あなど

23 そがい
24 さまた

25 弘毅 □
26 毅い □
27 弼匡 □
28 弼ける □
29 永訣 □
30 訣れる □
31 訊責 □
32 訊う □
33 編輯 □
34 輯める □

35 窺管 □
36 窺く □
37 趨勢 □
38 趨く □
39 臆度 □
40 臆る □
41 烹煎 □
42 烹る □
43 鍾美 □
44 鍾める □

45 堰塞 □
46 堰く □
47 冒瀆 □
48 瀆す □
49 瑞穣 □
50 穣る □
51 慰撫 □
52 撫でる □
53 侃侃 □
54 侃い □

25 こうき
26 つよ
27 ひっきょう
28 たす
29 えいけつ
30 わか
31 じんせき
32 と
33 へんしゅう
34 あつ

35 きかん
36 のぞ
37 すうせい
38 おもむ
39 おくたく
40 おしはか
41 ほうせん
42 に
43 しょうび
44 あつ

45 えんそく
46 せ
47 ぼうとく
48 けが
49 ずいじょう
50 みの
51 いぶ
52 な
53 かんかん
54 つよ

読み 378問
表外読み 168問
熟語と一字訓① 162問
四字熟語 168問
書き取り 280問
故事・諺 280問
対義語・類義語 192問
同音・同訓異字 112問
誤字訂正 56問
共通の漢字 48問

かならず押さえる!
頻出度
A

熟語と一字訓 ②

目標正答率 100%
／54

※次の熟語の読みとその語義にふさわしい訓読みをひらがなで記せ。

1 輿望
2 輿い
3 哀咽
4 咽ぶ
5 綿亙
6 亙る
7 赫灼
8 赫く
9 歎賞
10 歎える
11 匡弼
12 匡す
13 亨通
14 亨る
15 窺見
16 窺く
17 恢廓
18 恢い
19 繋泊
20 繋ぐ
21 切瑳
22 瑳く
23 紛擾
24 擾れる

標準解答

1 よぼう
2 おお
3 あいえつ
4 むせ
5 めんこう
6 わた
7 かくしゃく
8 かがや
9 たんしょう
10 たた
11 きょうひつ
12 ただ
13 こうつう
14 とお
15 きけん
16 のぞ
17 かいかく
18 ひろ
19 けいはく
20 つな
21 せっさ
22 みが
23 ふんじょう
24 みだ

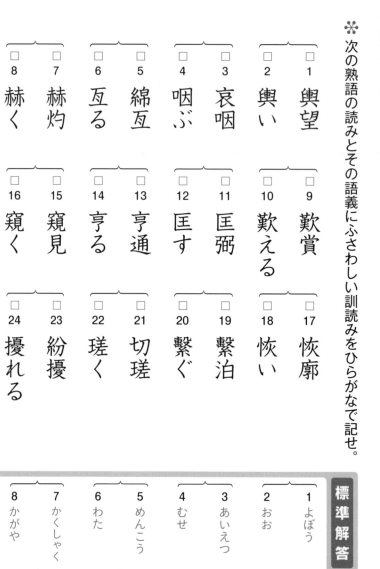

25 周匝
26 匝る
27 進捗
28 捗る
29 瀆職
30 瀆す
31 遁辞
32 遁れる
33 汎論
34 汎い

35 綻裂
36 綻ぶ
37 蔽護
38 蔽う
39 勃爾
40 勃かに
41 肇造
42 肇める
43 趨向
44 趨く

45 区劃
46 劃る
47 砥礪
48 礪く
49 呪罵
50 呪う
51 嬰鱗
52 嬰れる
53 賭博
54 賭ける

25 しゅうそう
26 めぐ
27 しんちょく
28 はかど
29 とくしょく
30 けが
31 とんじ
32 のが
33 はんろん
34 ひろ

35 たんれつ
36 ほころ
37 へいご
38 おお
39 ぼつじ
40 にわ
41 ちょうぞう
42 はじ
43 すうこう
44 おもむ

45 くかく
46 くぎ
47 しれい
48 みが
49 じゅば
50 のろ
51 えいりん
52 ふ
53 とばく
54 か

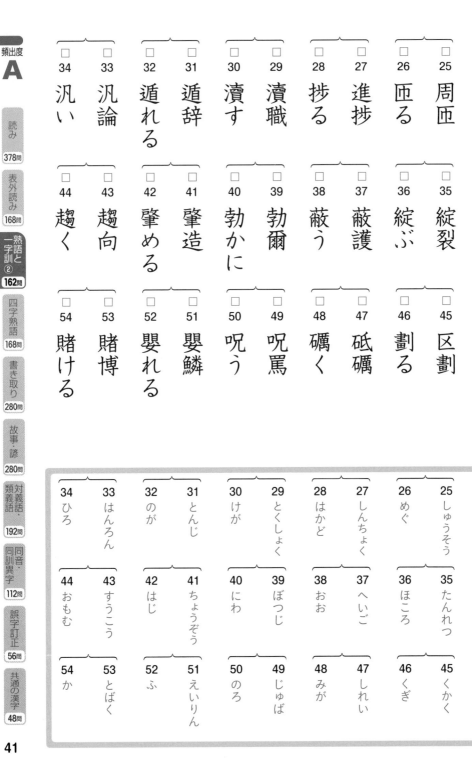

かならず押さえる！
頻出度
A

熟語と一字訓——③

目標正答率 100%
／54

※次の熟語の読みとその語義にふさわしい訓読みをひらがなで記せ。

1 優渥
2 渥い
3 恢偉
4 恢きい
5 徽言
6 徽い
7 岨峻
8 岨つ
9 茶托
10 托く
11 破綻
12 綻びる
13 鳩首
14 鳩める
15 啓蒙
16 蒙い
17 諫輔
18 諫める
19 蕪雑
20 蕪れる
21 葺屋
22 葺く
23 嗤笑
24 嗤る

標準解答

1 ゆうあく
2 あつ
3 かいい
4 おお
5 きげん
6 よ
7 そしゅん（しょしゅん）
8 そばだ
9 ちゃたく
10 お
11 はたん
12 ほころ
13 きゅうしゅ
14 あつ
15 けいもう
16 くら
17 かんぽ
18 いさ
19 ぶざつ
20 みだ（あ）
21 しゅうおく
22 ふ
23 がんしょう
24 あなど

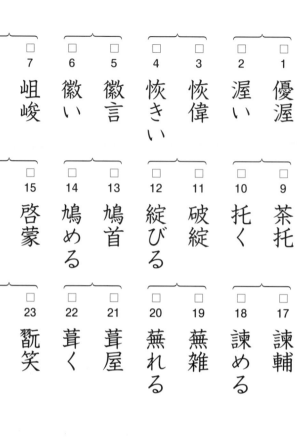

□ 25 阻碍
□ 26 碍げる
□ 27 哀咽
□ 28 咽ぶ
□ 29 弘毅
□ 30 毅い
□ 31 匡弼
□ 32 弼ける
□ 33 靱性
□ 34 靱やか

□ 35 辞訣
□ 36 訣れる
□ 37 訊責
□ 38 訊う
□ 39 編輯
□ 40 輯める
□ 41 窺見
□ 42 窺く
□ 43 編纂
□ 44 纂める

□ 45 冶金
□ 46 冶る
□ 47 侃侃
□ 48 侃い
□ 49 叢生
□ 50 叢がる
□ 51 礪行
□ 52 礪く
□ 53 肇国
□ 54 肇める

25 そがい
26 さまた
27 あいえつ
28 むせ
29 こうき
30 つよ
31 きょうひつ
32 たす
33 じんせい
34 しな

35 じけつ
36 わか
37 じんせき
38 と
39 へんしゅう
40 あつ
41 きけん
42 のぞ
43 へんさん
44 あつ

45 やきん
46 い
47 かんかん
48 つよ
49 そうせい
50 むら
51 れいこう
52 みが
53 ちょうこく
54 はじ

かならず押さえる！

頻出度 A

四字熟語──①

目標正答率
書き取り95%
読みと意味75%

／24

※次の問1と問2の四字熟語について答えよ。

問1　次の□に入る適切な語を［　］から選んで漢字に直し四字熟語を完成させよ。

□ 1 □□奇抜

□ 2 □□祈禱

□ 3 □□墨守

□ 4 赤手□□

□ 5 杯酒□□

□ 6 天佑□□

□ 7 眉目□□

□ 8 経世□□

□ 9 □□西望

□ 10 □□夢幻

□ 11 朝盈□□

□ 12 波濤□□

かいえん　かじ　きゅうとう　くうけん　さいみん　ざんしん　しゅうれい　しんじょ　せききょ　とうき　ばんり　ほうまつ

標準解答

1 斬新《ざんしん》奇抜《きばつ》
2 加持《かじ》祈禱《きとう》
3 旧套《きゅうとう》墨守《ぼくしゅ》
4 赤手《せきしゅ》空拳《くうけん》
5 杯酒《はいしゅ》解怨《かいえん》
6 天佑《てんゆう》（祐）神助《しんじょ》
7 眉目《びもく》秀麗《しゅうれい》
8 経世《けいせい》済民《さいみん》
9 東窺《とうき》西望《せいぼう》
10 泡沫《ほうまつ》夢幻《むげん》
11 朝盈《ちょうえい》夕虚《せききょ》
12 波濤《はとう》万里《ばんり》

問2 次の解説・意味にあてはまる四字熟語を□から選び、その傍線部分だけの読みをひらがなで記せ。

□13 迷いがあって初めて悟りもあること
□14 朝から夜まで懸命に働くこと
□15 極楽往生を心から願うこと
□16 非常に憎しみが深いこと
□17 やさしく穏やかなこと
□18 目的に向かいがむしゃらに突きすすむこと
□19 大事業を企てること
□20 世の中の指導者
□21 次々に危難におそわれること
□22 時期が過ぎて役に立たないこと
□23 生死が繰り返されるという仏教の教え
□24 一度敗れた者が再び勢いを盛り返すこと

図南鵬翼	捲土重来
欣求浄土	前虎後狼
温柔敦厚	猪突猛進
煩悩菩提	一世木鐸
不倶戴天	六菖十菊
輪廻転生	披星戴月

標準解答

13 ぼだい 煩悩菩提
14 ひせい 披星戴月
15 ごんぐ 欣求浄土
16 ふぐ 不倶戴天
17 とんこう 温柔敦厚
18 ちょとつ 猪突猛進
19 ほうよく 図南鵬翼
20 ぼくたく 一世木鐸
21 こうろう 前虎後狼
22 じゅうぎく(じっきく) 六菖十菊
23 りんね 輪廻転生
24 けんど 捲土重来

かならず押さえる!
頻出度
A

四字熟語—②

目標正答率
書き取り95%
読みと意味75%

／24

※次の問1と問2の四字熟語について答えよ。

問1 次の□に入る適切な語を［　］から選んで漢字に直し四字熟語を完成させよ。

□1 □□帯礪

□2 □□坐臥

□3 臨淵□□

□4 □□玉杯

□5 邑犬□□

□6 純真□□

□7 栄耀□□

□8 玩物□□

□9 □□転生

□10 六菖□□

□11 □□玉兎

□12 不倶□□

えいが　かざん
ぎょうじゅう　きんう
ぐんばい　じゅうぎく
せんぎょ　そうし
ぞうちょ　たいてん
むく　りんね

標準解答

1 河山帯礪《かざんたいれい》（厲）
2 行住坐《ぎょうじゅうざ》（座）臥《が》
3 臨淵羨魚《りんえんせんぎょ》
4 象箸玉杯《ぞうちょぎょくはい》
5 邑犬群吠《ゆうけんぐんばい（ぐんべい）》
6 純真無垢《じゅんしんむく》
7 栄耀《えいよう（ええよう）》（曜・燿）栄華《えいが》
8 玩物喪志《がんぶつそうし》
9 輪廻転生《りんねてんしょう（てんせい）》
10 六菖十菊《りくしょうじゅうぎく（ろくしょうじっきく）》
11 金烏玉兎《きんうぎょくと》
12 不倶戴天《ふぐたいてん》

問2 次の解説・意味にあてはまる四字熟語を［　］から選び、その傍線部分だけの読みをひらがなで記せ。

□13 つまらない者たちがはびこること
□14 丁重なお辞儀
□15 国の滅亡を嘆き悲しむこと
□16 豪華な衣服のたとえ
□17 古い慣習を守り続けること
□18 無理にこじつけること
□19 文章をよく考えながら読むこと
□20 到達しうる最高点
□21 微力でも努力しだいで成功するたとえ
□22 ささいなことが大事件を引き起こすこと
□23 よい評判が盛んなこと
□24 思いがけない偶然のたすけ

牽強附会	百尺竿頭
旧套墨守	綾羅錦繡
麦秀黍離	朝蠅暮蚊
熟読玩味	頓首再拝
蚊虻走牛	点滴穿石
名声赫赫	天佑神助

標準解答

13 ちょうよう　朝蠅暮蚊
14 とんしゅ　頓首再拝
15 しょり　麦秀黍離
16 きんしゅう　綾羅錦繡
17 ぼくしゅ　旧套墨守
18 けんきょう　牽強附会
19 がんみ　熟読玩味
20 かんとう　百尺竿頭
21 せんせき　点滴穿石
22 ぶんぼう　蚊虻走牛
23 かくかく　名声赫赫
24 てんゆう　天佑神助

かならず押さえる!

頻出度

A

四字熟語—③

目標正答率
書き取り95%
読みと意味75%

／24

※次の問1と問2の四字熟語について答えよ。

問1 次の□に入る適切な語を［ ］から選んで漢字に直し四字熟語を完成させよ。

□1 竜章□□

□2 □□地祇

□3 □□垢面

□4 □□木鐸

□5 □□豚児

□6 □□満門

□7 □□亡羊

□8 □□錦繡

□9 全豹□□

□10 融通□□

□11 鳩首□□

□12 披星□□

いっせい　いっぱん
ぎょうぎ　けいさい
たいげつ　たき
てんじん　とうり
ほうし　ほうとう
むげ　りょうら

標準解答

1 竜章《りゅうしょう（りょうしょう）》鳳姿《ほうし》
2 天神《てんじん（てんしん）》地祇《ちぎ》
3 蓬頭垢面《ほうとうこうめん》
4 一世木鐸《いっせい（の）ぼくたく》
5 荊妻豚児《けいさいとんじ》
6 桃李満門《とうりまんもん》
7 多岐亡羊《たきぼうよう》
8 綾羅錦繡《りょうらきんしゅう》
9 全豹一斑《ぜんぴょういっぱん》
10 融通無碍《ゆうずうむげ》（礙）
11 鳩首凝議《きゅうしゅぎょうぎ》
12 披星戴月《ひせいたいげつ》

問2 次の解説・意味にあてはまる四字熟語を［　］から選び、その傍線部分だけの読みをひらがなで記せ。

□13 見識・視野が狭いこと
□14 出会うことが非常にむずかしいこと
□15 遠い外国
□16 猛烈に勉強すること
□17 酒色におぼれて身を持ちくずすこと
□18 顔だちが美しく整っていること
□19 才能を隠して俗世間に暮らすこと
□20 逃すことのできない好機
□21 客に出す酒食の謙遜語
□22 人生のはかないことのたとえ
□23 梅の花のたとえ、麗人のこと
□24 議論がまとまらないこと

和光同塵	盲亀浮木
波濤万里	磨穿鉄硯
放蕩無頼	眉目秀麗
用管窺天	啐啄同時
粗酒粗餐	氷肌玉骨
朝盈夕虚	甲論乙駁

標準解答

13 きてん 用管窺天
14 もうき 盲亀浮木
15 はとう 波濤万里
16 てっけん 磨穿鉄硯
17 ほうとう 放蕩無頼
18 びもく 眉目秀麗
19 どうじん 和光同塵
20 そったく 啐啄同時
21 そさん 粗酒粗餐
22 ちょうえい 朝盈夕虚
23 ぎょっこつ 氷肌玉骨
24 おつばく 甲論乙駁

かならず押さえる！

頻出度

A

四字熟語―④

※次の問1と問2の四字熟語について答えよ。

問1 次の□に入る適切な語を[ ]から選んで漢字に直し四字熟語を完成させよ。

□ 1 □□一閃

□ 2 盲亀□□

□ 3 道聴□□

□ 4 君子□□

□ 5 □□乙駁

□ 6 用管□□

□ 7 放蕩□□

□ 8 □□秋蟬

□ 9 暮色□□

□ 10 李下□□

□ 11 □□附会

□ 12 □□絶壁

かでん	きてん
けんきょう	こうろん
しでん	しゅんあ
そうぜん	だんがい
とせつ	ひょうへん
ふぼく	ぶらい

目標正答率
書き取り95%
読みと意味75%

／24

標準解答

1 紫《し》電《でん》一《いっ》閃《せん》

2 盲《もう》亀《き》浮《ふ》木《ぼく》

3 道《どう》聴《ちょう》塗《と》説《せつ》

4 君《くん》子《し》豹《ひょう》変《へん》

5 甲《こう》論《ろん》乙《おつ》駁《ばく》

6 用《よう》管《かん》窺《き》天《てん》

7 放《ほう》蕩《とう》無《ぶ》頼《らい》

8 春《しゅん》蛙《あ》秋《しゅう》蟬《ぜん》

9 暮《ぼ》色《しょく》蒼《そう》然《ぜん》

10 李《り》下《か》瓜《か》田《でん》

11 牽《けん》強《きょう》附《ふ》(付・傅)会《かい》

12 断《だん》崖《がい》絶《ぜっ》壁《ぺき》

問2 次の解説・意味にあてはまる四字熟語を［　］から選び、その傍線部分だけの読みをひらがなで記せ。

□13 めでたい月日
□14 優秀な人材が集まること
□15 額をつきあわせて相談すること
□16 よい行いは子孫の幸福に反映する
□17 汚れなく清らかなさま
□18 絶世の美人の形容
□19 将来有望な子のたとえ
□20 自分の妻子の謙遜語
□21 月日・時間
□22 豪華な衣服のたとえ
□23 勢いが衰えものさびしいさま
□24 ひたすらに座禅すること

綾羅錦繡	只管打坐	秋風索莫	桃李満門	沈魚落雁	純真無垢
麟子鳳雛	積善余慶	白兎赤烏	荊妻豚児	嘉辰令月	鳩首凝議

標準解答

13 かしん 嘉辰令月
14 とうり 桃李満門
15 きゅうしゅ 鳩首凝議
16 よけい 積善余慶
17 むく 純真無垢
18 らくがん 沈魚落雁
19 ほうすう 麟子鳳雛
20 とんじ 荊妻豚児
21 はくと 白兎赤烏
22 りょうら 綾羅錦繡
23 さくばく 秋風索莫
24 しかん 只管打坐

頻出度 A

読み 378問
表外読み 168問
熟語と一字訓 162問
四字熟語④ 168問
書き取り 280問
故事・諺 280問
対義語・類義語 192問
同音・同訓異字 112問
誤字訂正 56問
共通の漢字 48問

四字熟語——⑤

※次の問1と問2の四字熟語について答えよ。

問1　次の□に入る適切な語を［　］から選んで漢字に直し四字熟語を完成させよ。

□1　□□蜜語
□2　博聞□□
□3　□□自大
□4　□□類狗
□5　門前□□
□6　□□鉄硯
□7　文質□□
□8　温柔□□
□9　□□月旦
□10　□□鳳雛
□11　□□同時
□12　内股□□

がこ
こうやく
ぜったん
てんげん
ひんぴん
やろう
きょうしき
じゃくら
そったく
とんこう
ません
りんし

目標正答率
書き取り95%
読みと意味75%
／24

標準解答

1　甜言蜜語《てんげんみつご》
2　博聞彊《はくぶんきょう》(強)識《しき(し)》
3　夜郎自大《やろうじだい》
4　画虎類狗《がこるいく》
5　門前雀羅《もんぜんじゃくら》
6　磨穿鉄硯《ませんてっけん》
7　文質彬彬《ぶんしつひんぴん》
8　温柔敦《おんじゅうとん》(惇)厚《こう》
9　舌端月旦《ぜったんげったん》
10　麟子鳳雛《りんしほうすう》
11　啐啄同時《そったくどうじ》
12　内股膏薬《うちまた(ごう)こうやく》

問2 次の解説・意味にあてはまる四字熟語を［　］から選び、その傍線部分だけの読みをひらがなで記せ。

□ 13 強固な意志で動じないこと
□ 14 望みだけでは願いはかなえられないこと
□ 15 度量が広いこと
□ 16 何ものにもとらわれずのびのびしていること
□ 17 外見ばかり立派で役に立たないたとえ
□ 18 落ち着きのないさま
□ 19 人生がはかないことのたとえ
□ 20 世の中にありえないもののたとえ
□ 21 民間人による為政者への厳しい批判
□ 22 感情がまつわりついて離れないさま
□ 23 非常にものさびしいさま
□ 24 ごくありふれた平凡な人

陶犬瓦鶏	融通無碍
清濁併呑	臨淵羨魚
確乎不抜	東窺西望
張三李四	兎角亀毛
草茅危言	情緒纏綿
凄凄切切	泡沫夢幻

標準解答

13 かっこ 確乎不抜
14 りんえん 臨淵羨魚
15 せいだく 清濁併呑
16 むげ 融通無碍
17 がけい 陶犬瓦鶏
18 とうき 東窺西望
19 ほうまつ 泡沫夢幻
20 きもう 兎角亀毛
21 そうぼう 草茅危言
22 じょうしょ(じょうちょ) 情緒纏綿
23 せいせい 凄凄切切
24 りし 張三李四

かならず押さえる!

頻出度 A

四字熟語―⑥

目標正答率
書き取り95%
読みと意味75%

／24

※次の問1と問2の四字熟語について答えよ。

問1 次の□に入る適切な語を［ ］から選んで漢字に直し四字熟語を完成させよ。

□ 1 □□纏綿

□ 2 □□万頃

□ 3 □□粗餐

□ 4 兎角□□

□ 5 通暁□□

□ 6 鵬程□□

□ 7 □□重来

□ 8 点滴□□

□ 9 金剛□□

□ 10 古色□□

□ 11 □□良辰

□ 12 □□戴天

いっぺき
きもう
じょうしょ
そうぜん
ちょうたつ
ふえ
きちじつ
けんど
せんせき
そしゅ
ばんり
ふぐ

標準解答

1 情緒《じょうしょ(じょうちょ)》纏綿《てんめん》
2 一碧万頃《いっぺきばんけい》
3 粗酒《そしゅ》粗餐《そさん》
4 兎《と》(兎・兔)角亀毛《かくきもう》
5 通暁暢達《つうぎょうちょうたつ》
6 鵬程万里《ほうていばんり》
7 捲《けん》(巻)土《ど》重来《(じゅうらい)ちょうらい》
8 点滴穿石《てんてきせんせき》
9 金剛不壊《こんごうふえ》
10 古色蒼然《こしょくそうぜん》
11 吉日良辰《きちじつりょうしん》
12 不倶戴天《ふぐたいてん》

問2 次の解説・意味にあてはまる四字熟語を［　］から選び、その傍線部分だけの読みをひらがなで記せ。

□13 根本の原因を取り除くこと
□14 外見だけで中身が伴わないこと
□15 遊んでばかりで本業がおろそかになること
□16 意志が強く決断力があること
□17 外見と内面が調和していること
□18 自分の意志がなく態度が一定しないこと
□19 言動に矛盾があること
□20 ふだんの立ち居振る舞い
□21 常に変わり一定しないことのたとえ
□22 神仏にいのること
□23 古めかしくおもむきがあるさま
□24 限りなく広々としたさま

加持祈禱	玩物喪志	文質彬彬	羊質虎皮	朝秦暮楚	一碧万頃
自家撞着	剛毅果断	内股膏薬	行住坐臥	釜底抽薪	古色蒼然

標準解答

13 ちゅうしん 釜底抽薪
14 ようしつ 羊質虎皮
15 がんぶつ 玩物喪志
16 ごうき 剛毅果断
17 ぶんしつ 文質彬彬
18 こうやく(ごうやく) 内股膏薬
19 どうちゃく 自家撞着
20 ぎょうじゅう 行住坐臥
21 ちょうしん 朝秦暮楚
22 かじ 加持祈禱
23 そうぜん 古色蒼然
24 いっぺき 一碧万頃

四字熟語—⑦

目標正答率
書き取り95%
読みと意味75%
／24

※次の問1と問2の四字熟語について答えよ。

問1 次の□に入る適切な語を［ ］から選んで漢字に直し四字熟語を完成させよ。

1 □□令月
2 □□撞着
3 □□瓢飲
4 麦秀□□
5 曲学□□
6 欣求□□
7 □□落雁
8 頓首□□
9 □□瓦全
10 □□切切
11 □□瓦鶏
12 和光□□

あせい　かしん　ぎょくさい　さいはい　じか　じょうど　しょり　せいせい　たんし　ちんぎょ　とうけん　どうじん

標準解答

1 嘉《か》(佳)辰令月《しんれいげつ》
2 自家撞着《じかどうちゃく》(著)
3 箪食瓢飲《たんしひょういん》
4 麦秀黍離《ばくしゅうしょり》
5 曲学阿世《きょくがくあせい》
6 欣求浄土《ごんぐじょうど》
7 沈魚落雁《ちんぎょらくがん》
8 頓首再拝《とんしゅさいはい》
9 玉砕瓦全《ぎょくさいがぜん》
10 凄凄《せいせい》(々)切切《せつせつ》(々)
11 陶犬瓦鶏《とうけんがけい》
12 和光同塵《わこうどうじん》

問2 次の解説・意味にあてはまる四字熟語を[　]から選び、その傍線部分だけの読みをひらがなで記せ。

□ 13 平和であるたとえ
□ 14 相手を誘う甘い言葉
□ 15 物事の基準・法則
□ 16 役に立たないことに力を注ぐことのたとえ
□ 17 人に取り入ること
□ 18 立派で美しいさま
□ 19 大国が小国を侵略していくこと
□ 20 凡人が優れた者のまねをして失敗すること
□ 21 永遠に変わらないこと
□ 22 俗世から離れて雅やかな生活をするたとえ
□ 23 酒をくみ交わして仲直りすること
□ 24 真理をまげた説を唱えて時勢に迎合すること

阿附迎合	甜言蜜語
蚕食鯨呑	凋氷画脂
刑鞭蒲朽	竜章鳳姿
鉤縄規矩	画虎類狗
梅妻鶴子	河山帯礪
曲学阿世	杯酒解怨

標準解答

13 ほきゅう 刑鞭蒲朽
14 てんげん 甜言蜜語
15 きく 鉤縄規矩
16 ちょうひょう 凋氷画脂
17 あふ 阿附迎合
18 ほうし 竜章鳳姿
19 さんしょく 蚕食鯨呑
20 るいく 画虎類狗
21 たいれい 河山帯礪
22 かくし 梅妻鶴子
23 はいしゅ 杯酒解怨
24 あせい 曲学阿世

かならず押さえる！
頻出度
A
書き取り——①

※次の——線のカタカナを漢字に直せ。

□ 1 社史のヘンサンを任された。
□ 2 肩をスボめて歩く。
□ 3 開演前に楽屋でクマドりを施す。
□ 4 蔵書を読みマクる。
□ 5 憧れの国に思いをハせた。
□ 6 群がる敵をナぎ倒した。
□ 7 裏庭に雑草がハビコる。
□ 8 先日の失礼に対してワび状を書く。
□ 9 昨年度の成績をリョウガした。
□ 10 ツバ迫り合いの接戦をものにする。
□ 11 クボみに接着剤を注入する。
□ 12 満面に笑みをタタえて妻を迎える。
□ 13 将棋が上達するヒケツを教わる。
□ 14 ワニ口を打ち鳴らす。
□ 15 シャクネツ地獄のような暑さだ。
□ 16 酒色にタンデキする自堕落な生活だ。
□ 17 仏壇のイハイのほこりを払う。
□ 18 ルリ色の海に囲まれた島を訪れる。
□ 19 彼の収入はケタが一つ違う。
□ 20 コンペキの空に白い雲がうかぶ。
□ 21 この計画の理念をハソクする。
□ 22 サえた弁舌で聴衆を魅了した。
□ 23 セキツイの歪みを矯正する。
□ 24 たまったほこりをハタく。

目標正答率 90%

／56

標準解答

1 編纂
2 窄（歙）
3 隈（暈）取
4 捲
5 馳（駛・騁）
6 薙
7 蔓（蔓延）
8 詫（侘）
9 凌（陵）駕
10 鍔（鐔）
11 窪（凹）
12 湛
13 秘訣
14 鰐
15 灼熱
16 耽（湛・酖）溺
17 位牌
18 瑠（琉）璃
19 桁
20 紺碧
21 把捉
22 冴（冱）
23 脊椎
24 叩

□ 25 戦も終わり**ソウク**を横たえる。
□ 26 古本などを売り**ココウ**の資を得る。
□ 27 横領高官に**テッツイ**を下す。
□ 28 **フモト**の町には母が住んでいる。
□ 29 深い眠りから**カクセイ**する。
□ 30 ごみで**アマドイ**が詰まった。
□ 31 西の空に雲が**ヨウエイ**している。
□ 32 長良川の**ウ**飼いは有名だ。
□ 33 **ジンゾウ**は老廃物を尿として出す。
□ 34 おばさんにお菓子を**モラ**った。
□ 35 この童話は政治的**グウイ**を含む。
□ 36 迎えにくる**テハズ**になっている。
□ 37 トラブルの**テンマツ**を説明する。
□ 38 機密の**ロウエイ**が問題となった。
□ 39 歳末の町は非常な**ニギ**わいだった。
□ 40 人のことを**センサク**するな。

□ 41 不信感が**マンエン**する。
□ 42 **サジ**から争いに発展する。
□ 43 皆の前で**シッセキ**される。
□ 44 前年の成績を**リョウガ**できた。
□ 45 思い出を**サカナ**に一杯やる。
□ 46 台風に備えて**ドノウ**を積む。
□ 47 **エンコン**による犯罪が続く。
□ 48 **センコウ**とともに雷鳴が轟いた。
□ 49 野山に**カスミ**が棚引く。
□ 50 狭いので**ダイリビナ**だけ飾る。
□ 51 外資の**エジキ**になるだけだ。
□ 52 **アキラ**め切れない夢がある。
□ 53 物言いが神経を**サカナ**でする。
□ 54 最後**ツウチョウ**を突き付ける。
□ 55 髪に**クシ**を入れる。
□ 56 手土産に**センベイ**を持参する。

25 痩躯
26 糊(餬)口
27 鉄槌(鎚・椎)
28 麓(梺)
29 覚醒
30 雨樋
31 揺曳
32 鵜
33 腎臓
34 貰
35 寓意
36 手筈
37 顚末
38 漏洩(泄)
39 賑(殷)
40 詮索(穿鑿)

41 蔓(曼)延(衍)
42 些(瑣)事
43 叱責
44 凌(陵)駕
45 肴
46 土嚢
47 怨恨
48 閃光
49 霞
50 内裏雛
51 餌食
52 諦
53 逆撫
54 通牒
55 櫛(梳)
56 煎餅

かならず押さえる!
頻出度
A
書き取り―②

※次の――線のカタカナを漢字に直せ。

□1 反乱のシュカイを突き止める。
□2 宿敵とのツバ迫り合いを制した。
□3 俄にシノツく雨が降り注いだ。
□4 理不尽なイジめに悩まされる。
□5 ミケンにしわをよせる。
□6 難攻不落の城を前に攻めアグむ。
□7 宴席のシュコウを用意する。
□8 情報がサクソウして実態が不明だ。
□9 ミコシを担いだ行列が町内を巡る。
□10 就職をアッセンしてもらう。
□11 困難にもヒルむ様子を見せない。
□12 小鳥が草むらにいる虫をツイバむ。
□13 画用紙にラセン状の模様を描く。
□14 メシベを人工的に受粉させる。
□15 便利な都会生活にアコガれる。
□16 美術品を厳重にコンポウする。
□17 日雇いの仕事で口をノリする。
□18 夕暮れ時に空がアカネ色に染まる。
□19 首位を争って三つドモエの戦いだ。
□20 シラカバの林の中で森林浴をする。
□21 ヒンシの被害者を救出した。
□22 両者をテンビンにかける。
□23 乳製品からタンパク質をとる。
□24 カップクの良い男が社長に就いた。

目標正答率 90%
／56

標準解答

1 首魁
2 鍔(鐔)
3 篠突
4 苛
5 眉間
6 倦
7 酒肴
8 錯綜
9 神輿
10 斡旋
11 怯
12 啄
13 螺旋
14 雌蕊
15 憧
16 梱包
17 糊
18 茜
19 巴
20 白樺
21 瀕死
22 天秤
23 蛋白
24 恰幅

□ 25 誰の意見にも**アイヅチ**を打つ。
□ 26 **ハニワ**を見て古代を思う。
□ 27 小さな出来事に**オヒレ**がついた。
□ 28 役者が顔に**クマド**りを描く。
□ 29 かつて**キリン**児と呼ばれていた。
□ 30 無事の知らせに**アンド**する。
□ 31 **シシ**に鞭打つ所業に非難が集まる。
□ 32 大観衆で**リッスイ**の余地もない。
□ 33 何をするにも**オックウ**だ。
□ 34 試合中に**ダッキュウ**していた。
□ 35 転んだだけで入院とは**オオゲサ**だ。
□ 36 陰暦の四月を**ウ**月という。
□ 37 **ワキメ**と実情は違うものだ。
□ 38 子を三人**モウ**けた。
□ 39 いたずらに歳月が**ツイ**える。
□ 40 暴君が**エイヨウ**の限りを尽くす。
□ 41 粗酒粗**サン**をふるまう。
□ 42 酒や女遊びに**タンデキ**する。
□ 43 迷妄から**カクセイ**する。
□ 44 肝心なことになると**トボ**ける。
□ 45 あの会社は気息**エンエン**だ。
□ 46 想定外の難問に**ホウチャク**した。
□ 47 運悪く山中で**ヒゾク**に遭う。
□ 48 **ヒゾク**な言動に非難が集まる。
□ 49 **ハツガン**性物質を研究する。
□ 50 **カショク**の宴に招待される。
□ 51 力の限り弓の**ツル**を引いた。
□ 52 鉄に**センコウ**機で穴をあける。
□ 53 **タンノウ**が炎症をおこし痛む。
□ 54 **ハルバル**カナダからやって来た。
□ 55 竹でできた**サイバシ**を使っている。
□ 56 **ケンバン**楽器が得意だ。

25 相(合)槌(鎚)
26 埴輪
27 尾鰭
28 隈(暈)取
29 麒麟(騏驎)
30 安(案)堵
31 死屍
32 立錐
33 億劫
34 脱臼
35 大袈裟
36 卯
37 脇目
38 儲
39 費
40 栄耀(曜・燿)
41 餐
42 耽(湛・酖)溺
43 覚醒
44 惚(恍)
45 奄奄(淹淹)
46 逢着(著)
47 匪賊
48 卑(鄙)俗
49 発癌
50 華(花)燭
51 弦
52 穿孔
53 胆嚢
54 遥遥(々)
55 菜箸
56 鍵盤

かならず押さえる！
頻出度
A

書き取り――③

※次の――線のカタカナを漢字に直せ。

□1 大学で哲学の**キョウベン**を執る。
□2 薪を得るために裏山で木を**コ**る。
□3 **ボッコン**鮮やかに「新春」と書いた。
□4 **ヨロク**の多い仕事に恵まれる。
□5 野生生物が絶滅の危機に**ヒン**する。
□6 父の威光を**カサ**に着て威張る。
□7 **モロ**くも二回戦で敗れた。
□8 **タタ**けば埃の出る人物だ。
□9 **ボダイジュ**の下で雨宿りをする。
□10 銀行からの借金を**カイサイ**する。
□11 野菜が**トロ**けるまで煮込む。
□12 年末は出費が**カサ**む。
□13 **キキョウ**な振る舞いに困惑する。
□14 社会の秩序が**カクラン**される。
□15 自由主義の**ホウガ**といえる政策だ。
□16 どうぞご**レンサツ**ください。
□17 レバーと**ニラ**をいためる。
□18 川の水を引いて**カンガイ**する。
□19 難しい資格を取って**ハク**をつける。
□20 **ソウテイ**場でボートの練習をする。
□21 検査で胃に**ガンシュ**が見つかる。
□22 田舎から**リンゴ**が届いた。
□23 覚える気もなく**サジ**を投げる。
□24 テレビは社会の**ボクタク**だろうか。

目標正答率 90%
／56

標準解答

1 教鞭
2 樵
3 墨痕
4 余禄
5 瀕
6 笠
7 脆
8 叩(扣・敲)
9 菩提樹
10 皆済
11 蕩(盪)
12 嵩
13 奇矯
14 攪乱
15 萌芽
16 憐察
17 韮
18 灌漑
19 箔
20 漕艇
21 癌腫
22 林檎
23 匙(匕)
24 木鐸

□ 25 山のリョウセンがはっきり見える。
□ 26 身をテイしてゴールを守る。
□ 27 コウシジマのシャツがよく似合う。
□ 28 人を陥れるダキすべき男だ。
□ 29 相手の作戦にホンロウされる。
□ 30 提案はイッシュウされた。
□ 31 はがきをトウカンする。
□ 32 ネンザで大会出場を諦める。
□ 33 サワラビを取りにいく。
□ 34 家のテーブルはダエン形だ。
□ 35 名のある選手にゴして戦う。
□ 36 日本酒よりショウチュウが好きだ。
□ 37 ニジマスの群れが渓流を泳ぐ。
□ 38 師匠と太いチュウタイで結ばれる。
□ 39 カメラにフイルムをソウテンする。
□ 40 失敗するハズがない。

□ 41 夏でもショウニュウドウは涼しい。
□ 42 憎悪が事件をジャッキした。
□ 43 長雨でミズカサが増した。
□ 44 改革派の急センポウとなる。
□ 45 祖母は患部にコウヤクを貼った。
□ 46 政治学をセンコウする。
□ 47 失政をコトするのに必死だ。
□ 48 雄大な自然をタンノウした。
□ 49 キゼンたる態度で事に臨む。
□ 50 強欲な創業者のソウクとなった。
□ 51 日頃のウップンを全て吐き出す。
□ 52 カイショウのない息子を不安がる。
□ 53 毎朝カノウ止めの薬を飲む。
□ 54 フンソウが下手でばれてしまった。
□ 55 鶏肉をクシに刺す。
□ 56 シンガン論争に終止符を打つ。

25 稜線
26 挺
27 格子縞
28 唾棄
29 翻弄
30 一蹴
31 投函
32 捻挫
33 早蕨
34 楕(橢)円
35 伍
36 焼酎
37 虹鱒
38 紐帯
39 装塡
40 筈

41 鍾乳洞
42 惹起
43 水嵩
44 先鋒
45 膏薬
46 専攻
47 糊塗
48 堪能
49 毅然
50 走狗
51 鬱憤
52 甲斐性
53 化膿
54 扮装
55 串
56 真贋

かならず押さえる!

頻出度

A

書き取り―④

目標正答率
90%

／56

※次の――線のカタカナを漢字に直せ。

□ 1 草木を原料にして和紙を**ス**く。

□ 2 反対運動の**キュウセンポウ**に立つ。

□ 3 全国を制し故郷に**ガイセン**した。

□ 4 色鮮やかな**ヒゴイ**が池で泳ぐ。

□ 5 人生経験を重ね**ケイカク**が取れた。

□ 6 **ガン**の治療薬を開発する。

□ 7 **ユウギ**に厚く部下に慕われる。

□ 8 親を**ナイガシ**ろにしてはいけない。

□ 9 費用が**カサ**んで予算枠を超えた。

□ 10 機密の**ロウエイ**を防ぐ。

□ 11 **メシベ**を顕微鏡で観察する。

□ 12 **ワニ**革のハンドバッグを購入した。

□ 13 書斎は**ラセン**階段を上がった右側だ。

□ 14 畑の草を**ナ**いだ。

□ 15 商店街が往時の**ニギ**わいを取り戻す。

□ 16 他人の過去を**センサク**する。

□ 17 相手の卑劣な行為を**バトウ**する。

□ 18 学芸会で王様に**フン**する。

□ 19 **シュコウ**を用意して来客を待つ。

□ 20 宮中の**バンサン**会に臨席する。

□ 21 二日酔いで顔色が**サ**えない。

□ 22 **シャクネツ**の太陽に身を晒す。

□ 23 策を**ロウ**して試合に勝った。

□ 24 **ロレツ**が回らないほど酔っぱらった。

標準解答

1 漉（抄）
2 急先鋒
3 凱旋
4 緋鯉
5 圭角
6 癌
7 友誼
8 蔑
9 嵩
10 漏洩（泄）
11 雌蕊
12 鰐
13 螺旋
14 薙
15 賑（殷）
16 詮索（穿鑿）
17 罵倒
18 扮
19 酒肴
20 晩餐
21 冴（冱）
22 灼熱
23 弄
24 呂律

25 キリンは想像上の動物だ。
26 ひとりでキママな旅を続けた。
27 ルイ十四世はエイヨウを極めた。
28 西方から農業がデンパした。
29 不用意な一言が憎しみをアオった。
30 御土産にカマボコを頂く。
31 小屋のロウソクに火を灯す。
32 盛り塩をワシヅカみにして土俵にまく。
33 急なコウバイを利用して建てる。
34 ススけた外壁を塗り替える。
35 勝利のガイカを揚げる。
36 ヘラを使って漆を塗る。
37 オウセイな好奇心が彼女の長所だ。
38 親を亡くした子どもをヒゴする。
39 よきハンリョに恵まれる。
40 カンキツ系のコロンをつける。

41 多くの海賊が海のモクズとなった。
42 このくせ毛はカクセイ遺伝だ。
43 母はカケ事がとても嫌いだ。
44 庭に草木がハビコる。
45 勝利をショウチュウにする。
46 大発見で一躍世界に名をハせる。
47 風呂をタいたから入りなさい。
48 仕事と遊びをシュンベツして働く。
49 口封じに金のクツワをはめる。
50 作家として時代のチョウジとなる。
51 一個のリザヤは小さい。
52 公園のボダイ樹の花が咲いた。
53 シッシンができて背中がかゆい。
54 ドアに合うチョウツガイを探す。
55 クラ替え出馬を目論む。
56 いいカネヅルが見つかった。

25 麒麟（騏驎）
26 気儘
27 栄耀（曜・燿）
28 伝播
29 煽
30 蒲鉾
31 蠟燭
32 鷲掴
33 勾配
34 煤
35 凱歌
36 篦
37 旺盛
38 庇護
39 伴侶
40 柑橘
41 藻屑
42 隔世
43 賭
44 蔓（蔓延）
45 掌中
46 馳（駛・騁）
47 焚
48 峻別
49 轡（銜・勒）
50 寵児
51 利鞘
52 菩提
53 湿疹
54 蝶番
55 鞍
56 金蔓

かならず押さえる!

頻出度

A

書き取り——⑤

目標正答率90%

／56

※次の——線のカタカナを漢字に直せ。

□1 隣家で**シュコウ**をふるまわれた。

□2 家の裏の**クボ**地に池ができた。

□3 品物を**コンポウ**し荷台に積む。

□4 新薬の開発で他社を**リョウガ**した。

□5 **ガン**治療の最先端を取材する。

□6 手違いをお**ワ**びした。

□7 両チームは**ツバ**迫り合いを演じた。

□8 経費が**カサ**み決算は赤字だ。

□9 昔、ガラスのことを**ルリ**と呼んだ。

□10 部下を**ナイガシ**ろにしてはいけない。

□11 水槽に海水を**タタ**える。

□12 枯れ木も山の**ニギ**わい。

□13 **ワニ**は熱帯の水辺に棲む動物だ。

□14 強豪を**ナ**ぎ倒して決勝戦に臨んだ。

□15 悪事が**ハビコ**る世の中だ。

□16 歌舞伎の**クマド**りに興味を持つ。

□17 寒さに肩を**スボ**めて歩く。

□18 風で飛んだ花粉が**メシベ**についた。

□19 母は**ミケン**にほくろがある。

□20 このあたりは地盤が**モロ**い。

□21 無事の知らせに**アンド**する。

□22 新町長が町史を**ヘンサン**した。

□23 **ササイ**な事を気にするな。

□24 事の**テンマツ**を小説に描く。

標準解答

1 酒肴
2 窪(凹)
3 梱包
4 凌(陵)駕
5 癌
6 詫(侘)
7 鍔(鐔)
8 嵩
9 瑠(琉)璃
10 蔑
11 湛
12 賑(殷)
13 鰐
14 薙
15 蔓(蔓延)
16 隈(暈)取
17 窄(歙)
18 雌蕊
19 眉間
20 脆
21 安(案)堵
22 編纂
23 些(瑣)細
24 顛末

□ 25 新しい思想がデンパする。
□ 26 悪人にテッツイを下す方法を考える。
□ 27 ヒンシの重傷を負った。
□ 28 オダてられて笑みを浮かべる。
□ 29 ダイタイ部の筋肉が痛む。
□ 30 キママなひとり暮らしを楽しむ。
□ 31 ロレツが回らないしゃべり方だ。
□ 32 お茶請けにセンベイを出した。
□ 33 機密文書のロウエイが発覚した。
□ 34 フトウに大型貨物船が入ってきた。
□ 35 兄は父に似て長身ソウクな体格だ。
□ 36 島を結ぶキョウリョウを建設する。
□ 37 ウレしい便りが届いた。
□ 38 セッケンで体を洗う。
□ 39 大関、横綱がセイゾロイした。
□ 40 役員のイスはあと二つとなった。

□ 41 ウ月鳥とはホトトギスの異称だ。
□ 42 ウルウ年には夏季五輪がある。
□ 43 茶請けに貝のツクダニを出す。
□ 44 ブランコを思いっきり高くコぐ。
□ 45 野球のダイゴミを味わう。
□ 46 城の周りにゴウを巡らす。
□ 47 執筆のため旅館にトウリュウする。
□ 48 虫の大群がウンカの如く迫る。
□ 49 実態はホソクしがたい。
□ 50 シュンメにまたがり敵を追う。
□ 51 チョウホウ機関に籍を置く。
□ 52 ホオヅエを突くのはやめなさい。
□ 53 この辺りはケンペイリツが高い。
□ 54 トテツもない大記録が生まれた。
□ 55 コウトウガンの治療に専念する。
□ 56 彼はホリュウの質で疲れやすい。

25 伝播
26 鉄槌（鎚・椎）
27 瀕死
28 煽
29 大腿
30 気儘
31 呂律
32 煎餅
33 漏洩（泄）
34 埠頭
35 痩軀
36 橋梁
37 嬉
38 石鹸
39 勢揃
40 椅子

41 卯
42 閏
43 佃煮
44 漕
45 醍醐味
46 壕（濠）
47 逗留
48 雲霞
49 捕捉
50 駿馬
51 諜報
52 頰杖
53 建蔽率
54 途轍
55 喉頭癌
56 蒲柳

かならず押さえる！

頻出度 A

故事・諺——①

※次の故事・諺のカタカナの部分を漢字で記せ。

□ 1 **クツワ**を急にしてしばしば策うつ者は千里の御に非ず。
□ 2 日西山にせまりて気息**エンエン**たり。
□ 3 柳下恵は**アメ**を見て老人を養う物とし、盗跖《せき》は錠を開くるに良き物とす。
□ 4 幽谷より出でて**キョウボク**に遷る。
□ 5 人間万事**サイオウ**が馬。
□ 6 大海を耳**カ**きで測る。
□ 7 **ノレン**に腕押し。
□ 8 **ノミ**の頭を斧で割る。
□ 9 **バクシュウ**の嘆。
□ 10 **ヒョウタン**から駒が出る。
□ 11 **シシ**に鞭うつ。
□ 12 富貴にして故郷に帰らざるは**シュウ**を着て夜行くが如し。
□ 13 味噌**コ**しで水を掬う。
□ 14 河豚好きで**キュウ**嫌い。
□ 15 親の意見と**ナスビ**の花は、千に一つも仇は無い。
□ 16 **カユ**腹も一時。
□ 17 **セイコク**を射る。
□ 18 **ミノ**になり笠になる。
□ 19 濡れぬ先こそ露をも**イト**え。
□ 20 **アバタ**もえくぼ。
□ 21 馬革に**シカバネ**をつつむ。
□ 22 **サザエ**に金平糖。
□ 23 **キャラ**の仏に箔置く。
□ 24 新宅三年**スス**取らず。

目標正答率 70%

／56

標準解答

1 轡（銜・勒）
2 奄奄（淹淹）
3 飴（糖）
4 喬木
5 塞翁
6 掻（爬・抓）
7 暖簾
8 蚤
9 麦秀
10 瓢箪
11 死屍
12 繡
13 漉（濾）
14 灸
15 茄（茄子）
16 粥（糜・餬・鬻）
17 正鵠
18 蓑（簑）
19 厭
20 痘痕（瘢）
21 屍（尸）
22 栄（拳）螺
23 伽羅
24 煤

□ 25 化けの皮が**ハ**がれる。

□ 26 朝**トビ**に蓑を着よ、夕とびに笠を脱げ。

□ 27 青麦に**コウ**れ稲。

□ 28 六親和せずして**コウジ**有り。

□ 29 賭博に**フケ**る――これは破滅への門である。

□ 30 **リョウジョウ**の君子。

□ 31 大勇は**キョウ**なるが如く大智は愚なるが如し。

□ 32 竜の髭を**ナ**で虎の尾を踏む。

□ 33 笑顔に当てる**コブシ**は無い。

□ 34 至貴は**シャク**を待たず。

□ 35 鶏の**アバラボネ**を惜しむ。

□ 36 鳥窮すれば則ち**ツイバ**む。

□ 37 話に**オヒレ**を付ける。

□ 38 手練**テクダ**。

□ 39 **ソウコウ**の妻は堂より下さず。

□ 40 理屈と**コウヤク**はどこへでもつく。

□ 41 **タマキ**の端無きが如し。

□ 42 **カセイ**は虎よりも猛し。

□ 43 **ケサ**と衣は心に着よ。

□ 44 **ソバ**の花も一盛り。

□ 45 **ツナ**ぐ犬の柱を回る如し。

□ 46 旅の犬が尾を**スボ**める。

□ 47 網**ドンシュウ**の魚を漏らす。

□ 48 **コウコク**一挙千里、恃《たの》む所は六翮《かく》のみ。

□ 49 **タ**めるなら若木のうち。

□ 50 淵に臨みて魚を**ウラヤ**むは退いて網を結ぶに如かず。

□ 51 私聴すれば耳をして**ロウ**せしむ。

□ 52 掃き**ダ**めに鶴。

□ 53 麦藁**タコ**に祭はも。

□ 54 **イチモツ**の鷹も放さねば捕らず。

□ 55 **キッチュウ**の楽しみ。

□ 56 雀の千声**ツル**の一声。

25 剝
26 鳶(鴟)
27 小熟
28 孝慈
29 耽
30 梁上
31 怯
32 撫(捫・拊)
33 拳
34 爵
35 肋(骭)骨
36 啄(啅)
37 尾鰭
38 手管
39 糟糠
40 膏薬
41 環(鐶・手纏)
42 苛政
43 袈裟
44 蕎麦
45 繋(係・維)
46 窄(歙)
47 呑舟
48 鴻鵠
49 矯
50 羨
51 聾
52 溜
53 蛸
54 逸物
55 橘中
56 鶴

かならず押さえる！
頻出度
A

故事・諺—②

※次の故事・諺のカタカナの部分を漢字で記せ。

□ 1 **ソウコウ**にだに飽かざる者は粱肉を務めず。

□ 2 天網**カイカイ**疎にして漏らさず。

□ 3 **ヒョウタン**相容れず。

□ 4 天を仰いで**ツバキ**する。

□ 5 蟷螂ひじを怒らして**シャテツ**に当たる。

□ 6 **ヌ**れ手で粟。

□ 7 座敷の**チリトリ**団扇で済ます。

□ 8 飛鳥尽きて良弓蔵れ、狡兎死して**ソウク**烹らる。

□ 9 **オウム**よく言えども飛鳥を離れず。

□ 10 **イハツ**を継ぐ。

□ 11 衣食足りて**エイジョク**を知る。

□ 12 **ウミ**の出る目に気遣いなし。

□ 13 **リカ**に冠を正さず。

□ 14 錆に腐らせんより**ト**で減らせ。

□ 15 布施ない経に**ケサ**を落とす。

□ 16 塗箸で**ソウメン**食う。

□ 17 **ウロ**の争い。

□ 18 **コウモウ**を以て炉炭の上に燎く。

□ 19 元の**サヤ**に収まる。

□ 20 骨折り損の**クタビ**れ儲け。

□ 21 櫂は三年、**ロ**は三月。

□ 22 **シシ**に鰭。

□ 23 **アリ**の熊野参り。

□ 24 **ウケ**に入る。

標準解答

1	糟糠	13	李下
2	恢恢(々)	14	砥
3	氷炭	15	袈裟
4	唾	16	素(索)麺
5	車轍	17	烏鷺
6	濡	18	鴻毛
7	塵取	19	鞘
8	走狗	20	草臥
9	鸚鵡	21	櫓
10	衣鉢	22	獅子
11	栄辱	23	蟻
12	膿	24	有卦

目標正答率 70%

／56

□ 25 大河を手で**セ**く。
□ 26 **コウジ**魔多し。
□ 27 門前**ジャクラ**を張る。
□ 28 先祖の屋敷を**ナス**畑。
□ 29 **ホラ**と喇叭は大きく吹け。
□ 30 **カイケイ**の恥を雪ぐ。
□ 31 **ツナ**がぬ舟の浮きたる例なし。
□ 32 **カコウ**有りといえども、食らわずんばその旨きをしらず。
□ 33 渇して井を**ウガ**つ。
□ 34 **シックイ**の上塗りに借金の目塗り。
□ 35 **ボンノウ**の犬は追えども去らず。
□ 36 **スイトウ**を以て太山を堕《こぼ》つ。
□ 37 水到りて**キョ**成る。
□ 38 **エンオウ**の偶。
□ 39 **キセキ**に入る。
□ 40 **アブハチ**取らず。
□ 41 大海の**イチゾク**。
□ 42 風が吹けば桶屋が**モウ**かる。
□ 43 **シンメイ**に横道無し。
□ 44 **アメ**と鞭。
□ 45 澹泊の士は必ず**ノウエン**の者の疑うところとなる。
□ 46 気を吐き**マユ**を揚ぐ。
□ 47 **ガイコツ**を乞う。
□ 48 子供の**ケンカ**に親が出る。
□ 49 薪は割って**タ**け、米はついて食え。
□ 50 **マト**まる家には金もたまる。
□ 51 **ウド**の大木。
□ 52 **センダン**は双葉より芳し。
□ 53 たたく人の**アンマ**を取る。
□ 54 **タタ**くに小を以てすれば、則ち小鳴す。
□ 55 大は小を兼ねるも**シャクシ**は耳掻きにならぬ。
□ 56 虎に翼、獅子に**ヒレ**。

25 堰(塞)
26 好事
27 雀羅
28 茄(茄子)
29 法螺
30 会稽
31 繋(係・維)
32 佳肴
33 穿(鑽・鑿・鐫)
34 漆喰
35 煩悩
36 錐刀
37 渠
38 鴛鴦
39 鬼籍
40 虻蜂
41 一粟
42 儲
43 神明
44 飴(糖)
45 濃艶
46 眉
47 骸骨
48 喧嘩(諠譁)
49 焚
50 纏
51 独活
52 栴檀
53 按(案)摩
54 叩(扣・敲)
55 杓子
56 鰭

かならず押さえる！

頻出度 A

故事・諺──③

※次の故事・諺のカタカナの部分を漢字で記せ。

□ 1 **モウ**けぬ前の胸算用。
□ 2 未だ覚《さ》めず**チトウ**春草の夢、階前の梧葉已に秋声。
□ 3 **キカ**居くべし。
□ 4 作り物で早いは**ソバ**と足半。
□ 5 **チャガラ**も肥になる。
□ 6 中流の**シチュウ**。
□ 7 **テップ**の急を告げる。
□ 8 **リッスイ**の余地もない。
□ 9 **アブハチ**取らず。
□ 10 **コヒョウ**は其の爪を外にせず。
□ 11 地獄の**サタ**も金次第。
□ 12 燕雀安んぞ**コウコク**の志を知らんや。
□ 13 **シュツラン**の誉れ。
□ 14 **コウサ**は拙誠に如かず。
□ 15 臭い物に**ハエ**がたかる。
□ 16 腹の皮が張れば目の皮が**タル**む。
□ 17 **カネ**や太鼓で探す。
□ 18 **ホラ**と喇叭は大きく吹け。
□ 19 **ヒョウタン**に釣り鐘。
□ 20 角を**タ**めて牛を殺す。
□ 21 猩猩《しょうじょう》は血を惜しむ、**サイ**は角を惜しむ、日本の武士は名を惜しむ。
□ 22 どじょう汁に**キンツバ**。
□ 23 **バクギャク**の友。
□ 24 珍客も長座に過ぎれば**イト**われる。

目標正答率 70%

／56

標準解答

1	儲	13	出藍
2	池塘	14	巧詐
3	奇貨	15	蠅
4	蕎麦	16	弛
5	茶殻	17	鉦
6	砥柱	18	法螺
7	轍鮒	19	瓢簞
8	立錐	20	矯
9	虻蜂	21	犀
10	虎豹	22	金鍔（鐔）
11	沙汰	23	莫逆
12	鴻鵠	24	厭

□ 25 口に入るものなら**アンマ**の笛でも。
□ 26 剃刀に**サヤ**無し。
□ 27 貧乏人の**カユ**はゆるくなる。
□ 28 狐その尾を**ヌ**らす。
□ 29 **トウコ**の筆。
□ 30 富貴にして故郷に帰らざるは、**シュウ**を着て夜行くがごとし。
□ 31 武士の子は**クツワ**の音で目を覚ます。
□ 32 君子**ホウチュウ**に入るに忍びず。
□ 33 晩学といえども**セキガク**に昇る。
□ 34 **コショウ**鳴らし難し。
□ 35 **カンリ**を貴んで頭足を忘る。
□ 36 唾で矢を**ハ**ぐ。
□ 37 挙ぐること**コウモウ**の如く、取ること拾遺の如し。
□ 38 **ゴトベイ**の為に腰を折る。
□ 39 **ケイグン**の一鶴。
□ 40 **コケ**の後思案。
□ 41 **キシン**矢の如し。
□ 42 **キセン**の分かつところは行いの善悪にあり。
□ 43 **ムカウ**の郷。
□ 44 **シシ**奮迅の勢い。
□ 45 白駒の**ゲキ**を過ぐるがごとし。
□ 46 昔は**ヤリ**が迎えに来た。
□ 47 信は**ボダイ**の源。
□ 48 山葵と**ジョウルリ**は泣いて誉める。
□ 49 **シノ**を突く。
□ 50 **ヒシヅル**ほど子ができる。
□ 51 虎の能く狗を服する所以のものは**ソウガ**なり。
□ 52 **キョウキン**を開く。
□ 53 付け焼き刃は**ナマ**り易い。
□ 54 **イソ**のあわびの片思い。
□ 55 **ワサビ**と浄瑠璃は泣いて賞める。
□ 56 羊を亡いて**ロウ**を補う。

25 按(案)摩
26 鞘
27 粥(糜・餬・鬻)
28 濡
29 董狐
30 繍
31 轡(銜・勒)
32 庖厨
33 碩学
34 孤掌
35 冠履
36 矧
37 鴻毛
38 五斗米
39 鶏群
40 虚仮
41 帰心
42 貴賤
43 無何有
44 獅子
45 隙(郤)
46 槍(鎗・鑓)
47 菩提
48 浄瑠璃
49 篠
50 菱蔓
51 爪牙
52 胸襟
53 鈍
54 磯
55 山葵(薑)
56 牢

かならず押さえる！
頻出度
A

故事・諺——④

※次の故事・諺のカタカナの部分を漢字で記せ。

□1 ホクシン其の所に居て衆星之に共《むか》う。
□2 姉はスゲガサ妹は日傘。
□3 ノミの眼に蚊のまつげ。
□4 敷居をマタげば七人の敵あり。
□5 セイコクを失わず。
□6 越鳥南枝に巣くい、コバ北風にいななく。
□7 キンジョウに花を添う。
□8 タタくに小を以てすれば、則ち小鳴す。
□9 エイジの貝を以て巨海を測る。
□10 匕首《あいくち》にツバを打ったよう。
□11 シンエンに臨んで薄氷をふむが如し。
□12 ガベイに帰す。
□13 ルリもはりも照らせば光る。
□14 尾をトチュウに曳く。
□15 桜三月ショウブは五月。
□16 重箱の隅をシャクシで払え。
□17 クモの子を散らす。
□18 ノウチュウの物を探るが如し。
□19 クラ掛け馬の稽古。
□20 親の欲目と他人のヒガメ。
□21 大匠はセッコウの為に縄墨を改廃せず。
□22 嘘もまことも話のテクダ。
□23 無サタは無事の便り。
□24 冠履を貴んでトウソクを忘る。

標準解答

1 北辰
2 菅笠
3 蚤
4 跨
5 正鵠
6 胡馬
7 錦上
8 叩（扣・敲）
9 嬰児
10 鍔（鐔）
11 深淵
12 画餅
13 瑠（琉）璃
14 塗中
15 菖蒲
16 杓子
17 蜘蛛（蜘・蛛）
18 嚢中
19 鞍
20 僻目
21 拙工
22 手管
23 沙汰
24 頭足

目標正答率 70%
／56

□25 濡れ手でアワ。
□26 千丈の堤もギケツより崩れる。
□27 オウム返し。
□28 ジジョの交わりを結ぶ。
□29 霜を履んでケンピョウ至る。
□30 セイトクの士は乱世に疏んぜらる。
□31 雨垂れ石をウガつ。
□32 車を借る者は之をハせ、衣を借る者は之を被る。
□33 キョウボクは風に折らる。
□34 禽鳥百を数うると雖もイッカクに如かず。
□35 ヒゲも自慢のうち。
□36 ハエが飛べば虻も飛ぶ。
□37 カンジンの前には機巧を言うことなかれ。
□38 キャラも焚かず屁もこかず。
□39 ケガの功名。
□40 ケシの中に須弥山あり。
□41 塗箸でソウメン食う。
□42 トタンの苦しみ。
□43 シランの室に入るが如し。
□44 大行はサイキンを顧みず大礼は小譲を辞せず。
□45 百年カセイを俟《ま》つ。
□46 ヨウリュウの風に吹かるるが如し。
□47 バクギャクの友。
□48 ミダの光も金次第。
□49 アクビを一緒にすれば三日従兄弟。
□50 事が延びればオヒレが付く。
□51 カナエを列ねて食す。
□52 陰徳あれば必ずヨウホウあり。
□53 一敗地にマミれる。
□54 児孫の為にビデンを買わず。
□55 王侯ショウショウ寧んぞ種あらんや。
□56 戦を見て矢をハぐ。

25 粟	41 素（索）麺
26 蟻穴	42 塗炭
27 鸚鵡	43 芝蘭
28 爾汝	44 細謹
29 堅氷	45 河清
30 盛徳	46 楊柳
31 穿（鑽・鑿・鐫）	47 莫逆
32 馳（駛・騁）	48 弥陀
33 喬木	49 欠（欠伸）
34 一鶴	50 尾鰭
35 卑下	51 鼎
36 蠅	52 陽報
37 姦（奸）人	53 塗
38 伽羅	54 美田
39 怪我	55 将相
40 芥子	56 矧

読み 378問
表外読み 168問
熟語と一字訓 162問
四字熟語 168問
書き取り 280問
故事・諺④ 280問
対義語・類義語 192問
同音・同訓異字 112問
誤字訂正 56問
共通の漢字 48問

かならず押さえる！
頻出度
A

故事・諺——⑤

※次の故事・諺のカタカナの部分を漢字で記せ。

□1 一斑を見て全豹をボクす。
□2 ホシャ相依る。
□3 コブシの雨を降らす。
□4 内の病はコウヤクで治らぬ。
□5 直きを友とし諒を友としタブンを友とするは益なり。
□6 ムグラの雫、萩の下露。
□7 シュウビを開く。
□8 群盲象をナづ。
□9 トウリもの言わざれども下自ら蹊を成す。
□10 白髪はメイドの使い。
□11 セキヒン洗うが如し。
□12 十日の菊、六日のショウブ。
□13 ヤブをつついて蛇を出す。
□14 どじょう汁にキンツバ。
□15 口中のシオウ。
□16 万緑ソウチュウ紅一点。
□17 盲亀の浮木、ウドンゲの花。
□18 センダンの林に入る者は染めざるに衣自ずから芳し。
□19 焼けボックイに火がつく。
□20 コウキョクの形には縄直の影なし。
□21 チョウアイ昂じて尼になす。
□22 ミスを隔てて高座を覗く。
□23 身体はバショウの如し、風に従って破れ易し。
□24 ワサビが利く。

目標正答率
70%
／56

標準解答

1 卜
2 輔車
3 拳
4 膏薬
5 多聞
6 葎
7 愁眉
8 撫(捫・拊)
9 桃李
10 冥土(途)
11 赤貧
12 菖蒲
13 藪
14 金鍔
15 雌黄
16 叢中
17 優曇華
18 栴檀
19 木(棒)杭
20 鉤曲
21 寵愛
22 御簾
23 芭蕉
24 山葵(薑)

□ 25 付け焼き刃はナマり易い。
□ 26 ノウチュウの錐。
□ 27 センベンを著ける。
□ 28 ハえば立て、立てば歩めの親心。
□ 29 フヨウの顔、柳の眉。
□ 30 網ドンシュウの魚を漏らす。
□ 31 チョウベン馬腹に及ばず。
□ 32 手前ミソを並べる。
□ 33 コウゼンの気を養う。
□ 34 ハックの隙を過ぐるが若し。
□ 35 負け犬のトオボえ。
□ 36 一片のヒョウシン玉壺に在り。
□ 37 昔とったキネヅカ。
□ 38 鶏のアバラボネを惜しむ。
□ 39 命長ければホウライを見る。
□ 40 カナエの軽重を問う。
□ 41 君子ホウチュウに入るに忍びず。
□ 42 難に臨んで、にわかに兵をイる。
□ 43 香ジの下には必ず死魚あり。
□ 44 カイケイの恥を雪ぐ。
□ 45 エンジャク鳳を生まず。
□ 46 エンオウの契りを結ぶ。
□ 47 人はギョウシュンにあらず、何ぞ事々によく善を尽くさん。
□ 48 尺璧を貴ばずしてスンインを重んず。
□ 49 サザエに金平糖。
□ 50 天網カイカイ疎にして漏らさず。
□ 51 キカ居くべし。
□ 52 ミノを着て笠が無い。
□ 53 シュツランの誉れ。
□ 54 身から出たサビ。
□ 55 ホラヶ峠を決め込む。
□ 56 破れ物とハれ物に用心せよ。

25 鈍
26 嚢中
27 先鞭
28 這
29 芙蓉
30 呑舟
31 長鞭
32 味噌
33 浩然
34 白駒
35 遠吠
36 氷心
37 杵柄
38 肋(骭)骨
39 蓬莱
40 鼎
41 庖厨
42 鋳
43 餌
44 会稽
45 燕雀
46 鴛鴦
47 尭舜
48 寸陰
49 栄(拳)螺
50 恢恢(々)
51 奇貨
52 蓑(簑)
53 出藍
54 錆(銹)
55 洞
56 腫

かならず押さえる!
頻出度
A

対義語・類義語―①

目標正答率
85%

／48

※［　］の中の語を必ず一度使って漢字に直し、対義語・類義語を記せ。

対義語

□ 1 回復
□ 2 授与
□ 3 模糊
□ 4 枯渇
□ 5 払暁
□ 6 停頓
□ 7 諫言
□ 8 威嚇
□ 9 莫大
□ 10 弥縫

いぶ
きんしょう
しっつい
しんちょく
たそがれ
ついしょう
はくだつ
はたん
めいりょう
ゆうしゅつ

類義語

□ 11 選出
□ 12 出奔
□ 13 一端
□ 14 流布
□ 15 台所
□ 16 通暁
□ 17 穎敏
□ 18 朝暮
□ 19 無惨
□ 20 勃発

さいり
さんび
じゃっき
たんせき
ちくでん
ちしつ
ちゅうぼう
でんぱ
ばってき
へんりん

標準解答

1 回復《かいふく》↔失墜《しっつい》
2 授与《じゅよ》↔剝奪《はくだつ》
3 模糊《もこ》↔明瞭《めいりょう》(明亮)
4 枯渇《こかつ》↔湧出《ゆうしゅつ》(涌出)
5 払暁《ふつぎょう》↔黄昏《たそがれ》
6 停頓《ていとん》↔進捗《しんちょく》
7 諫言《かんげん》↔追従《ついしょう》
8 威嚇《いかく》↔慰撫《いぶ》
9 莫大《ばくだい》↔僅少《きんしょう》
10 弥縫《びほう》↔破綻《はたん》

11 選出《せんしゅつ》＝抜擢《ばってき》
12 出奔《しゅっぽん》＝逐電《ちくでん》
13 一端《いったん》＝片鱗《へんりん》
14 流布《るふ》＝伝播《でんぱ》
15 台所《だいどころ》＝厨房《ちゅうぼう》
16 通暁《つうぎょう》＝知悉《ちしつ》
17 穎敏《えいびん》＝犀利《さいり》
18 朝暮《ちょうぼ》＝旦夕《たんせき》
19 無惨《むざん》＝酸鼻《さんび》
20 勃発《ぼっぱつ》＝惹起《じゃっき》

対義語

□21 強靱
□22 豪胆
□23 大度
□24 迂愚
□25 攪乱
□26 天神
□27 迫害
□28 貫徹
□29 軽侮
□30 遅疑
□31 寛容
□32 失墜
□33 尊崇
□34 卑近

いふ　うえん　おくびょう　きょうりょう　ざせつ　しゅんげん　ぜいじゃく　そうけい　だんこう　ちぎ　ちんぶ　ばんかい　ひご　ぼうとく

類義語

□35 窮乏
□36 頑丈
□37 排撃
□38 互角
□39 腹心
□40 不審
□41 吉兆
□42 斧正
□43 不世出
□44 索莫
□45 動顚
□46 払拭
□47 苦慮
□48 剃髪

いっそう　うろん　きずい　ぎょうてん　けう　けんろう　こうりょう　ここう　しだん　てんさく　はくちゅう　ひっぱく　ふしん　らくしょく

21 強靱《きょうじん》↕脆弱《ぜいじゃく》
22 豪胆《ごうたん》↕臆病《おくびょう》
23 大度《たいど》↕狭量《きょうりょう》
24 迂愚《うぐ》↕聡慧《そうけい》
25 攪乱《かくらん》↕鎮撫《ちんぶ》
26 天神《てんじん》↕地祇《ちぎ》
27 迫害《はくがい》↕庇護《ひご》
28 貫徹《かんてつ》↕挫折《ざせつ》
29 軽侮《けいぶ》↕畏怖《いふ》
30 遅疑《ちぎ》↕断行《だんこう》
31 寛容《かんよう》↕峻厳《しゅんげん》
32 失墜《しっつい》↕挽回《ばんかい》
33 尊崇《そんすう》↕冒瀆《ぼうとく》
34 卑近《ひきん》↕迂遠《うえん》

35 窮乏《きゅうぼう》＝逼迫《ひっぱく》
36 頑丈《がんじょう》＝堅牢《けんろう》
37 排撃《はいげき》＝指弾《しだん》
38 互角《ごかく》＝伯仲《はくちゅう》
39 腹心《ふくしん》＝股肱《ここう》
40 不審《ふしん》＝胡乱《うろん》
41 吉兆《きっちょう》＝奇瑞《きずい》
42 斧正《ふせい》＝添削《てんさく》
43 不世出《ふせいしゅつ》＝稀有《けう》(希有)
44 索莫《さくばく》＝荒涼《こうりょう》
45 動顚《どうてん》＝仰天《ぎょうてん》
46 払拭《ふっしょく》＝一掃《いっそう》
47 苦慮《くりょ》＝腐心《ふしん》
48 剃髪《ていはつ》＝落飾《らくしょく》

対義語・類義語②

※□の中の語を必ず一度使って漢字に直し、対義語・類義語を記せ。

対義語

□1 膨大
□2 興隆
□3 飛躍
□4 緊張
□5 凝視
□6 恩人
□7 中枢
□8 停滞
□9 英明
□10 催眠

かくせい
きゅうてき
ぐまい
さしょう
しかん
しんちょく
ちょうらく
ひっそく
べっけん
まっしょう

類義語

□11 花形
□12 退却
□13 遭遇
□14 高慢
□15 消去
□16 首尾
□17 億劫
□18 傾斜
□19 道楽
□20 粗筋

こうがい
こうばい
たいぎ
ちょうじ
てんまつ
とんそう
ふそん
ふっしょく
ほうちゃく
ほうとう

目標正答率 85%
／48

標準解答

1 膨大《ぼうだい》↕些少《さしょう》(瑣少)
2 興隆《こうりゅう》↕凋落《ちょうらく》
3 飛躍《ひやく》↕逼塞《ひっそく》
4 緊張《きんちょう》↕弛緩《しかん》
5 凝《ぎょう》視《し》↕瞥見《べっけん》
6 恩人《おんじん》↕仇敵《きゅうてき》
7 中枢《ちゅうすう》↕末梢《まっしょう》
8 停滞《ていたい》↕進捗《しんちょく》(進陟)
9 英明《えいめい》↕愚昧《ぐまい》
10 催眠《さいみん》↕覚醒《かくせい》
11 花形《はながた》＝寵児《ちょうじ》
12 退却《たいきゃく》＝遁走《とんそう》
13 遭遇《そうぐう》＝逢着《ほうちゃく》(逢著)
14 高慢《こうまん》＝不遜《ふそん》
15 消去《しょうきょ》＝払拭《ふっしょく》
16 首《しゅ》尾《び》＝顛末《てんまつ》
17 億劫《おっくう》＝大儀《たいぎ》
18 傾斜《けいしゃ》＝勾配《こうばい》
19 道楽《どうらく》＝放蕩《ほうとう》
20 粗筋《あらすじ》＝梗概《こうがい》

対義語

□ 21 露出
□ 22 着工
□ 23 付与
□ 24 公平
□ 25 快諾
□ 26 僅少
□ 27 乱射
□ 28 明朗
□ 29 精密
□ 30 遵奉
□ 31 蒼白
□ 32 軽侮
□ 33 進取
□ 34 放任

あんうつ　いけい　いはい　かんしょう　こうちょう　しゃへい　しゅんきょ　しゅんせい　ずさん　そげき　たいえい　ばくだい　はくだつ　へんぱ

類義語

□ 35 出家
□ 36 調理
□ 37 軽率
□ 38 鍛錬
□ 39 微小
□ 40 至純
□ 41 愉悦
□ 42 洞察
□ 43 根城
□ 44 卓出
□ 45 激昂
□ 46 仰天
□ 47 乱脈
□ 48 争覇

えいだつ　かっぽう　かんぱ　ぎゃくじょう　きょうとう　きんき　ささい　そうくつ　そこつ　ちくろく　とうや　とんせい　ぶざつ　むく

---

21 露出《ろしゅつ》↕遮蔽《しゃへい》
22 着工《ちゃっこう》↕竣成《しゅんせい》
23 付与《ふよ》↕剝奪《はくだつ》
24 公平《こうへい》↕偏頗《へんぱ》(偏陂)
25 快諾《かいだく》↕峻拒《しゅんきょ》
26 僅少《きんしょう》↕莫大《ばくだい》
27 乱射《らんしゃ》↕狙撃《そげき》
28 明朗《めいろう》↕暗鬱《あんうつ》
29 精密《せいみつ》↕杜撰《ずさん》
30 遵奉《じゅんぽう》↕違背《いはい》
31 蒼白《そうはく》↕紅潮《こうちょう》
32 軽侮《けいぶ》↕畏敬《いけい》
33 進取《しんしゅ》↕退嬰《たいえい》
34 放任《ほうにん》↕干渉《かんしょう》

35 出家《しゅっけ》＝遁世《とんせい》(遯世)
36 調理《ちょうり》＝割烹《かっぽう》(割亨)
37 軽率《けいそつ》＝粗忽《そこつ》(※1)
38 鍛錬《たんれん》＝陶冶《とうや》
39 微小《びしょう》＝些細《ささい》(瑣細)
40 至純《しじゅん》＝無垢《むく》
41 愉悦《ゆえつ》＝欣喜《きんき》
42 洞察《どうさつ》＝看破《かんぱ》
43 根城《ねじろ》＝巣窟《そうくつ》
44 卓出《たくしゅつ》＝穎脱《えいだつ》
45 激昂《げきこう》＝逆上《ぎゃくじょう》
46 仰天《ぎょうてん》＝驚倒《きょうとう》
47 乱脈《らんみゃく》＝蕪雑《ぶざつ》
48 争覇《そうは》＝逐鹿《ちくろく》

※1：別解「楚忽」「疎忽」

かならず押さえる！

頻出度

A

対義語・類義語――③

目標正答率 85%

／48

※□の中の語を必ず一度使って漢字に直し、対義語・類義語を記せ。

対義語

□ 1 讃嘆

□ 2 暗愚

□ 3 肥沃

□ 4 明解

□ 5 鮮明

□ 6 永劫

□ 7 険阻

□ 8 頑丈

□ 9 楽天

□ 10 浅瀬

えんせい　かいじゅう　こうぶ　しんえん　ぜいじゃく　せつな　そうめい　ちょうば　へいたん　もこ

類義語

□ 11 工面

□ 12 逐電

□ 13 粗雑

□ 14 地獄

□ 15 絶壁

□ 16 繁栄

□ 17 童心

□ 18 器量

□ 19 死別

□ 20 奇怪

えいけつ　けんがい　しゅっぽん　ずさん　ちき　ならく　ねんしゅつ　めんよう　ようぼう　りゅうしょう

標準解答

1 讃嘆《さんたん》↔嘲罵《ちょうば》

2 暗愚《あんぐ》↔聡明《そうめい》

3 肥沃《ひよく》↔荒蕪《こうぶ》

4 明解《めいかい》↔晦渋《かいじゅう》

5 鮮明《せんめい》↔模糊《もこ》（糢糊）

6 永劫《えいごう》↔刹那《せつな》

7 険阻《けんそ》↔平坦《へいたん》

8 頑丈《がんじょう》↔脆弱《ぜいじゃく》

9 楽天《らくてん》↔厭世《えんせい》

10 浅瀬《あさせ》↔深淵《しんえん》

11 工面《くめん》＝捻出《ねんしゅつ》（拈出）

12 逐電《ちくでん》＝出奔《しゅっぽん》

13 粗雑《そざつ》＝杜撰《ずさん》

14 地獄《じごく》＝奈落《ならく》（那落）

15 絶壁《ぜっぺき》＝懸崖《けんがい》

16 繁栄《はんえい》＝隆昌《りゅうしょう》

17 童心《どうしん》＝稚気《ちき》

18 器量《きりょう》＝容貌《ようぼう》

19 死別《しべつ》＝永訣《えいけつ》

20 奇怪《きかい》＝面妖《めんよう》

対義語

□ 21 陳腐
□ 22 同調
□ 23 偽筆
□ 24 平安
□ 25 閑散
□ 26 暴露
□ 27 蓄財
□ 28 祝賀
□ 29 尊敬
□ 30 枯渇
□ 31 活用
□ 32 枯淡
□ 33 懸念
□ 34 没落

あんど　いんぺい　ざんしん　しぞう　じょうらん　しんせき　ちょうとう　とうじん　のうえん　はんげき　はんばく　ぶべつ　ぼっこう　ゆうしゅつ

類義語

□ 35 固執
□ 36 突如
□ 37 核心
□ 38 評判
□ 39 不可欠
□ 40 匹敵
□ 41 興廃
□ 42 永眠
□ 43 来歴
□ 44 吉祥
□ 45 牢記
□ 46 還付
□ 47 碩儒
□ 48 激浪

えんかく　こうせつ　こうでい　こつぜん　しょうちょう　ずいそう　せいこく　たいと　ちょうせい　どとう　ひけん　ひっす　へんれい　めいき

21 陳腐《ちんぷ》↕斬新《ざんしん》
22 同調《どうちょう》↕反駁《はんばく》（反駮）
23 偽筆《ぎひつ》↕真蹟《しんせき》（真跡）
24 平安《へいあん》↕擾乱《じょうらん》
25 閑散《かんさん》↕繁劇《はんげき》
26 暴露《ばくろ》↕隠蔽《いんぺい》（陰蔽）
27 蓄財《ちくざい》↕蕩尽《とうじん》（盪尽）
28 祝賀《しゅくが》↕弔悼《ちょうとう》
29 尊敬《そんけい》↕侮蔑《ぶべつ》
30 枯渇《こかつ》↕湧出《ゆうしゅつ》（涌出）
31 活用《かつよう》↕死蔵《しぞう》
32 枯淡《こたん》↕濃艶《のうえん》
33 懸念《けねん》↕安堵《あんど》（安堵）
34 没落《ぼつらく》↕勃興《ぼっこう》

35 固執《こしつ》＝拘泥《こうでい》
36 突如《とつじょ》＝忽然《こつぜん》
37 核心《かくしん》＝正鵠《せいこく》
38 評判《ひょうばん》＝巷説《こうせつ》
39 不可欠《ふかけつ》＝必須《ひっす》
40 匹敵《ひってき》＝比肩《ひけん》
41 興廃《こうはい》＝消長《しょうちょう》
42 永眠《えいみん》＝長逝《ちょうせい》
43 来歴《らいれき》＝沿革《えんかく》
44 吉祥《きっしょう》＝瑞相《ずいそう》
45 牢記《ろうき》＝銘記《めいき》
46 還付《かんぷ》＝返戻《へんれい》
47 碩儒《せきじゅ》＝泰斗《たいと》
48 激浪《げきろう》＝怒濤《どとう》

対義語・類義語―④

目標正答率
85%
／48

※□の中の語を必ず一度使って漢字に直し、対義語・類義語を記せ。

対義語

□ 1 熟視
□ 2 平坦
□ 3 斬新
□ 4 枯渇
□ 5 真作
□ 6 還俗
□ 7 荒蕪
□ 8 愚昧
□ 9 悲傷
□ 10 鈍重

いちべつ
がんさく
きゅうしゅん
きんえつ
じゅんたく
そうめい
ちんとう
とんせい
ひよく
びんしょう

類義語

□ 11 未明
□ 12 終身
□ 13 鳳雛
□ 14 億劫
□ 15 市井
□ 16 高慢
□ 17 卓越
□ 18 器量
□ 19 周章
□ 20 消去

きりんじ
こうかん
たいぎ
ひっせい
ふそん
ふっしょく
まいそう
ようぼう
りょうが
ろうばい

標準解答

1 熟視《じゅくし》↕一瞥《いちべつ》
2 平坦《へいたん》↕急峻《きゅうしゅん》
3 斬新《ざんしん》↕陳套《ちんとう》
4 枯渇《こかつ》↕潤沢《じゅんたく》
5 真作《しんさく》↕贋作《がんさく》
6 還俗《げんぞく》↕遁世《とんせい》(遯世)
7 荒蕪《こうぶ》↕肥沃《ひよく》
8 愚昧《ぐまい》↕聡明《そうめい》
9 悲傷《ひしょう》↕欣悦《きんえつ》
10 鈍重《どんじゅう》↕敏捷《びんしょう》

11 未明《みめい》＝昧爽《まいそう》
12 終身《しゅうしん》＝畢生《ひっせい》
13 鳳雛《ほうすう》＝麒麟児《きりんじ》
14 億劫《おっくう》＝大儀《たいぎ》
15 市井《しせい》＝巷間《こうかん》
16 高慢《こうまん》＝不遜《ふそん》
17 卓越《たくえつ》＝凌駕《りょうが》(陵駕)
18 器量《きりょう》＝容貌《ようぼう》
19 周章《しゅうしょう》＝狼狽《ろうばい》
20 消去《しょうきょ》＝払拭《ふっしょく》

対義語

□ 21 蓄積
□ 22 不毛
□ 23 出家
□ 24 進展
□ 25 激賞
□ 26 爽快
□ 27 会心
□ 28 懸絶
□ 29 永住
□ 30 懲戒
□ 31 断行
□ 32 奇手
□ 33 濃艶
□ 34 欣快

うっくつ
かぐう
げんぞく
こたん
しゅうしょう
じょうせき
ちぎ
つうこん
つうば
ていとん
とうじん
はくちゅう
ひよく
ゆうめん

類義語

□ 35 軽率
□ 36 選出
□ 37 退屈
□ 38 抗論
□ 39 出版
□ 40 滞在
□ 41 結局
□ 42 碇泊
□ 43 洪水
□ 44 勃発
□ 45 秘訣
□ 46 籠絡
□ 47 空前
□ 48 消長

かいじゅう
けんたい
じゃっき
じょうし
しょせん
そこつ
とうびょう
とうりゅう
ばってき
はんばく
はんらん
ふちん
みぞう
ようてい

21 蓄積《ちくせき》↕蕩尽《とうじん》（盪尽）
22 不毛《ふもう》↕肥沃《ひよく》
23 出家《しゅっけ》↕還俗《げんぞく》
24 進展《しんてん》↕停頓《ていとん》
25 激賞《げきしょう》↕痛罵《つうば》
26 爽快《そうかい》↕鬱屈《うっくつ》
27 会心《かいしん》↕痛恨《つうこん》
28 懸絶《けんぜつ》↕伯仲《はくちゅう》
29 永住《えいじゅう》↕仮寓《かぐう》
30 懲戒《ちょうかい》↕宥免《ゆうめん》
31 断行《だんこう》↕遅疑《ちぎ》
32 奇手《きしゅ》↕定石《じょうせき》
33 濃艶《のうえん》↕枯淡《こたん》
34 欣快《きんかい》↕愁傷《しゅうしょう》

35 軽率《けいそつ》＝粗忽《そこつ》（※1）
36 選出《せんしゅつ》＝抜擢《ばってき》
37 退屈《たいくつ》＝倦怠《けんたい》
38 抗論《こうろん》＝反駁《はんばく》（反駮）
39 出版《しゅっぱん》＝上梓《じょうし》
40 滞在《たいざい》＝逗留《とうりゅう》
41 結局《けっきょく》＝所詮《しょせん》
42 碇泊《ていはく》＝投錨《とうびょう》
43 洪水《こうずい》＝氾濫《はんらん》（汎濫）
44 勃発《ぼっぱつ》＝惹起《じゃっき》
45 秘訣《ひけつ》＝要諦《ようてい》
46 籠絡《ろうらく》＝懐柔《かいじゅう》
47 空前《くうぜん》＝未曽有《みぞう》
48 消長《しょうちょう》＝浮沈《ふちん》

※1：別解「楚忽」「疎忽」

かならず押さえる！

頻出度

A

同音・同訓異字——①

目標正答率 60%

／56

※次の——線のカタカナを漢字に直せ。

□ 1 キキョウの花言葉は変わらぬ愛だ。
□ 2 キキョウな振る舞いで周囲を悩ます。

□ 3 父が母を描いたガジョウを繰る。
□ 4 猛攻で相手のガジョウを崩す。

□ 5 ストーブに石炭をタく。
□ 6 昔ながらのかまどで御飯をタく。

□ 7 ツル九皐に鳴き、声天に聞こゆ。
□ 8 ツルが壁一面に広がっている。

□ 9 カンボクとは樹高の低い木だ。
□ 10 手紙を書くためにカンボクを用意する。

□ 11 寒いからガイトウを着ていけ。
□ 12 ガイトウで候補者が演説する。

□ 13 戦うにはコマが足りない。
□ 14 子どもがコマを回して遊ぶ。

□ 15 コウガイに食べ物が張り付く。
□ 16 用件のコウガイを冒頭に話す。

□ 17 豪華な料理にツバを飲み込む。
□ 18 両者ツバ迫り合いを演じる。

□ 19 医師のキカンとなれ。
□ 20 キカン拝受致しました。

□ 21 タイカン装備で北極に向かう。
□ 22 国王のタイカン式を執り行う。

□ 23 もはや万サク尽きた。
□ 24 家の周りをサクで囲う。

標準解答

1 桔梗
2 奇矯
3 画帖
4 牙城
5 焚
6 炊
7 鶴
8 蔓
9 灌木
10 翰墨
11 外套
12 街頭
13 駒
14 独楽
15 口蓋
16 梗概
17 唾
18 鍔（鐔）
19 亀鑑
20 貴翰（簡）
21 耐寒
22 戴冠
23 策
24 柵

□25 国王の**ユウジョ**で放免される。
□26 天の**ユウジョ**で窮地を脱した。

□27 **コウセツ**より個性を重視する。
□28 根拠のない**コウセツ**を信じるな。

□29 鍍金が**ハ**げて地金が現れた。
□30 鉱山の周囲は**ハ**げ山だらけだ。

□31 矢に鹿角の**カブラ**をつける。
□32 **カブラ**の漬け物は好物だ。

□33 大志を胸に**キョウカン**を出る
□34 街頭で**キョウカン**に襲われた。

□35 人工呼吸で間一髪**ソセイ**した。
□36 合成樹脂の**ソセイ**を利用する。

□37 彼はしばしば問題を**ヒ**き起こす。
□38 コーヒーの豆を**ヒ**いた。

□39 森には**ヨウセイ**が住んでいる。
□40 隣国に災害支援を**ヨウセイ**する。

□41 過分な賛辞に**キンカイ**に堪えません。
□42 海底に沈んだ**キンカイ**を探す。

□43 **ダンガイ**から身を乗り出す荒行だ。
□44 大臣の不正を**ダンガイ**する。

□45 耳を**ロウ**する拍手がわき起こる。
□46 策を**ロウ**して墓穴を掘る。

□47 彼女は仏語に**タンノウ**だ。
□48 **タンノウ**の手術を受ける。

□49 **ジョウトウ**句を連ねた駄文だ。
□50 隣家の**ジョウトウ**式に立ち会う。

□51 お腹が**ス**いてたまらない。
□52 荒れ地を**ス**いて畑にする。

□53 不十分な説明を**ホソク**する。
□54 暗黒街の実態は**ホソク**しがたい。

□55 蒔絵の漆が**ハクリ**してきた。
□56 **ハクリ**でも大量に売れればもうかる。

25 宥(優)恕
26 佑(祐)助

27 巧拙
28 巷説

29 剝
30 禿

31 鏑
32 蕪(菁・蕪菁)

33 郷関
34 凶(兇)漢

35 蘇(甦)生
36 塑性

37 惹(引)
38 挽(碾)

39 妖精
40 要請

41 欣快
42 金塊

43 断崖
44 弾劾

45 聾
46 弄

47 堪能
48 胆嚢

49 常套
50 上棟

51 空
52 鋤(犂・耡・耨)

53 補足
54 捕捉

55 剥離
56 薄利

かならず押さえる!
頻出度
A

同音・同訓異字―②

※次の――線のカタカナを漢字に直せ。

□ 1 **ロウコ**のように欲が深く残忍だ。
□ 2 **ロウコ**たる城に攻めあぐむ。

□ 3 総長に**スイタイ**する。
□ 4 飲み過ぎて**スイタイ**を晒す。

□ 5 単純作業に**ケンエン**する。
□ 6 タバコを一切吸わない**ケンエン**家だ。

□ 7 注意を引こうと**セキ**払いする。
□ 8 **セキ**を切ったかのように話す。

□ 9 **ノリ**の養殖が盛んだ。
□ 10 七十にして**ノリ**を越えず。

□ 11 **スイレン**の葉に蛙が乗っている。
□ 12 皇太后が**スイレン**の政を行う。

□ 13 **フヨウ**の顔、柳の眉。
□ 14 結婚して夫の**フヨウ**に入る。

□ 15 遊びに夢中で**ソソウ**をする。
□ 16 力の差を見せつけられて**ソソウ**する。

□ 17 調子に乗って**チタイ**を演ずる。
□ 18 債務の返済を**チタイ**する。

□ 19 身を**テイ**して走者を進める。
□ 20 怪しい様相を**テイ**する。

□ 21 利益を作業員に**カンゲン**する。
□ 22 不正を正すため社長に**カンゲン**する。

□ 23 豪雨で多数の住宅に水が**ツ**いた。
□ 24 疲れて深い溜息を**ツ**いた。

目標正答率 60%

／56

標準解答

1 狼虎
2 牢固
3 推戴
4 酔態
5 倦厭
6 嫌煙
7 咳(喘・嗽)
8 堰
9 海苔
10 矩
11 睡蓮
12 垂簾
13 芙蓉
14 扶養
15 粗(疎・麤)相
16 阻(沮)喪
17 痴態
18 遅滞
19 挺
20 呈
21 還元
22 諫言
23 浸(漬)
24 吐

□ 25 木に赤い紐を**マ**く。
□ 26 ホースで水を**マ**く。

□ 27 父は毎朝髭を**ソ**る。
□ 28 胸を**ソ**らせて深呼吸する。

□ 29 幼時を思い出し**カンガイ**に耽る。
□ 30 砂漠を**カンガイ**して農地にする。

□ 31 虫に刺された皮膚を**カ**き崩した。
□ 32 シャツのボタンを**カ**け違えた。

□ 33 金属に**センコウ**する工作機械だ。
□ 34 英文学を**センコウ**する。

□ 35 蒸気機関車は煙を**ハ**いて進む。
□ 36 急いでズボンを**ハ**いた。

□ 37 **セッコウ**で彫刻を作る。
□ 38 **セッコウ**が敵陣を偵察する。

□ 39 **サショウ**な金額を包んだ。
□ 40 国境で**サショウ**を提示する。

□ 41 桃が**ウ**んで柔らかくなった。
□ 42 単純作業に**ウ**んで欠伸が出る。

□ 43 布に水を**シントウ**させる。
□ 44 若年議員が**シントウ**を立ち上げた。

□ 45 余興でピアノを**ヒ**いた。
□ 46 西軍の将が軍勢を**ヒ**いた。

□ 47 庭から温泉が**フ**き出した。
□ 48 机の上を**フ**きなさい。

□ 49 転んで膝を**ス**りむいた。
□ 50 木版画を**ス**った。

□ 51 敵軍に全土を**セッケン**された。
□ 52 掌で**セッケン**を泡立てる。

□ 53 敵国の**チョウホウ**活動に携わる。
□ 54 国王の葬儀で**チョウホウ**を撃つ。

□ 55 二回戦に**コマ**を進める。
□ 56 正月に**コマ**回しをする。

25 捲(巻)
26 撒
27 剃(剔)
28 反
29 感慨
30 灌漑
31 掻(爬・抓)
32 掛
33 穿孔
34 専攻
35 吐
36 穿
37 石膏
38 斥候
39 些(瑣)少
40 査証
41 熟
42 倦
43 浸(滲)透
44 新党
45 弾
46 退
47 噴
48 拭
49 擦
50 刷
51 席捲(巻)
52 石鹸
53 諜報
54 弔砲(炮)
55 駒
56 独楽

かならず押さえる！
頻出度
A
誤字訂正——①

目標正答率 75%

／28

※各文にまちがって使われている漢字一字を探し、誤字を同じ音訓の正しい漢字に正せ。

□ 1 この芸術潮流は東方へと伝波し、現地の文化と融合して不思議な様式を生み出した。
□ 2 重化学工業地帯に林立する工場から排出される培煙で大気汚染が深刻な問題になっている。
□ 3 長年の功績が認められて褒章を受章したが、本人は謙尊するばかりで傲慢なところがない。
□ 4 深山幽谷の地に古くに創建された由緒ある寺があり、先般の風雪で傷んだ屋根を拭き替えた。
□ 5 鉄塔の頭頂部にある機器が竜巻で破損し、備え付けの羅旋階段を上って修理した。
□ 6 北国の森林地帯には、極寒の地に適応した猛斤類や大型野生鳥獣が生息している。
□ 7 銀行に白昼立て籠もった強盗が人質を解放したとの報に家族は安途し、胸を撫で下ろした。
□ 8 取材で戦闘地域を訪れたところ、見るも無惨な光景が広がっており肌の泡立つ思いがした。
□ 9 所信表明は常踏句を連ねただけの駄文で、なんの新鮮味も訴求力もない空疎な演説だった。
□ 10 素行不良の少年を改心させて将来への希望を与えられたのは、教師妙利に尽きる思いである。
□ 11 長く不治の病とされてきたが、科学技術の進展で特効薬が開発され完治の初光が見え始めた。
□ 12 天才的発明家としての華麗な功績の陰で、親族は彼の放逃癖に苦労が絶えなかった。

標準解答

1 波→播
2 培→煤
3 尊→遜
4 拭→葺
5 羅→螺
6 斤→禽
7 途→堵
8 泡→粟
9 踏→套
10 妙→冥
11 初→曙
12 逃→蕩

□ 13 兵法に長けた武将は、深遠な知謀と強甚な精神とで合戦と和睦を繰り返し、乱世を駆けた。

□ 14 山麓の白樺林の伐採計画の説明が始まるや反論が飛び交い、了遠なる前途を思って嘆息した。

□ 15 低層の茅屋が櫛庇するひなびた漁村を抜けて、盈月を中天に仰ぐ磯辺に出た。

□ 16 片肘を脇側にもたせ掛ける、優雅で物憂げな公達の姿を御簾越しに描いた大和絵を見る。

□ 17 父から貰った袷の羽織には、衿の部分に家紋の繊細かつ巧緻な指繡が施されていた。

□ 18 歴史に造型の深い教授は、県の重要無形文化財である郷土芸能の保護活動に挺身している。

□ 19 幼少期には呂鈍な振る舞いで周囲を心配させたが、驚異的な才能を開花させた。

□ 20 環境保護の観点から間伐材を利用して、急公配の斜面に転落防止の柵を設えた。

□ 21 天賦の才を直向きに磨いた若い画家は、瞬く間に師の技量を凌河し出藍の誉れを飾った。

□ 22 解決の端緒を見出せない宗教紛争によって、現地の住民が塗丹の苦しみを味わっている。

□ 23 寡占状態を形成してきた三社の瓦城を脅かす外資系の企業が、新たに勃興してきた。

□ 24 旧友の心無い侮蔑の言葉に憤慨し思わず拳箇を握り締めたが、ぐっと怒りを堪えた。

□ 25 野草を好む母は山登りの際に袖枕本の植物図鑑を携帯し、蕨を採取してきた。

□ 26 露天風呂の滑らかな湯に身を浸し、地元特産の野趣に富んだ珍味佳幸に舌鼓を打った。

□ 27 弟子の時分に何遍も聞いた棟梁の武勇伝を、会槌を打ちつつも厭倦の体で拝聴した。

□ 28 景気低迷の現状を打破する創意工夫を怠る企業が淘多されるのは必然の成り行きだ。

13 甚→靭
14 了→遼
15 庇→比
16 側→息
17 指→刺
18 型→詣
19 呂→魯
20 公→勾
21 河→駕
22 丹→炭
23 瓦→牙
24 箇→固
25 枕→珍
26 幸→肴
27 会→相(合)
28 多→汰

かならず押さえる!

頻出度

A

誤字訂正―②

目標正答率 75%

／28

※各文にまちがって使われている漢字一字を探し、誤字を同じ音訓の正しい漢字に正せ。

□ 1 憂うべきことに一国全体が退永の風に傾き、嘗て旺盛だった進取の気質は急速に鳴りを潜めた。

□ 2 凡悩の数だけ撞くとされる厳粛な除夜の鐘の音が漆黒の闇の中、周辺の村に響き渡った。

□ 3 律儀で僑骨あるその好漢は、江戸火消しの頼もしい鳶頭として一躍市中に名を馳せた。

□ 4 往時羽振りを利かせていた職業斡旋業は、政策転換の影響により兆落が顕著となった。

□ 5 斯界に名を轟かせ久方ぶりに復帰した演出家は、身上である軽抜な着想で観客の度胆を抜いた。

□ 6 信州の叔父の邸宅に仮遇して受験勉強に猛進した甲斐あって、遂に難関校に合格した。

□ 7 研究者として実績を重ねて雌腹十年、漸く巡ってきた雄飛の好機を逸してしまった。

□ 8 母は、第一線を退き予て念願の田舎暮らしを実現した伯父の気儘な引遁生活を羨んでいる。

□ 9 敵地に派遣した斥侯の報告を聞いた軍師は、帳に戻るや戦の策略を練るのに没頭した。

□ 10 旧弊に囚われて技術革新を遅疑した結果、新興企業の後陣を悉く拝した。

□ 11 作業中誤って頻死の重傷を負った刀鍛冶は、奇跡的に一命を取り留め回復を遂げた。

□ 12 自由奔放な作風の若い詩人は篤実な王の逆隣に触れ、その篇什は悉く焚書となった。

標準解答

1 永→嬰
2 凡→煩
3 僑→俠
4 兆→凋
5 軽→警
6 遇→寓
7 腹→伏
8 引→隠
9 侯→候
10 陣→塵
11 頻→瀕
12 隣→鱗

□13 桜咲く季節を迎え、祖母は気も漫ろに孫たちからの吉報を閣首して待っている。

□14 衣姿の雲水は霞の立ち込める山懐で、鳥の声に包まれて仏暁の勤行に専心している。

□15 辺境地帯の蛮族が朝廷に叛旗を翻すに至った転末を認めた上奏が、国司から届けられた。

□16 国賓として来日した大統領夫妻を招き、陛下も臨席されての宮中晩讚会が開催された。

□17 師範は、剣道の稽古に於いては向然の気を養うことが肝要だと、繰り返し力説していた。

□18 監督は、意欲と才能を重視し現状の技量の高拙は不問とすると述べ、先輩達を狼狽させた。

□19 耐震構造に欠陥のある建物が崩壊し、杜桟な工事が露見して被害住民が憤激した。

□20 往時は鮮烈だった船旅の記憶も、半世紀が経つ今ではおぼろげで模湖としている。

□21 皇位継承を巡る骨肉の争いに幻滅した親王は、提髪して仏門に帰依し、読経に耽った。

□22 聖歌隊によるミサ曲の峻玄な響きが、降誕祭を祝う教会の尖塔に吸い込まれていった。

□23 普段とは見違える精楚な衣裳で現れた彼女の美貌に魅了され、弟は動揺したようだった。

□24 西瓜を盗んだ兄弟は、確りお灸を据えられた後、顔是ない子供だからと放免になった。

□25 電車内などの公共の場での傍弱無人な姦しいお喋りには、全く以て閉口する。

□26 関係を緊密にさせない比較的緩やかな柱帯こそ、情報探索に有効であるとの研究がある。

□27 連日の恨めしい干天に待ちわびた慈雨が降り注ぎ、萎れた草花はみるみる遡生した。

□28 救援投手として登板するや敏捷な動作で兼制球を繰り出し、得点圏の走者を刺した。

13 閣→鶴
14 仏→払
15 転→顛
16 讚→餐
17 向→浩
18 高→巧
19 桟→撰
20 湖→糊
21 提→剃
22 玄→厳
23 精→清
24 顔→頑
25 弱→若
26 柱→紐
27 遡→蘇(甦)
28 兼→牽

頻出度A
読み 378問
表外読み 168問
熟語と一字訓 162問
四字熟語 168問
書き取り 280問
故事・諺 280問
対義語・類義語 192問
同音・同訓異字 112問
誤字訂正② 56問
共通の漢字 48問

かならず押さえる！
頻出度 A

共通の漢字——①

目標正答率 60%
／24

※次の各組の二文の（　）には共通する漢字が入る。その読みを後の［　］から選び、常用漢字一字で記せ。

□ 1 薄（　）の美女の役を演じる。／賭け事は射（　）心を煽る。
□ 2 犀（　）な感覚で時代を読む。／内外の価格差で（　）鞘を稼ぐ。
□ 3 私（　）なく社会貢献に尽くす。／抽象概念を委（　）する。
□ 4 推敲を重ねて（　）稿した。／（　）兎の勢いで飛び出す。
□ 5 二代目が財産を蕩（　）した。／（　）日、外で営業する。

あん・きょく・こう・じん
だっ・もう・らん・り

□ 6 （　）外の厚遇を受ける。／輿（　）を担って立候補する。
□ 7 土地の境界を巡って（　）争中だ。／不幸が（　）累に及ぶ。
□ 8 著名人の真（　）とされる書だ。／不行（　）な主君を諫める。
□ 9 古（　）を迎えても未だ壮健だ。／（　）代の文人として名高い。
□ 10 （　）獄の全容を解明する。／遅（　）せず前に突き進む。

いん・き・ぎ・けい・けつ
せき・び・ぼう

標準解答

1 幸
2 利
3 曲
4 脱
5 尽
6 望
7 係
8 跡（蹟）
9 希
10 疑

□11 {（　）鬱な雰囲気の古い洋館だ。 / 炎天を避けて緑（　）に憩う。}

□12 {最前線の兵士が露（　）を保つ。 / （　）数が尽きるまで研究を続ける。}

□13 {（　）興を披露して場を和ます。 / （　）視するわけにはいかない。}

□14 {生存するための（　）路を求める。 / 事業の拡大に心（　）を注ぐ。}

□15 {思わぬ（　）禄にあずかる。 / 戦後から十有（　）年が過ぎる。}

□16 {（　）駁な知識では間に合わない。 / みるみる（　）踏にまぎれていった。}

□17 {（　）残の身をさらす。 / （　）来盆栽に没頭する。}

いん・きゅう・けつ・ざ
ざっ・じっ・めい・よ・ろう

□18 {計画は（　）餅に帰した。 / 叔父は（　）廊を経営している。}

□19 {村民が首長に（　）情を訴える。 / 遺族の苦（　）を察する。}

□20 {変化のない日常に食（　）ぎみだ。 / いわれない中（　）を受ける。}

□21 {新しい土地で（　）外感を味わう。 / 人口の分布に（　）密がある。}

□22 {奇（　）な言動で周囲を驚かす。 / 苦し紛れに（　）飾して語る。}

□23 {（　）紀まさに十八歳を迎えた。 / 先代のご（　）恩に深謝いたします。}

□24 {（　）学の士が一堂に会する。 / 政策の失敗が評論家の（　）餌となる。}

が・きょう・しょう・こう・ずい
そ・ちゅう・とん・ぶ・ほう

11	12	13	14	15	16	17	18	19	20	21	22	23	24
陰	命	座	血	余	雑	老	画	衷	傷	疎	矯	芳	好

かならず押さえる！

頻出度

A

共通の漢字――②

目標正答率 60%

／24

※次の各組の二文の（　）には共通する漢字が入る。その読みを後の［　］から選び、常用漢字一字で記せ。

□ 1
川の傍流は（　）渠になっている。
（　）愚な王による暴政に苦しむ。

□ 2
縦（　）として問題解決に取り組む。
年を追って（　）色が衰える。

□ 3
両国間に（　）雲が垂れ込める。
国会で舌（　）が繰り広げられる。

□ 4
為替の変動が（　）益を生む。
大臣が行政事務を（　）配する。

□ 5
師匠に（　）腔の敬意を表する。
正義を（　）天下に示す。

あん・さ・じつ・しょく
せん・ちょう・まん・よう

□ 6
驚きのあまり頓（　）な声を上げた。
酔（　）な趣味を持っている。

□ 7
夢が叶わぬまま（　）齢を重ねる。
下（　）評通りの結果に終わる。

□ 8
国から法令が（　）達される。
（　）衣の交わりを大切にする。

□ 9
諸国を歴（　）して知識を深める。
（　）蕩三昧で無一文になる。

□ 10
改革の急（　）鋒として活躍した。
（　）入主を排して物事を考える。

か・きょう・しゅう・せん
ば・ふ・ゆう・らん

標準解答

1 暗　2 容　3 戦　4 差　5 満　6 狂　7 馬　8 布　9 遊　10 先

11 騒動が収まって（　）眉を開いた。愛妻の死が心を（　）殺した。

12 蕪（　）を連ねた手紙を送る。美しい文（　）の詩を朗読する。

13 作者の愛情が歌詞に（　）露している。戦火を避けて異国に（　）寓する。

14 警察が（　）買人を逮捕する。博識で世（　）に長けている。

15 地層の堆（　）から研究が進む。トラックが砂利を（　）載する。

16 突然の（　）変に襲われる。（　）徒に財宝を奪われる。

17 反乱軍が政府に（　）順した。適（　）を探して彷徨する。

かく・き・きょう・こ・じ・しゅう
せき・ぜん・とう・ゆう・りゅう

18 階段で転んで肋（　）を折った。恨み（　）髄に徹する。

19 過去の栄光を（　）言する。兵の士気を発（　）する。

20 若さと才能が（　）溢する作品だ。（　）柄な態度が気に入らない。

21 （　）烹着姿でお節料理を作る。市場は群雄（　）拠の様相だ。

22 失敗を激しい（　）吻でなじる。論文の（　）述筆記を担当した。

23 海外の鉄道事業に参（　）する。両者には（　）然たる差がある。

24 広く世に喧（　）された事件だ。師匠直（　）のレシピで作る。

おう・かく・かっ・けん・こう
こつ・せっ・でん・よう・わい

11	12	13	14	15	16	17	18	19	20	21	22	23	24
愁	辞	流	故	積	凶	帰	骨	揚	横	割	口	画	伝

漢字パズル 1

漢字の「架」は、例のように3つの漢字で組み立てられています。同様に、リストの漢字を1回ずつ使い、3つずつ組み合わせて6つの漢字を作りましょう。その漢字を下の□に当てはめて6つの熟語を作りましょう。

<例>　架→　力＋口＋木

❶ 紺□

❷ □旋

❸ 覚□

❹ □明

❺ 通□

❻ □代

リスト

古	世	米	木	酉	糸
片	生	白	田	石	公
心	月	虫	耳	王	日

答え

❶王＋白＋石→碧（紺碧）
❷虫＋田＋糸→螺（螺旋）
❸酉＋日＋生→醒（覚醒）
❹耳＋公＋心→聡（聡明）
❺片＋世＋木→牒（通牒）
❻米＋古＋月→糊（糊代）

合否の分かれ目！

重要問題1072

第2章

頻出度

B

合否の分かれ目！

頻出度

B

読み―①

※次の――線の訓読みをひらがなで記せ。

□1 祖父は百歳に**垂**とする。
□2 浜は**凪**で穏やかな夕暮れだ。
□3 **箆**でご飯を盛る。
□4 勢いよく流れる水を**堰**きとめる。
□5 検事の主張は**悉**く却下された。
□6 一帯が風雨の**煽**りを食らった。
□7 城の周りに**柵**をめぐらす。
□8 **鴫**の飛び立つ姿を目にする。
□9 **凄**まじい勢いでゴールに向かう。
□10 解決するには**些**か難しい問題だ。
□11 水底に**澱**がたまっている。
□12 親友の死を**戚**える。
□13 **歪**な形の痕が残る。
□14 その実力は師をも**凌**ぐ。
□15 水をやり忘れて花が**凋**んだ。
□16 鍛錬を**倦**むことなく続けた。
□17 **爾**、自らを知れ。
□18 **夙**くから趣味の釣りに出かける。
□19 **椛**の美しい庭園を歩く。
□20 **鼎**を使って食物を煮る。
□21 **僻言**は聞きづらい。
□22 状勢が変わり攻撃の**鋒**を収める。
□23 **廓**の面影が残る城址を歩く。
□24 アルコールに**淫**る生活が続いた。

目標正答率95%

／54

標準解答

1 なんなん
2 なぎ
3 へら
4 せ
5 ことごと
6 あお
7 とりで
8 しぎ
9 すさ
10 いささ
11 おり
12 うれ
13 いびつ
14 しの
15 しぼ
16 う
17 なんじ
18 はや
19 もみじ
20 かなえ
21 ひがごと
22 ほこ
23 くるわ
24 ふけ

※ 次の——線の音読みをひらがなで記せ。

□ 25 **葱青**の草原で春を感じる。
□ 26 立派な**翰墨**で書画を書く。
□ 27 山小屋の**釜竈**を使って飯を炊く。
□ 28 発掘された**箭頭**を調査する。
□ 29 強壮剤として**鹿茸**を処方する。
□ 30 **戎馬**をそろえて戦闘に臨む。
□ 31 **壺中**の天に遊び雑事を忘れる。
□ 32 **塵芥**の処理方法を見直す。
□ 33 陳列された**菱花**鏡を選別する。
□ 34 檜の名木は**馨逸**だ。
□ 35 **卦兆**で国が動いた時代があった。
□ 36 **僻遠**の地に赴任する。
□ 37 出土した**蠣殻**を分析する。
□ 38 この身の**鴻毛**より軽くなるを欲す。
□ 39 贅沢**三昧**の生活を送る。
□ 40 **蕪辞**を連ねてお祝いの言葉とする。
□ 41 皮膚がむくみ**浮腫**ができている。
□ 42 一心に**悉皆**成仏を唱える。
□ 43 力が技を**凌駕**した。
□ 44 南北朝は**正閏**の争いの時代だった。
□ 45 異物を**咽下**しないように気をつける。
□ 46 彼はわたしの**外甥**だ。
□ 47 **黛青**の山を眺め、春を感じる。
□ 48 仔馬を**馴致**して競走馬に育てる。
□ 49 **豊稔**を祈願する祭りが催される。
□ 50 長身で**痩軀**の美青年だ。
□ 51 やっとの思いで**允可**を得た。
□ 52 岩に**波濤**が押し寄せる。
□ 53 事故船を**曳航**する船が到着した。
□ 54 **凄絶**な試合に目を奪われる。

25 そうせい
26 かんぼく
27 ふそう
28 せんとう
29 ろくじょう
30 じゅうば
31 こちゅう
32 じんかい
33 りょうか
34 けいいつ
35 かちょう
36 へきえん
37 れいかく
38 こうもう
39 ざんまい
40 ぶじ
41 ふしゅ
42 しっかい
43 りょうが
44 せいじゅん
45 えんか（えんげ）
46 がいせい
47 たいせい
48 じゅんち
49 ほうじん
50 そうく
51 いんか
52 はとう
53 えいこう
54 せいぜつ

合否の分かれ目！

頻出度

B

読み②

※次の——線の訓読みをひらがなで記せ。

□ 1 その人のことは**夙**に知っていた。

□ 2 **穿**ったことを言う人だ。

□ 3 上様には**蔀**ごしに拝謁した。

□ 4 戦に備えて矢を**矧**ぐ。

□ 5 **櫓**の上から火事を発見した。

□ 6 悲劇的な結末を**戚**える。

□ 7 **苛**立ちを隠しきれずに怒鳴る。

□ 8 国王が長子に位を**遜**った。

□ 9 清水を手に**掬**んで飲む。

□ 10 奥の部屋から**咽**び泣く声が聞こえる。

□ 11 宿ではすばらしい**饗**しを受けた。

□ 12 心の中の**澱**を吐き出す。

□ 13 考え**倦**んだ末に相談した。

□ 14 子どもが母親に**纏**いつく。

□ 15 **縞柄**のシャツを着る。

□ 16 敵を**薙**ぎ倒して進む。

□ 17 干天が続き草木が**凋**む。

□ 18 **篦**で削って粘土に模様をつける。

□ 19 **鼎**の軽重を問う。

□ 20 公園の**樫**の実を拾う。

□ 21 昔は**甑**を使って米を蒸した。

□ 22 **禿**びた鉛筆でメモをとる。

□ 23 **斑**模様の服を着る。

□ 24 その瞬間に望みが**潰**えた。

目標正答率 95%

／54

標準解答

1 つと	13 あぐ
2 うが	14 まと
3 しとみ	15 しまがら
4 は	16 な
5 やぐら	17 しぼ
6 うれ	18 へら
7 いら	19 かなえ
8 ゆず	20 かし
9 むす	21 こしき
10 むせ	22 ち
11 もてな	23 まだら
12 おり	24 つい

※次の——線の音読みをひらがなで記せ。

□25 河川の**溢水**を食い止める。
□26 **僻遠**の地で人生を送る。
□27 そろそろ稲を**播植**する時期だ。
□28 苦境にある時も**鷹揚**に構える。
□29 庭師に生垣を**揃刈**してもらう。
□30 **薬匙**は金銀ぞうげなどで製造した。
□31 家々の**砧声**に耳を傾ける。
□32 人質を残らず**串殺**する。
□33 私の**嚢中**には一物もない。
□34 遺跡から**箭頭**が発掘された。
□35 小高い丘から**緑埜**を眺める。
□36 民のため**清穆**の世が続くことを望む。
□37 すべての財産を**蕩尽**した。
□38 開発のため各社製品を**嘗試**する。
□39 苦い薬を**咽下**する。

□40 上官に対して**揖拝**する。
□41 ご退院後もご**加餐**ください。
□42 **呪術**に詳しい人に会った。
□43 彼を**樗材**と決めつけてはならない。
□44 あまりの苦しみに**悶絶**した。
□45 たくさんの**蠣殻**が捨てられている。
□46 神社で**豊稔**の祈りが捧げられた。
□47 **老爺**の昔語りを聞く。
□48 戦時中の飢えは**芋粥**でしのいだ。
□49 美しい**堆朱**の椀に見とれる。
□50 畑に家畜の**厩肥**を撒く。
□51 **烏鷺**の争いが繰り広げられる。
□52 **燦然**と輝く宝石を見つめる。
□53 **急灘**を越えるための訓練をする。
□54 南北朝では**正閏**の論争が絶えない。

25 いっすい
26 へきえん
27 はしょく
28 おうよう
29 せんがい
30 やくし
31 ちんせい
32 せんさつ
33 のうちゅう
34 せんとう
35 りょくや
36 せいぼく
37 とうじん
38 しょうし
39 えんか（えんげ）
40 ゆうはい
41 かさん
42 じゅじゅつ
43 ちょざい
44 もんぜつ
45 れいかく
46 ほうじん
47 ろうや
48 うしゅく
49 ついしゅ（たいしゅ）
50 きゅうひ
51 うろ
52 さんぜん
53 きゅうだん（きゅうたん）
54 せいじゅん

※次の――線の訓読みをひらがなで記せ。

□1 彼は利に慧いといわれる。
□2 決定事項に悉く反発した。
□3 知人の僻言を聞き流す。
□4 男女の弄れの声が聞こえてくる。
□5 台風が畑の作物を薙ぎ倒した。
□6 弾んだ心も凋んでしまった。
□7 厭な夢にうなされる。
□8 歩きながら一句捻る。
□9 セーターの上にコートを套ねる。
□10 厩の馬を放牧する。
□11 死んでただの骸になってしまった。
□12 縞柄の粋な小袖を着ている。
□13 儘ならぬ世の中だ。
□14 萌え出す草木の息吹を感じる。
□15 尖った塔のシルエットが美しい。
□16 堰きとめられない思いが募る。
□17 遁れるように田舎に引きこもる。
□18 芳しい匂いに思わず振り向く。
□19 彼女はとても聡く賢い。
□20 鳩がパンくずを啄んでいる。
□21 愈、自分の出番が来た。
□22 気持ちの昂りを抑えきれない。
□23 その意見には些か納得しかねる。
□24 海辺の宿に逗まることにした。

目標正答率
95%
／54

標準解答

1 さと
2 ことごと
3 ひがごと
4 たわむ
5 な
6 しぼ
7 いや
8 ひね
9 かさ
10 うまや
11 むくろ(ほね)
12 しまがら
13 まま
14 も
15 とが
16 せ
17 のが
18 にお
19 さと
20 ついば
21 いよいよ
22 たかぶ
23 いささ
24 とど

※次の――線の音読みをひらがなで記せ。

□25 双方の話が**吻合**する。
□26 山奥の一軒家で**好好爺**に出会う。
□27 楽器の**律呂**を調える。
□28 村の家々から**砧声**が響く。
□29 仲間と**翰墨**の会を催す。
□30 幾多の**戎馬**を従えて出陣する。
□31 生い茂った庭木を**揃刈**する。
□32 **清穆**の世に心安らかに過ごす。
□33 **葱青**の高原で深呼吸する。
□34 相手チームの陣に**撞入**する。
□35 作物は**播植**の時期が重要だ。
□36 **菱花**鏡に自分の姿を映す。
□37 上官に対しては**揖拝**すべし。
□38 **薬匙**を使って処方する。
□39 漢方医が**鹿茸**を処方する。
□40 食べ物がなくなり**芋粥**でしのぐ。
□41 遥か向こうに**緑埜**が広がる。
□42 開発中の製品を**嘗試**する。
□43 **鉤餌**も万全で獲物を待つばかりだ。
□44 **托鉢**の僧が街角に立つ。
□45 彼は**斯界**の権威だ。
□46 **臼杵**を使って穀物を砕く。
□47 体が**脆弱**で学校を休みがちだ。
□48 心の**深淵**は知る由もない。
□49 堕落した生活から**蟬脱**する。
□50 **雌蕊**に花粉をつけて受精させる。
□51 占い師が**卦兆**を告げる。
□52 裏事情について**知悉**している。
□53 泣いている**嬰児**をあやす。
□54 **巽位**とは東南の方角をさす。

25 ふんごう
26 こうこうや
27 りつりょ
28 ちんせい
29 かんぼく
30 じゅうば
31 せんがい
32 せいぼく
33 そうせい
34 とうにゅう（どうにゅう）
35 はしょく
36 りょうか
37 ゆうはい
38 やくし
39 ろくじょう
40 うしゅく
41 りょくや
42 しょうし
43 こうじ
44 たくはつ
45 しかい
46 きゅうしょ
47 ぜいじゃく
48 しんえん
49 せんだつ
50 しずい
51 かちょう
52 ちしつ
53 えいじ
54 そんい

合否の分かれ目！

頻出度 B

読み―④

目標正答率 95%

／54

※次の――線の訓読みをひらがなで記せ。

□ 1 美しい花を見て一句捻った。
□ 2 凄まじい形相でにらみつける。
□ 3 尖のとがった石を拾った。
□ 4 被害者の骸が発見された。
□ 5 次から次へと敵を薙ぎたおす。
□ 6 新時代の萌みを感じる。
□ 7 空にいくつもの凧が揚がっている。
□ 8 母の愚痴は聞き厭きた。
□ 9 悲しい運命に弄ばれた。
□ 10 新鮮な鰯で鮨を作る。
□ 11 恩師の死を戚える。
□ 12 敵の窮状を見て鋒を収めた。
□ 13 古寺の鐘を撞く。
□ 14 酒に淫る毎日を送っていた。
□ 15 糸を撚って丈夫な紐を作る。
□ 16 田んぼで蛭に血を吸われた。
□ 17 ほつれた裾を纏ってもらう。
□ 18 理に蒙い人々を教え導く。
□ 19 人の心は儘ならない。
□ 20 人の心を玩んだりしない。
□ 21 尖い刃に一瞬たじろいだ。
□ 22 完成まで頃く時間を要する。
□ 23 国の鼎を定める。
□ 24 目を凝らして経過を見守る。

標準解答

1 ひね
2 すさ
3 さき
4 むくろ(ほね)
5 な
6 めぐ
7 たこ
8 あ
9 もてあそ
10 いわし
11 うれ
12 ほこ
13 つ
14 ふけ
15 よ
16 ひる
17 まつ
18 くら
19 まま
20 もてあそ
21 するど
22 しばら
23 かなえ
24 こ

※次の――線の音読みをひらがなで記せ。

□25 手術で傷跡を**吻合**した。
□26 動物を**馴致**して芸を教える。
□27 **允可**を得て念願の夢を果たす。
□28 **鶯遷**の夢に溢れている。
□29 **禿筆**をなめつつ拙文を書く。
□30 書家らしい**雅馴**な書きぶりだ。
□31 **凌雲**の志を抱く。
□32 与えられた**葛衣**を身にまとう。
□33 旅先で**松濤**に耳をすます。
□34 相手を**歯牙**にもかけない態度だ。
□35 騒動の**首魁**を捕らえる。
□36 神社の**廟宇**に参拝する。
□37 **凄絶**な格闘が繰り広げられる。
□38 やっとの思いで**夙志**を叶える。
□39 釣った魚を**串殺**する。

□40 財産をすっかり**蕩尽**してしまった。
□41 **天蓋**つきのベッドで眠る。
□42 **乞巧**の祭りが行われる。
□43 **馨逸**の名木の香りを楽しむ。
□44 **跨線橋**から電車を眺める。
□45 演奏を前に**律呂**を調える。
□46 作品の**草藁**が固まった。
□47 花の**雌蕊**の形を観察する。
□48 **岡陵**の遺跡を訪れる。
□49 **梁上**から鼠がのぞいている。
□50 エネルギーが**横溢**している。
□51 **惣領**息子を一人前に育てる。
□52 **自彊**してやまず。
□53 高官が**堵列**して国賓を出迎える。
□54 事件の顛末を**宛転**と語った。

25 ふんごう	40 とうじん
26 じゅんち	41 てんがい
27 いんか	42 きっこう
28 おうせん	43 けいいつ
29 とくひつ	44 こせんきょう
30 がじゅん	45 りつりょ
31 りょううん	46 そうこう
32 かつい	47 しずい
33 しょうとう	48 こうりょう
34 しが	49 りょうじょう
35 しゅかい	50 おういつ
36 びょうう	51 そうりょう
37 せいぜつ	52 じきょう
38 しゅくし	53 とれつ
39 せんさつ	54 えんてん

合否の分かれ目！

頻出度

B

表外読み――①

※次の――線の表外読みをひらがなで記せ。

□1 **普**く世界に知られることとなる。
□2 **抑**、君が対処できる問題ではない。
□3 姫は隣国の王に**妻**わされた。
□4 思わず笑みが**零**れた。
□5 最後の**負**みは君だけだ。
□6 身勝手な**族**が横行している。
□7 海外進出を心**私**かに決意する。
□8 歯に**衣**着せぬ言い方をする。
□9 辺りが夜の**帳**に包まれる。
□10 昔の**好**で大目に見よう。
□11 **実**に働いて蓄財する。
□12 **和**いで静かな海を眺望する。
□13 **丹**塗りのお椀を買った。
□14 神殿に農耕を**掌**る女神を祭る。
□15 何度食べても**堪**えられない味だ。
□16 苦労したから喜びも**一入**だ。
□17 有名画家の名が**署**された版画。
□18 上役に**便**い成り上がる。
□19 **伝**を頼って職に就く。
□20 望外の豊作でまさに収穫の**秋**だ。
□21 **交**に別れの挨拶をした。
□22 家の**斜**向かいに大きな桜がある。
□23 **凍**てつくような夜空の下を歩く。
□24 吹雪は止まず**剰**え停電になった。

目標正答率 90%

／56

標準解答

1 あまね
2 そもそも
3 めあ
4 こぼ
5 たの
6 やから
7 ひそ
8 きぬ
9 とばり
10 よしみ
11 まめ
12 な
13 に
14 つかさど
15 こた
16 ひとしお
17 しる
18 へつら
19 つて
20 とき
21 こもごも
22 はす
23 い
24 あまつさ

□ 25 目的もなく**徒**に時を費やす。
□ 26 恥ずかしさに思わず顔が**熱**った。
□ 27 **賢**しらに振る舞う。
□ 28 旧習に**泥**んだ計画だ。
□ 29 歓迎会は慣習に**則**って行われる。
□ 30 親鳥が巣箱でヒナを**擁**る。
□ 31 **荘**かな琴の音色に耳を傾ける。
□ 32 通りの地蔵はほこりに**塗**れていた。
□ 33 めぼしい物はないか**漁**る。
□ 34 **動**もすると意見が偏ってしまう。
□ 35 時ならぬ雑音で気分が**殺**がれた。
□ 36 **戯**れ事と思って聞いてください。
□ 37 荒地を**均**して公園にする。
□ 38 包囲網を敷けば逃げ**果**せまい。
□ 39 作戦が**尽**く失敗する。
□ 40 高速道路の渋滞に**焦**れる。

□ 41 話が**逸**れて要点がつかめない。
□ 42 なめこはその**滑**りが特徴だ。
□ 43 法律に**委**しい専門家を呼ぶ。
□ 44 半端物を**散**売りする。
□ 45 **偶**買った宝くじが当たった。
□ 46 初心を**完**うするのは容易でない。
□ 47 **英**の先に蝶がとまる。
□ 48 署員を派遣して**轄**まりを強化する。
□ 49 バレリーナが**雅**に舞った。
□ 50 **幼**い笑顔に心が和む。
□ 51 不可解な行動に首を**傾**げる。
□ 52 ゆったり**寛**げる特等室だ。
□ 53 新人選手の練習ぶりは実に**拙**い。
□ 54 全員が**挙**って反対する。
□ 55 自宅の間取りを**詳**らかに製図する。
□ 56 武力を**攻**いて戦闘に備える。

25 いたずら	41 そ
26 ほて	42 ぬめ
27 さか	43 くわ
28 なず	44 ばら
29 のっと	45 たまたま
30 まも	46 まっと
31 おごそ	47 はなぶさ(はな)
32 まみ	48 とりし
33 あさ	49 みやび
34 やや	50 いとけな
35 そ	51 かし(かた)
36 ざ	52 くつろ
37 なら	53 まず
38 おお	54 こぞ
39 ことごと	55 つまび
40 じ	56 みが

表外読み――②

※次の――線の表外読みをひらがなで記せ。

□ 1 薦被りが祝いを盛り上げる。
□ 2 就職は伝があるから安心だ。
□ 3 古式に則った結婚式を挙げる。
□ 4 新校舎が略完成した。
□ 5 その話は措いておこう。
□ 6 動もすると気が滅入る。
□ 7 雪道に足跡を署す。
□ 8 暮れ泥む夕日を写生する。
□ 9 日焼けで熱った顔を冷やす。
□ 10 徒し世を憂える。
□ 11 兄弟ともに受賞し感激も一入だ。
□ 12 頭痛が続き剰え腹も痛くなった。
□ 13 宿舎の斜向かいが食堂です。
□ 14 人生は悲喜交だ。
□ 15 衣かつぎをほおばる。
□ 16 不遜な族に惑わされる。
□ 17 和いだ海に小舟を漕ぎ出す。
□ 18 炎天下で汗塗れになった。
□ 19 友人を演奏会へ誘った。
□ 20 衝撃的なニュースが普く知れ渡る。
□ 21 子どものくせに小賢しい。
□ 22 室内を帳で仕切る。
□ 23 子どもを擁るのは親の務めだ。
□ 24 彼の活躍を私かに期待していた。

目標正答率
90%
／56

標準解答

1 こもかぶ
2 つて
3 のっと
4 ほぼ
5 お
6 やや
7 しる
8 なず
9 ほて
10 あだ
11 ひとしお
12 あまつさ
13 はす
14 こもごも
15 きぬ
16 やから
17 な
18 まみ
19 いざな
20 あまね
21 ざか(さか)
22 とばり
23 まも
24 ひそ

25 あまりの忙しさに不満を**零**す。
26 進行状況を**実**に報告する。
27 **負**まれて隣家の子どもを預かった。
28 酒好きには**堪**えられない珍味だ。
29 神主として結婚式を**掌**る。
30 社長の子息に娘を**妻**わせる。
31 媚び**便**うのがうまいやつだ。
32 故郷の母に手紙を**認**める。
33 同窓の**好**でサービスする。
34 **抑**の発端は今話したとおりです。
35 着物の裏地は鮮やかな**丹**色だ。
36 連なった藤の**英**が美しい。
37 襟から**項**が覗いている。
38 芸者が**雅**やかな踊りを披露した。
39 過去の歴史を**鑑**みて判断を下す。
40 任務を**完**うし退官した。

41 **能**う限り迅速に対応します。
42 死後は神として**斎**き奉る。
43 実情を知り興味を**削**がれた。
44 三人目の子どもを**妊**る。
45 **斑**入りの観葉植物に水を遣る。
46 高熱を発し**虚**ろな目で伏せている。
47 **審**らかな自供を求める。
48 失敗は**固**より覚悟の上だ。
49 師匠の教えを生き方の**憲**とする。
50 **脂**下がったところが気に食わない。
51 徹夜に**亜**ぐ徹夜で疲労が溜る。
52 後輩の無礼に**腸**が煮えくりかえる。
53 ひと**枚**の紙切れに書き留める。
54 制度を実情に即して**更**める。
55 差し**支**えなければ聞かせてください。
56 命を**疎**かにしてはならない。

25 こぼ
26 まめ
27 たの
28 こた
29 つかさど
30 めあ
31 へつら
32 したた
33 よしみ
34 そもそも
35 に(あか)
36 はなぶさ(はな)
37 うなじ
38 みやび
39 かんが
40 まっと

41 あた
42 いつ
43 そ
44 みごも
45 ふ
46 うつ
47 つまび
48 もと
49 のり
50 やに
51 つ
52 はらわた
53 ひら
54 あらた
55 つか
56 おろそ

合否の分かれ目！
頻出度
B

熟語と一字訓—①

目標正答率100%
／54

※次の熟語の読みとその語義にふさわしい訓読みをひらがなで記せ。

1 険岨
2 岨つ
3 擾化
4 擾らす
5 起臥
6 臥す
7 貰赦
8 貰す
9 董督
10 董す
11 輯睦
12 輯らぐ
13 秀穎
14 穎れる
15 遡及
16 遡る
17 栗然
18 栗く
19 蕩揺
20 蕩く
21 按問
22 按べる
23 蟬聯
24 聯なる

標準解答

1 けんそ
2 そばだ
3 じょうか
4 な
5 きが
6 ふ
7 せいしゃ
8 ゆる
9 とうとく
10 ただ
11 しゅうぼく
12 やわ
13 しゅうえい
14 すぐ
15 そきゅう
16 さかのぼ
17 りつぜん
18 おのの
19 とうよう
20 うご
21 あんもん
22 しら
23 せんれん
24 つら

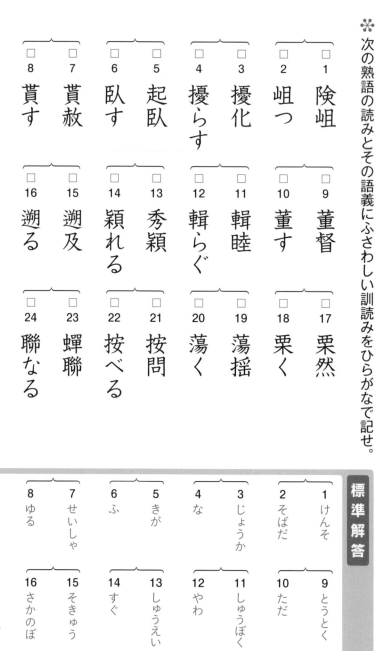

25 □ 激昂
26 □ 昂る
27 □ 羨望
28 □ 羨む
29 □ 押捺
30 □ 捺す
31 □ 淵玄
32 □ 淵い
33 □ 粛穆
34 □ 穆らぐ

35 □ 侮蔑
36 □ 蔑ろ
37 □ 狭窄
38 □ 窄まる
39 □ 纏絡
40 □ 纏わる
41 □ 墨煤
42 □ 煤ける
43 □ 遺馨
44 □ 馨り

45 □ 咳気
46 □ 咳く
47 □ 狙候
48 □ 狙う
49 □ 弥漫
50 □ 弥く
51 □ 掠奪
52 □ 掠める
53 □ 掬飲
54 □ 掬う

25 げきこう（げっこう）
26 たかぶ
27 せんぼう
28 うらや
29 おうなつ
30 お
31 えんげん
32 おくぶか（ふか）
33 しゅくぼく
34 やわ

35 ぶべつ
36 ないがし
37 きょうさく
38 せば
39 てんらく
40 まつ
41 ぼくばい
42 すす
43 いけい
44 かお

45 がいき（がいけ）
46 せ（しわぶ）
47 そこう
48 ねら
49 びまん
50 あまね
51 りゃくだつ
52 かす
53 きくいん
54 すく

合否の分かれ目！
頻出度
B

熟語と一字訓―②

目標正答率100%
／54

※次の熟語の読みとその語義にふさわしい訓読みをひらがなで記せ。

1 繋泊
2 繋ぐ
3 編纂
4 纂める
5 仰臥
6 臥す
7 点綴
8 綴る
9 註釈
10 註す
11 盈虚
12 盈ちる
13 畢生
14 畢わる
15 遡行
16 遡る
17 諮諏
18 諏る
19 按罪
20 按べる
21 左輔
22 輔ける
23 丞相
24 丞ける

標準解答

1 けいはく
2 つな
3 へんさん
4 あつ
5 ぎょうが
6 ふ
7 てんてい（てんてつ）
8 つづ
9 ちゅうしゃく
10 ときあか
11 えいきょ
12 み
13 ひっせい
14 お
15 そこう
16 さかのぼ
17 ししゅ
18 はか
19 あんざい
20 しら
21 さほ
22 たす
23 じょうしょう（しょうじょう）
24 たす

25 捧腹
26 捧える
27 八卦
28 卦う
29 氾濫
30 氾れる
31 趨走
32 趨い
33 夙起
34 夙い

35 宥恕
36 恕す
37 嘗薬
38 嘗める
39 叢生
40 叢がる
41 湛水
42 湛える
43 顛落
44 顛れる

45 瀆職
46 瀆す
47 遁辞
48 遁れる
49 牟食
50 牟る
51 背戾
52 戾る
53 鬱勃
54 勃こる

25 ほうふく
26 かか
27 はっけ（はっか）
28 うらな
29 はんらん
30 あふ
31 すうそう
32 はや
33 しゅくき（しゅっき）
34 はや

35 ゆうじょ
36 ゆる
37 しょうやく
38 な
39 そうせい
40 むら
41 たんすい
42 たた
43 てんらく
44 たお

45 とくしょく
46 けが
47 とんじ
48 のが
49 ぼうしょく
50 むさぼ
51 はいれい
52 もと
53 うつぼつ
54 お

合否の分かれ目！

頻出度

B

四字熟語——①

目標正答率
書き取り95%
読みと意味75%

／24

※次の問1と問2の四字熟語について答えよ。

問1　次の□に入る適切な語を［　］から選んで漢字に直し四字熟語を完成させよ。

□ 1　気息□□

□ 2　□□猛進

□ 3　□□大呂

□ 4　□□魁偉

□ 5　□□堅固

□ 6　□□嘗胆

□ 7　膏火□□

□ 8　剃髪□□

□ 9　周章□□

□ 10　□□叫喚

□ 11　□□雀躍

□ 12　□□踊躍

あび　えんえん
がしん　きゅうてい
きんき　けんろう
じせん　ちょとつ
やきん　ようぼう
らくしょく　ろうばい

標準解答

1　気息奄奄《きそくえんえん》（淹淹）
2　猪突猛進《ちょとつもうしん》
3　九鼎大呂《きゅうていたいりょ》
4　容貌魁偉《ようぼうかいい》
5　堅牢堅固《けんろうけんご》
6　臥薪嘗胆《がしんしょうたん》
7　膏火自煎《こうかじせん》
8　剃髪落飾《ていはつらくしょく》
9　周章狼狽《しゅうしょうろうばい》
10　阿鼻叫喚《あびきょうかん》
11　欣喜雀躍《きんきじゃくやく》
12　冶金踊躍《やきんようやく》

問2 次の解説・意味にあてはまる四字熟語を□から選び、その傍線部分だけの読みをひらがなで記せ。

□ 13 世界の果ての小さな国
□ 14 これ以上ないまごころ
□ 15 立ち居振る舞い
□ 16 失敗をうまくとりつくろうこと
□ 17 才能がかえって災いを招くたとえ
□ 18 すきまなくびっしり並ぶさま
□ 19 正規の段階をふまず官職に就く方法
□ 20 詩文の才能にすぐれていること
□ 21 美声のたとえ
□ 22 多くのものが群がり入り乱れているさま
□ 23 地位・身分の差がはなはだしいたとえ
□ 24 顔や体つきが立派なさま

雲竜井蛙	稲麻竹葦	膏火自煎	落筆点蠅	迦陵頻伽	粟散辺地
碧血丹心	終南捷径	容貌魁偉	錦心繡口	坐臥行歩	鱗次櫛比

標準解答

13 ぞくさん 粟散辺地
14 たんしん 碧血丹心
15 ざが 坐臥行歩
16 てんよう 落筆点蠅
17 じせん 膏火自煎
18 しっぴ 鱗次櫛比
19 しょうけい 終南捷径
20 きんしん 錦心繡口
21 かりょう 迦陵頻伽
22 ちくい 稲麻竹葦
23 せいあ 雲竜井蛙
24 かいい 容貌魁偉

合否の分かれ目！

頻出度

B

四字熟語—②

目標正答率
書き取り95%
読みと意味75%

／24

※次の問1と問2の四字熟語について答えよ。

問1　次の□に入る適切な語を□から選んで漢字に直し四字熟語を完成させよ。

□ 1 □□軒昂

□ 2 亡羊□□

□ 3 □□妖怪

□ 4 □□身命

□ 5 □□櫛比

□ 6 綾羅□□

□ 7 □□虎皮

□ 8 □□定規

□ 9 白兎□□

□ 10 坐臥□□

□ 11 □□生呑

□ 12 獅子□□

いき　かっぱく　きんしゅう　こうほ　こり　しゃくし　せきう　ふしゃく　ふんじん　ほろう　ようしつ　りんじ

標準解答

1 意気軒昂《いきけんこう》

2 亡羊補牢《ぼうようほろう》

3 狐狸妖怪《こりようかい》

4 不惜身命《ふしゃくしんみょう》

5 鱗次櫛比《りんじしっぴ》

6 綾羅錦繍《りょうらきんしゅう》

7 羊質虎皮《ようしつこひ》

8 杓子定規《しゃくしじょうぎ》

9 白兎赤烏《はくとせきう》

10 坐《ざ》(座)臥行歩《がこうほ》

11 活剥生呑《かっぱくせいどん》

12 獅子奮迅《ししふんじん》

問2 次の解説・意味にあてはまる四字熟語を□から選び、その傍線部分だけの読みをひらがなで記せ。

□ 13 友を思う切な心
□ 14 心にわだかまりがなくおおらかなさま
□ 15 大工と車を作る職人
□ 16 美しい山水の風景の形容
□ 17 求めたものと違うものが得られること
□ 18 土煙が高く舞い上がるさま
□ 19 三人で話し合うこと
□ 20 非常にむごたらしい状態のたとえ
□ 21 太平の世の中を形容する語
□ 22 小おどりして喜ぶさま
□ 23 目的達成のために長い間苦労を重ねる
□ 24 何の束縛もなくのんびり暮らすこと

嵐影湖光	阿鼻叫喚	閑雲野鶴	虚心坦懐	尭風舜雨	黄塵万丈
三者鼎談	屋梁落月	臥薪嘗胆	梓匠輪輿	欣喜雀躍	魚網鴻離

標準解答

13 おくりょう 屋梁落月
14 たんかい 虚心坦懐
15 しょう 梓匠輪輿
16 らんえい 嵐影湖光
17 こうり 魚網鴻離
18 こうじん 黄塵万丈
19 ていだん 三者鼎談
20 きょうかん 阿鼻叫喚
21 ぎょうふう 尭風舜雨
22 じゃくやく 欣喜雀躍
23 がしん 臥薪嘗胆
24 やかく 閑雲野鶴

合否の分かれ目！
頻出度 B

四字熟語――③

※次の問1と問2の四字熟語について答えよ。

問1 次の□に入る適切な語を［　］から選んで漢字に直し四字熟語を完成させよ。

□ 1 □□燕石
□ 2 荒唐□□
□ 3 街談□□
□ 4 規矩□□
□ 5 □□迎合
□ 6 □□一律
□ 7 虚心□□
□ 8 前途□□
□ 9 落筆□□
□ 10 □□狗盗
□ 11 □□舜雨
□ 12 □□馬腹

あふ　ぎょもく　こうせつ　せんぺん　ちょうべん　むけい
ぎょうふう　けいめい　じゅんじょう　たんかい　てんよう　りょうえん

目標正答率
書き取り95%
読みと意味75%
／24

標準解答

1 魚目燕石《ぎょもくえんせき》
2 荒唐《こうとう》無稽《むけい》
3 街談巷説《がいだんこうせつ》
4 規矩《きく》準縄《じゅんじょう》
5 阿附《あふ》(付)迎合《げいごう》
6 千篇一律《せんぺんいちりつ》
7 虚心坦懐《きょしんたんかい》
8 前途《ぜんと》遼遠《りょうえん》
9 落筆点蠅《らくひつてんよう》
10 鶏鳴《けいめい》狗《く(こう)》盗《とう》
11 尭風舜雨《ぎょうふうしゅんう》
12 長鞭《ちょうべん》馬腹《ばふく》

問2　次の解説・意味にあてはまる四字熟語を［　］から選び、その傍線部分だけの読みをひらがなで記せ。

□13　世間のつまらないうわさ話
□14　あとの祭りのたとえ
□15　今にも死にそうな様子
□16　身分の高い人
□17　貴重なもの。重い地位・名声のたとえ
□18　苦労して勉学にはげむこと
□19　勇気がふつふつとわいてくるさま
□20　自分の立場に満足していないこと
□21　相手を簡単に打ち負かすこと
□22　優れた人材
□23　つまらないことでも何かの役に立つ
□24　本物そっくりのにせもの

芝蘭玉樹	魚目燕石	鶏鳴狗盗	亡羊補牢	円木警枕	九鼎大呂
雄心勃勃	卿相雲客	鎧袖一触	冶金踊躍	街談巷説	気息奄奄

標準解答

13　こうせつ　街談巷説
14　ぼうよう　亡羊補牢
15　えんえん　気息奄奄
16　うんかく　卿相雲客
17　きゅうてい　九鼎大呂
18　けいちん　円木警枕
19　ぼつぼつ　雄心勃勃
20　やきん　冶金踊躍
21　がいしゅう　鎧袖一触
22　しらん　芝蘭玉樹
23　くとう（こうとう）　鶏鳴狗盗
24　えんせき　魚目燕石

合否の分かれ目！
頻出度 B

四字熟語――④

目標正答率
書き取り95%
読みと意味75%
／24

※次の問1と問2の四字熟語について答えよ。

問1 次の□に入る適切な語を[　]から選んで漢字に直し四字熟語を完成させよ。

□ 1 □□一盈
□ 2 □□一触
□ 3 竹頭□□
□ 4 □□伽藍
□ 5 不失□□
□ 6 旭日□□
□ 7 □□章草
□ 8 □□脱漏
□ 9 □□露宿
□ 10 □□惑衆
□ 11 一蓮□□
□ 12 卿相□□

いっきょ　うんかく
がいしゅう　しょうてん
ずさん　せいこく
たくしょう　どうとう
ふうさん　ぼくせつ
ようげん　ろぎょ

標準解答

1 一虚一盈《いっきょいちえい》
2 鎧袖一触《がいしゅういっしょく》
3 竹頭木屑《ちくとうぼくせつ》
4 堂塔《どうとう》伽藍《がらん》
5 不《ふ》失正鵠《しっせいこく》
6 旭日昇天《きょくじつしょうてん》
7 魯魚章草《ろぎょしょうそう》
8 杜《ず》撰《さん》脱漏《だつろう》
9 風餐《ふうさん》露宿《ろしゅく》
10 妖言惑衆《ようげんわくしゅう》
11 一蓮托《いちれんたく》(託)生《しょう》
12 卿相雲客《けいしょううんかく》

問2　次の解説・意味にあてはまる四字熟語を［　］から選び、その傍線部分だけの読みをひらがなで記せ。

□13　わだかまりがなく心が広いさま
□14　物事の基準・法則
□15　かしこいことと道理にくらいこと
□16　常に変化して測りがたいことのたとえ
□17　思いがけずあわてふためくこと
□18　自然の摂理に従い自ら楽しみを得ること
□19　猛々しく欲深い人のたとえ
□20　世の中の変化が激しいこと
□21　清貧に甘んじることのたとえ
□22　あやしい言葉で人をまどわすこと
□23　容姿が上品でみやびやかなさま
□24　著述などが粗末で誤りが多いこと

賢明愚昧	廓然大公	杜撰脱漏	桑田碧海	規矩準縄	鳶飛魚躍
箪食瓢飲	一虚一盈	体貌閑雅	鷹視狼歩	妖言惑衆	周章狼狽

標準解答

13　かくぜん　廓然大公
14　じゅんじょう　規矩準縄
15　ぐまい　賢明愚昧
16　いちえい　一虚一盈
17　ろうばい　周章狼狽
18　えんぴ　鳶飛魚躍
19　ようし　鷹視狼歩
20　へきかい　桑田碧海
21　たんし　箪食瓢飲
22　ようげん　妖言惑衆
23　たいぼう　体貌閑雅
24　ずさん　杜撰脱漏

合否の分かれ目！

頻出度

B

書き取り―①

目標正答率 90%

／56

※次の――線のカタカナを漢字に直せ。

□1 教会で聖人のギョウガ像を見た。
□2 尊い行為にマンコウの敬意を表した。
□3 むずがる子供をナダめた。
□4 ダイタイ部の肉離れを起こした。
□5 鷹は鋭い爪を持つモウキン類だ。
□6 サンサンと降り注ぐ陽光を浴びる。
□7 風でロウソクの火が消えた。
□8 戦没者に対しモクトウする。
□9 リュウチョウな日本語で会話する。
□10 アッケにとられて立ちすくむ。
□11 アタカも真昼のように明るかった。
□12 ソウカイな気分で散歩に出かける。
□13 聴衆の心をワシヅカみにする。
□14 秘書としてビンショウに動く。
□15 妹の図々しさにアゼンとする。
□16 ウエンな言い回しで真意が不明だ。
□17 娘のガンゼない笑顔に心が安まる。
□18 アンキョ排水を施した区画だ。
□19 村はずれの大杉にマツわる伝説だ。
□20 コソクな手段で悪評を買う。
□21 ゼイジャクな体質を憂える。
□22 北海道はバレイショの産地だ。
□23 テイリツする三国を描いた小説だ。
□24 星々が夜空にサンゼンと輝く。

標準解答

1 仰臥
2 満腔
3 宥
4 大腿
5 猛禽
6 燦燦（粲粲）
7 蠟燭
8 黙禱
9 流暢
10 呆気
11 恰（宛）
12 爽快
13 鷲摑
14 敏捷
15 唖然
16 迂遠
17 頑是
18 暗渠
19 纏
20 姑息
21 脆弱
22 馬鈴薯
23 鼎立
24 燦然

□ 25 太陰暦は月の**エイキョ**を基にする。
□ 26 筋肉を**シカン**させる動作を習う。
□ 27 **イビツ**な形状の土地だ。
□ 28 **ヘラ**でお好み焼きを切り分けた。
□ 29 子どもが母親に**マト**いつく。
□ 30 **アマドイ**に落ち葉が詰まった。
□ 31 **サワ**やかな春の日射しを浴びる。
□ 32 蔵は**ホウジュン**な酒の香に満ちていた。
□ 33 **バテイ**形をした立派な門構えだ。
□ 34 隠し事はどこからか**モ**れるものだ。
□ 35 西洋思想を民衆に**ケイモウ**する。
□ 36 **タイエイ**的な風潮を憂える。
□ 37 **カンゲキ**を縫って一矢報いた。
□ 38 古代都市の**コンセキ**を辿る。
□ 39 持病が**ヤクジ**療法で治癒した。
□ 40 滞在期間は半年**ナイシ**一年だ。

□ 41 意外な発言に**アゼン**とした。
□ 42 監督の**サイハイ**に不満を持つ。
□ 43 **モチロン**送料は無料です。
□ 44 **ワラビ**はシダ植物に属する。
□ 45 口内炎に効く**ナンコウ**を処方された。
□ 46 先輩を**シノ**ぐ成績を残す。
□ 47 **イチベツ**して無理だと思った。
□ 48 母から**サンゴ**の指輪を贈られる。
□ 49 完成までは前途**リョウエン**だ。
□ 50 教師**ミョウリ**に尽きるできごとだ。
□ 51 叔母は夫の**ホウトウ**癖に悩まされた。
□ 52 和室の**フスマ**を張り替える。
□ 53 **ジョウトウ**句ばかりの文章だ。
□ 54 時代の**スウセイ**には逆らえない。
□ 55 海辺の**ドウクツ**を探検する。
□ 56 **ガンサク**を見破った。

25 盈虚
26 弛緩
27 歪
28 篦
29 纏
30 雨樋
31 爽
32 芳醇
33 馬蹄
34 洩(漏・泄)
35 啓蒙
36 退嬰
37 間隙
38 痕跡(蹟・迹)
39 薬餌
40 乃至

41 唖然
42 采配
43 勿論
44 蕨
45 軟膏
46 凌(陵)
47 一瞥
48 珊瑚
49 遼遠
50 冥利
51 放蕩
52 襖
53 常套
54 趨勢
55 洞窟
56 贋作

合否の分かれ目！
頻出度
B

書き取り ②

※次の――線のカタカナを漢字に直せ。

□1 エイジは母に抱かれるや泣きやんだ。
□2 デンプンは体内で分解吸収される。
□3 民間のヤクジ療法が効いたようだ。
□4 ウエンな手段で時間を無駄に費やす。
□5 心を落ち着かせて独りシイする。
□6 ギキョウシンに富み人望が厚い。
□7 五日ナイシ六日で完成させよう。
□8 職員会議で激しくバクした。
□9 収穫したネギを市場へ出荷する。
□10 木製のクツベラで革靴を履く。
□11 ワラビも芽吹く春になった。
□12 事故の犠牲者にモクトウを捧げた。
□13 ホウジュンなワインの香を楽しむ。
□14 驚くナカれ千人以上が参加した。
□15 筋肉がシカンする。
□16 マンコウの敬意を表する。
□17 テラスに陽光がサンサンと降り注ぐ。
□18 モウキン類の生態を調べる。
□19 借金して急場をシノいだ。
□20 政治家二人とのテイダンに出席した。
□21 タユまぬ努力が実を結んだ。
□22 モチロン喜んでお伺いします。
□23 オウヨウに構えて進展を見守る。
□24 恩恵をコウムる。

目標正答率 90%

／56

標準解答

1 嬰児
2 澱粉
3 薬餌
4 迂遠
5 思惟
6 義侠心
7 乃至
8 駁
9 葱
10 靴箆
11 蕨
12 黙禱
13 芳醇
14 勿（莫）
15 弛緩
16 満腔
17 燦燦（粲粲）
18 猛禽
19 凌（陵）
20 鼎談
21 弛
22 勿論
23 鷹揚
24 蒙（被）

□25 防壁が破れ一帯が土砂でウズまった。
□26 史学よりムシろ文学に造詣が深い。
□27 庶民のコウケツを絞る悪税だ。
□28 潮の干満は月のエイキョの影響だ。
□29 友人の妻は実によくシャべる女性だ。
□30 当時まだガンゼない子どもだった。
□31 時アタカも八月十五日。
□32 署長自らサイハイを振るう。
□33 ゼイジャクな精神を鍛え直す。
□34 蒸したバレイショが好物だ。
□35 値段にカカわらず購入するつもりだ。
□36 ギョウガして休みをとる。
□37 都心の川はアンキョになっている。
□38 敵陣のカンゲキをついて進撃した。
□39 コソクな考えを改めさせる。
□40 人形にヒヂリメンの着物を着せる。

□41 三十分走るとサスガにきつい。
□42 カーテンのすきまから灯りがモれる。
□43 ゼッポウ鋭く相手に迫った。
□44 敵をコウランする戦法をとる。
□45 アッケないほど簡単に解けた。
□46 シャハンの情勢により中止した。
□47 山海の珍味がショクゼンにのぼる。
□48 彼は物わかりのいいサバけた人だ。
□49 サンゴショウの海で泳ぐ。
□50 役者ミョウリに尽きる言葉だ。
□51 友人をグロウされて憤慨する。
□52 いきなり主将にバッテキされた。
□53 学内の事情をチシツしている人だ。
□54 五穀ホウジョウを祈る儀式だ。
□55 颯爽と鞍にマタがって出陣した。
□56 ノコギリの目立てをする。

25	塡(埋)
26	寧
27	膏血
28	盈虚
29	喋(喃)
30	頑是
31	恰(宛)
32	采配
33	脆弱
34	馬鈴薯
35	拘
36	仰臥
37	暗渠
38	間隙
39	姑息
40	緋縮緬
41	流石(逭)
42	洩(漏・泄)
43	舌鋒
44	攪乱
45	呆気
46	這般
47	食膳
48	捌
49	珊瑚礁
50	冥利
51	愚弄
52	抜擢
53	知悉
54	豊穣
55	跨(胯)
56	鋸

合否の分かれ目!

頻出度 **B**

書き取り―③

※次の――線のカタカナを漢字に直せ。

□ 1 戦火で財産が**ウユウ**に帰した。
□ 2 祭事は晴雨に**カカ**わらず行う。
□ 3 党内には三派が**テイリツ**している。
□ 4 合格を目指し**アタ**うかぎり勉強する。
□ 5 土砂で井戸が**ウズ**まった。
□ 6 **ロウ**せずして泡銭《あぶく》を手に入れる。
□ 7 豪華な**ヒヂリメン**の衣装をまとう。
□ 8 **テイカン**に事業内容を定める。
□ 9 **ヒシガタ**の地積を測量する。
□ 10 親友とお**シャベ**りを楽しんだ。
□ 11 母は常に**オウヨウ**に構えている。
□ 12 雪の重みで鉄塔が**カシ**いだ。
□ 13 誰もが**シュコウ**できる話ではない。
□ 14 目玉商品が**タチマ**ち売り切れた。
□ 15 チューブ入りの**ナンコウ**を買う。
□ 16 **カキョウ**が実業界で活躍する。
□ 17 旧版は新刊より**ムシ**ろ安い。
□ 18 優勝を**ネラ**って陸上の練習に励む。
□ 19 **カンゼン**するところがない妙案だ。
□ 20 修行僧が村内を**タクハツ**して回る。
□ 21 引退してからは**ヤクジ**に親しむ日々だ。
□ 22 **キョウジン**な精神力で乗り切る。
□ 23 惜しみない**カッサイ**が送られる。
□ 24 **ギゾク**として民衆から称えられた。

標準解答

1 烏有
2 拘
3 鼎立
4 能
5 塡(埋)
6 労
7 緋縮緬
8 定款
9 菱形
10 喋(喃)
11 鷹揚
12 傾
13 首肯
14 忽
15 軟膏
16 華僑
17 寧
18 狙
19 間然
20 托鉢
21 薬餌
22 強靱
23 喝采
24 義賊

目標正答率 90%

／56

□ 25 売上金を**カイタイ**して姿を晦ます。
□ 26 彼の技術は**サスガ**に日本一だ。
□ 27 状況は怪しい**ソウボウ**を呈する。
□ 28 **クジャク**が極彩色の羽を広げる。
□ 29 宿敵を倒し**コウコ**の憂いを断つ。
□ 30 難事を**ショウヨウ**と受け止める。
□ 31 父親譲りの**ボクネンジン**だ。
□ 32 幼児教育の**スソノ**が広がる。
□ 33 苦節十年**ヨウヤ**く一人前になった。
□ 34 **コサイ**となく事実を記録する。
□ 35 納得できない主張に激しく**バク**した。
□ 36 **タンペイキュウ**に事を運ぶ。
□ 37 **フジヅル**は外壁の装飾に使われる。
□ 38 会社の内情を**チシツ**している。
□ 39 部下の怠慢が上司の**ゲキリン**に触れる。
□ 40 箪笥に**ショウノウ**を入れる。
□ 41 人を**グロウ**するのも大概にしろ。
□ 42 **ゼッポウ**鋭く論戦を展開する。
□ 43 新入生を主役に**バッテキ**した。
□ 44 船長から**ソウダ**を任される。
□ 45 青年期の**ホウトウ**癖がたたる。
□ 46 **シャハン**の事情で製品を回収した。
□ 47 会談が歴史の**ブンスイレイ**となる。
□ 48 **リョウエン**なる前途に嘆息する。
□ 49 **イチベツ**をくれてそっぽを向いた。
□ 50 持ち前の**ビンショウ**さは健在だ。
□ 51 庭に水を**マ**いた。
□ 52 江戸時代の**コッケイ**本を研究する。
□ 53 明日ご**アイサツ**に伺います。
□ 54 手足が**ナ**えたように力が入らない。
□ 55 客間に鳥の**ハクセイ**を飾る。
□ 56 人も**ウラヤ**むほどの恋仲だ。

25 拐帯
26 流石（遉）
27 相貌
28 孔雀
29 後顧
30 従容
31 朴念仁
32 裾野
33 漸（稍）
34 巨細
35 駁
36 短兵急
37 藤蔓
38 知悉
39 逆鱗
40 樟脳
41 愚弄
42 舌鋒
43 抜擢
44 操舵
45 放蕩
46 這般
47 分水嶺
48 遼遠
49 一瞥
50 敏捷
51 撒
52 滑稽
53 挨拶
54 萎
55 剝製
56 羨

合否の分かれ目！
頻出度
B

故事・諺 ─①

※ 次の故事・諺のカタカナの部分を漢字で記せ。

□ 1 煩悩も亦、是ボダイなり。
□ 2 前車のフクテツを踏む。
□ 3 コウセンの路上老少無し。
□ 4 ホれて通えば千里も一里。
□ 5 コウフン花を生ず。
□ 6 コウヤの白袴。
□ 7 コチョウの夢の百年目。
□ 8 カニは甲羅に似せて穴を掘る。
□ 9 コリの精、尾を露す。
□ 10 サイシンの憂いあり。
□ 11 ロウソクは身を減らして人を照らす。
□ 12 新聞は社会のボクタク。
□ 13 麻の中のヨモギ。
□ 14 シャベる者は半人足。
□ 15 ジュウバを殺して狐狸を求む。
□ 16 シュンメ痴漢を乗せて走る。
□ 17 ズキンと見せて頰かぶり。
□ 18 セイアは以て海を語るべからず。
□ 19 身から出たサビ。
□ 20 タイカンは忠に似たり。
□ 21 タカジョウの子は鳩を馴らす。
□ 22 チョウモンの一針。
□ 23 ヒジを曲げてこれを枕とす。
□ 24 チョッカンは一番槍より難し。

目標正答率 70%
／56

標準解答

1 菩提
2 覆轍
3 黄泉
4 惚（恍）
5 口吻
6 紺屋
7 胡蝶
8 蟹
9 狐狸
10 采薪
11 蠟燭
12 木鐸
13 蓬
14 喋
15 戎馬
16 駿馬
17 頭巾
18 井蛙
19 錆（銹）
20 大姦
21 鷹匠
22 頂門
23 肘（肱）
24 直諫

□ 25 ホウオウ群鶏と食を争わず。
□ 26 テンキ洩漏すべからず。
□ 27 ノウジ畢われり。
□ 28 煎餅にカナヅチ。
□ 29 ハキョウ再び照らさず。
□ 30 ヒイラギの葉を門口にさせば鬼が来ぬ。
□ 31 ヒノキ舞台を踏む。
□ 32 ヒバリ高く上がれば晴れ。
□ 33 ビワを家の周りに植えるな。
□ 34 ブンボウ牛羊を走らす。
□ 35 ボタンに唐獅子、竹に虎。
□ 36 マリと手と歌は公家の業。
□ 37 ミノカサを着て人の家に入らぬもの。
□ 38 モッケの幸い。
□ 39 ウの目鷹の目。
□ 40 船に懲りてコシを忌む。

□ 41 ヤミヨに烏、雪に鷺。
□ 42 サバを読む。
□ 43 ユウメイ境を異にする。
□ 44 ランデン玉を生ず。
□ 45 リュウインを下げる。
□ 46 ヒップも志を奪うべからず。
□ 47 リョウ上の君子。
□ 48 愛オクウに及ぶ。
□ 49 遠慮なければキンユウあり。
□ 50 家貧しくしてコウシ顕れ、世乱れて忠臣を識る。
□ 51 河童のカンゲイコ。
□ 52 下手なカジ屋も一度は名剣。
□ 53 ワイロには誓紙を忘る。
□ 54 火中のクリを拾う。
□ 55 画ベイ、飢えを充たさず。
□ 56 ヌカに釘。

25 鳳凰
26 天機
27 能事
28 金槌（鎚）
29 破鏡
30 柊
31 檜
32 雲雀
33 枇杷
34 蚊虻
35 牡丹
36 鞠
37 蓑笠
38 勿怪
39 鵜
40 輿（輦）

41 闇夜
42 鯖
43 幽明
44 藍田
45 溜飲
46 匹夫
47 梁
48 屋烏
49 近憂
50 孝子
51 寒稽古
52 鍛冶
53 賄賂
54 栗
55 餅
56 糠（粳）

合否の分かれ目！

頻出度 B

故事・諺―②

目標正答率 70%

／56

※次の故事・諺のカタカナの部分を漢字で記せ。

□1 海中より盃中に**デキシ**する者多し。

□2 **シノ**を乱す雨。

□3 **ニジュ**に冒される。

□4 外面似**ボサツ**、内心如夜叉。

□5 洛陽の**シカ**を高める。

□6 渇しても**トウセン**の水を飲まず。

□7 世渡りの殺生は**シャカ**も許す。

□8 **キュウソ**猫を噛む。

□9 **ウソ**も方便。

□10 歓楽極まりて**アイジョウ**多し。

□11 眼光**シハイ**に徹す。

□12 魚の**フチュウ**に遊ぶが如し。

□13 犬骨折って鷹の**エジキ**。

□14 禍福は**アザナ**える縄の如し。

□15 巧詐は**セッセイ**に如かず。

□16 糠に**クギ**。

□17 紅旗征**ジュウ**、吾が事に非ず。

□18 傘と**チョウチン**は戻らぬつもりで貸せ。

□19 **ヨシ**の髄から天井覗く。

□20 自慢の**クソ**は犬も食わぬ。

□21 七皿食うて**サメクサ**い。

□22 酒は天の**ビロク**。

□23 修身**セイカ**治国平天下。

□24 鐘も**シュモク**の当たりがら。

標準解答

1	溺死	13	餌食
2	篠	14	糾（糺）
3	二豎（竪）	15	拙誠
4	菩薩	16	釘
5	紙価	17	戎
6	盗泉	18	提灯
7	釈迦	19	葦（葭・蘆）
8	窮鼠	20	糞
9	嘘	21	鮫臭
10	哀情	22	美禄
11	紙背	23	斉家
12	釜中	24	撞木

頻出度
B

読み 216問
表外読み 112問
熟語と一字訓 108問
四字熟語 96問
書き取り 168問
故事・諺② 168問
対義語・類義語 96問
同音・同訓異字 56問
誤字訂正 28問
共通の漢字 24問

□ 25 ウリに爪あり爪に爪なし。
□ 26 身体ハップ之を父母に受く。
□ 27 人を犯す者はランボウの患いあり。
□ 28 危うきことルイランの如し。
□ 29 正直貧乏、横着エイヨウ。
□ 30 積善の家には必ずヨケイあり。
□ 31 ヌカに釘。
□ 32 創業は易くシュセイは難し。
□ 33 大道廃れてジンギ有り。
□ 34 断じて行えばキシンも之を避く。
□ 35 香炉峰の雪はスダレをかかげて看る。
□ 36 知者は未だキザさざるに見る。
□ 37 中流に舟を失えばイッピョウも千金。
□ 38 朝にコウガンありて夕べに白骨となる。
□ 39 朝菌はカイサクを知らず。
□ 40 爪の垢をセンじて飲む。
□ 41 泥中のハチス。
□ 42 天地は万物のゲキリョ、光陰は百代の過客。
□ 43 一斑を見てゼンピョウをトす。
□ 44 盗人タケダケしい。
□ 45 湯のジギは水になる。
□ 46 難波の葦は伊勢の浜オギ。
□ 47 蝿が飛べばアブも飛ぶ。
□ 48 飛鳥尽きてリョウキュウ蔵る。
□ 49 百尺カントウに一歩を進む。
□ 50 ガイダ珠を成す。
□ 51 ひょうたんからコマが出る。
□ 52 文章はケイコクの大業、不朽の盛事。
□ 53 及ばぬコイの滝登り。
□ 54 キョウゲンは徳の賊。
□ 55 ホンケ還りの三つ子。
□ 56 過ちて改めざる、是を過ちとイう。

25 瓜
26 髪膚
27 乱亡
28 累卵
29 栄耀
30 余慶
31 糠(粳)
32 守成
33 仁義
34 鬼神
35 簾
36 萌
37 一瓢
38 紅顔
39 晦朔
40 煎
41 蓮
42 逆旅
43 全豹
44 猛猛(々)
45 辞儀
46 荻
47 虻
48 良弓
49 竿頭
50 咳唾
51 駒
52 経国
53 鯉
54 郷原(愿)
55 本卦
56 謂

合否の分かれ目！
頻出度
B

故事・諺――③

※次の故事・諺のカタカナの部分を漢字で記せ。

□1 野にイケン無し。
□2 嚢中のキリ。
□3 負け相撲の痩せシコ。
□4 欲のクマタカ股裂くる。
□5 外面似菩薩、内心如ヤシャ。
□6 三たびイサめて聴かざれば則ち去る。
□7 エツボに入る。
□8 両テンビンを掛ける。
□9 礼儀はフソクに生じ、盗窃は貧窮に起こる。
□10 千里の馬は常に有れどもハクラクは常には有らず。
□11 ソロバンで錠が開く。
□12 金があれば馬鹿もダンナになる。
□13 昨日の錦、今日のツヅれ。
□14 ワラ人形も衣装柄。
□15 イソギワで船を破る。
□16 ニシキを衣て昼行く。
□17 セキヘキ宝に非ず、寸陰是競う。
□18 鴨がネギを背負って来る。
□19 鳩に三枝の礼あり、烏にハンポの孝あり。
□20 袴の襠《まち》にザコ溜まる。
□21 風が吹けばオケヤが儲かる。
□22 転がる石にはコケは生えぬ。
□23 天機セツロウすべからず。
□24 義理のシガラミ。

目標正答率
70%
／56

標準解答

1 遺賢
2 錐（鑽）
3 四股
4 熊鷹
5 夜叉
6 諫（諍）
7 笑壺
8 天秤
9 富足
10 伯楽
11 算盤
12 旦那
13 綴
14 藁
15 磯際
16 錦
17 尺璧
18 葱
19 反（返）哺
20 雑魚
21 桶屋
22 苔（蘚）
23 洩漏
24 柵

□ 25 **キザン**の志。

□ 26 **ハクトウ**新の如く、傾蓋故の如し。

□ 27 **シセイ**天に通ず。

□ 28 愚者も**センリョ**に一得有り。

□ 29 腹心の**ヤマイ**。

□ 30 明珠を**ヤミ**に投ず。

□ 31 恩を**アダ**で返す。

□ 32 **ギュウテイ**の魚。

□ 33 棚から**ボタモチ**。

□ 34 飛鳥川の**フチセ**。

□ 35 慌てる乞食は**モラ**いが少ない。

□ 36 亭主の好きな赤**エボシ**。

□ 37 やはり野に置け**レンゲ**草。

□ 38 三軍も**スイ**を奪うべきなり、匹夫も志を奪うべからざるなり。

□ 39 年寄りの**グチ**。

□ 40 **オクビョウ**者の義理知らず。

□ 41 足袋は姉を履け、**セッタ**は妹を履け。

□ 42 **カンゲン**耳に逆らう。

□ 43 石部金吉鉄**カブト**。

□ 44 君子は**ヒョウヘン**す。

□ 45 **ショウハク**の志。

□ 46 **カデン**に履を納れず。

□ 47 **イバラ**も花持つ。

□ 48 **リカ**一枝、春、雨を帯ぶ。

□ 49 **タク**は声を以て自らやぶる。

□ 50 **イッカン**の風月。

□ 51 **ハシ**にも棒にもかからぬ。

□ 52 目から**ウロコ**が落ちる。

□ 53 大魚は小池に**ス**まず。

□ 54 **ノドモト**過ぎれば熱さを忘れる。

□ 55 同病相**アワ**れむ。

□ 56 文章は経国の大業にして不朽の**セイジ**なり。

25 箕山
26 白頭
27 至誠
28 千慮
29 疾
30 闇
31 仇
32 牛蹄
33 牡丹餅
34 淵瀬
35 貰
36 烏帽子
37 蓮華
38 帥
39 愚痴
40 臆病

41 雪駄
42 諫言
43 兜(甲・冑)
44 豹変
45 松柏
46 瓜田
47 茨(荊)
48 梨花
49 鐸
50 一竿
51 箸
52 鱗
53 棲
54 喉(咽)元
55 憐
56 盛事

合否の分かれ目！
頻出度
B

対義語・類義語——①

目標正答率 85%

／48

※ □ の中の語を必ず一度使って漢字に直し、対義語・類義語を記せ。

対義語

□ 1 安泰
□ 2 捷径
□ 3 該博
□ 4 遵奉
□ 5 瞬間
□ 6 絶賛
□ 7 伶利
□ 8 放縦
□ 9 泰然
□ 10 獲得

うろ　えいごう　きたい　じせい　そうしつ　はいち　ばとう　もうまい　ろうばい　ろどん

類義語

□ 11 卓越
□ 12 極意
□ 13 糊塗
□ 14 争覇
□ 15 破天荒
□ 16 魔手
□ 17 沈滞
□ 18 利発
□ 19 突然
□ 20 戯言

がぜん　けっしゅつ　そうが　そうめい　ちくろく　ちょうらく　ひけつ　びほう　みぞう　もうご

標準解答

1 安泰《あんたい》↔危殆《きたい》
2 捷径《しょうけい》↔迂路《うろ》
3 該博《がいはく》↔蒙昧《もうまい》（※1）
4 遵奉《じゅんぽう》↔背馳《はいち》
5 瞬間《しゅんかん》↔永劫《えいごう》
6 絶賛《ぜっさん》↔罵倒《ばとう》
7 伶利《れいり》↔魯鈍《ろどん》
8 放縦《ほうじゅう》↔自制《じせい》
9 泰然《たいぜん》↔狼狽《ろうばい》
10 獲得《かくとく》↔喪失《そうしつ》

11 卓越《たくえつ》＝傑出《けっしゅつ》
12 極意《ごくい》＝秘訣《ひけつ》
13 糊塗《こと》＝弥縫《びほう》
14 争覇《そうは》＝逐鹿《ちくろく》
15 破天荒《はてんこう》＝未曽有《みぞう》
16 魔手《ましゅ》＝爪牙《そうが》
17 沈滞《ちんたい》＝凋落《ちょうらく》
18 利発《りはつ》＝聡明《そうめい》
19 突然《とつぜん》＝俄然《がぜん》
20 戯言《たわごと》＝妄語《もうご》

※1：別解「矇昧」「曚昧」「濛昧」

対義語

□21 旧套
□22 清楚
□23 潤沢
□24 混同
□25 謙抑
□26 黙黙
□27 出立
□28 灌木
□29 配下
□30 秩序
□31 枯渇
□32 覚醒
□33 文治
□34 直進

うかい
きょうぼく
こんすい
こんとん
ざんしん
じゅういつ
しゅかい
しゅんべつ
ちょうちょう
とうりゅう
のうえん
ひっぱく
ふそん
ぶだん

類義語

□35 閑居
□36 出奔
□37 元凶
□38 監視
□39 封鎖
□40 旺盛
□41 蔓延
□42 壊滅
□43 虚実
□44 難解
□45 復活
□46 容赦
□47 懐柔
□48 台頭

かいじゅう
がかい
けんこう
しゅかい
しょうかい
しんがん
そせい
ちくでん
へいそく
ぼっこう
ゆうじょ
ゆうせい
るふ
ろうらく

21 旧套《きゅうとう》↔斬新《ざんしん》
22 清楚《せいそ》↔濃艶《のうえん》
23 潤沢《じゅんたく》↔逼迫《ひっぱく》
24 混同《こんどう》↔峻別《しゅんべつ》
25 謙抑《けんよく》↔不遜《ふそん》
26 黙黙《もくもく》↔喋喋《ちょうちょう》(諜諜)
27 出立《しゅったつ》↔逗留《とうりゅう》
28 灌木《かんぼく》↔喬木《きょうぼく》
29 配下《はいか》↔首魁《しゅかい》
30 秩序《ちつじょ》↔混沌《こんとん》(渾沌)
31 枯渇《こかつ》↔充溢《じゅういつ》
32 覚醒《かくせい》↔昏睡《こんすい》
33 文治《ぶんち》(ぶんじ)↔武断《ぶだん》
34 直進《ちょくしん》↔迂回《うかい》(※2)

35 閑居《かんきょ》＝幽棲《ゆうせい》(幽栖)
36 出奔《しゅっぽん》＝逐電《ちくでん》
37 元凶《げんきょう》＝首魁《しゅかい》
38 監視《かんし》＝哨戒《しょうかい》
39 封鎖《ふうさ》＝閉塞《へいそく》
40 旺盛《おうせい》＝軒昂《けんこう》(軒高)
41 蔓延《まんえん》＝流布《るふ》
42 壊滅《かいめつ》＝瓦解《がかい》
43 虚実《きょじつ》＝真贋《しんがん》
44 難解《なんかい》＝晦渋《かいじゅう》
45 復活《ふっかつ》＝蘇生《そせい》(甦生)
46 容赦《ようしゃ》＝宥恕《ゆうじょ》(優恕)
47 懐柔《かいじゅう》＝籠絡《ろうらく》
48 台頭《たいとう》＝勃興《ぼっこう》

※2：別解「迂廻」「迂迴」「紆回」「紆廻」「紆迴」

合否の分かれ目！
頻出度 B

対義語・類義語——②

※ [ ] の中の語を必ず一度使って漢字に直し、対義語・類義語を記せ。

対義語

□ 1 破綻
□ 2 狭量
□ 3 硬直
□ 4 斬新
□ 5 寛大
□ 6 出立
□ 7 還俗
□ 8 匡正
□ 9 該博
□ 10 称賛

あくば
おうよう
しかん
しゅんれつ
じょうとう
ていはつ
とうりゅう
びほう
もうまい
わいきょく

類義語

□ 11 杜撰
□ 12 意趣
□ 13 寄留
□ 14 契合
□ 15 隠蔽
□ 16 旺盛
□ 17 可憐
□ 18 全快
□ 19 果報
□ 20 壊滅

えんこん
がかい
かぐう
けんこう
ざっぱく
せいそ
ひとく
ふんごう
へいゆ
みょうり

目標正答率 85%
／48

標準解答

1 破綻《はたん》↔弥縫《びほう》
2 狭量《きょうりょう》↔鷹揚《おうよう》
3 硬直《こうちょく》↔弛緩《しかん》
4 斬新《ざんしん》↔常套《じょうとう》
5 寛大《かんだい》↔峻烈《しゅんれつ》
6 出立《しゅったつ》↔逗留《とうりゅう》
7 還俗《げんぞく》↔剃髪《ていはつ》
8 匡正《きょうせい》↔歪曲《わいきょく》
9 該博《がいはく》↔蒙昧《もうまい》(※1)
10 称賛《しょうさん》↔悪罵《あくば》

11 杜撰《ずさん》＝雑駁《ざっぱく》(雑駮)
12 意趣《いしゅ》＝怨恨《えんこん》
13 寄留《きりゅう》＝仮寓《かぐう》
14 契合《けいごう》＝吻合《ふんごう》
15 隠蔽《いんぺい》＝秘匿《ひとく》
16 旺盛《おうせい》＝軒昂《けんこう》(軒高)
17 可憐《かれん》＝清楚《せいそ》
18 全快《ぜんかい》＝平癒《へいゆ》(平愈)
19 果報《かほう》＝冥利《みょうり》
20 壊滅《かいめつ》＝瓦解《がかい》

※1：別解「矇昧」「曚昧」「濛昧」

対義語

□ 21 必然
□ 22 進捗
□ 23 正史
□ 24 直進
□ 25 抑止
□ 26 称賛
□ 27 抽出
□ 28 晦日
□ 29 至近
□ 30 他人
□ 31 冷静
□ 32 論難
□ 33 雄飛
□ 34 野鳥

うかい
がいぜん
かきん
ぎょうたい
げきこう
さくじつ
しっかい
しっせき
しふく
しんせき
せんどう
はいし
はんばく
りょうえん

類義語

□ 35 競争
□ 36 世話
□ 37 過賞
□ 38 傍観
□ 39 峻厳
□ 40 機敏
□ 41 容赦
□ 42 収奪
□ 43 横行
□ 44 軽侮
□ 45 学識
□ 46 続出
□ 47 敗残
□ 48 隠密

あっせん
いつび
かくちく
かれつ
かんじょ
かんちょう
さくしゅ
ざし
ぞうけい
ちょうりょう
びんしょう
ひんぱつ
べっし
れいらく

21 必然《ひつぜん》↕蓋然《がいぜん》
22 進捗《しんちょく》↕凝滞《ぎょうたい》
23 正史《せいし》↕稗史《はいし》
24 直進《ちょくしん》↕迂回《うかい》（※2）
25 抑止《よくし》↕煽動《せんどう》（扇動）
26 称賛《しょうさん》↕叱責《しっせき》
27 抽出《ちゅうしゅつ》↕悉皆《しっかい》
28 晦日《みそか》↕朔日《さくじつ》
29 至近《しきん》↕遼遠《りょうえん》
30 他人《たにん》↕親戚《しんせき》
31 冷静《れいせい》↕激昂《げきこう》（激高）
32 論難《ろんなん》↕反駁《はんばく》（反駮）
33 雄飛《ゆうひ》↕雌伏《しふく》
34 野鳥《やちょう》↕家禽《かきん》

35 競争《きょうそう》＝角逐《かくちく》
36 世話《せわ》＝斡旋《あっせん》
37 過賞《かしょう》＝溢美《いつび》
38 傍観《ぼうかん》＝坐視《ざし》（座視）
39 峻厳《しゅんげん》＝苛烈《かれつ》
40 機敏《きびん》＝敏捷《びんしょう》
41 容赦《ようしゃ》＝寛恕《かんじょ》
42 収奪《しゅうだつ》＝搾取《さくしゅ》
43 横行《おうこう》＝跳梁《ちょうりょう》（跳踉）
44 軽侮《けいぶ》＝蔑視《べっし》
45 学識《がくしき》＝造詣《ぞうけい》
46 続出《ぞくしゅつ》＝頻発《ひんぱつ》
47 敗残《はいざん》＝零落《れいらく》
48 隠密《おんみつ》＝間諜《かんちょう》

※2：別解「迂廻」「迂迴」「紆回」「紆廻」「紆迴」

合否の分かれ目!
頻出度
B

同音・同訓異字

※次の――線のカタカナを漢字に直せ。

□1 生来**タンパク**な性格だ。
□2 豆類は植物性の**タンパク**源だ。

□3 神の**サバ**きを受ける。
□4 騎手の手綱**サバ**きが巧みだ。

□5 政治情勢の**スウコウ**が変化する。
□6 **スウコウ**な法王の前に歩み出る。

□7 浅瀬は船が**ザショウ**しやすい。
□8 転んで足首を**ザショウ**した。

□9 **コウトウ**無稽な映画が人気だ。
□10 **コウトウ**の炎症で熱が出る。

□11 寺院は古色**ソウゼン**としていた。
□12 凶変に公衆は**ソウゼン**となった。

□13 幼児には親の**ヒゴ**が欠かせない。
□14 流言**ヒゴ**に惑わされるな。

□15 蟻の這い出る**スキ**もない。
□16 **スキ**を凝らした屋敷を建てる。

□17 吉日に**カショク**の典をあげる。
□18 **カショク**ぎみで体重が増えた。

□19 **ヨウキ**が春めいてきた。
□20 魔女は**ヨウキ**を漂わせていた。

□21 二人の関係は**コウゼン**の秘密だ。
□22 山の頂で**コウゼン**の気を養う。

□23 恐怖に顔面**ソウハク**となる。
□24 魚の切り身を**ソウハク**に漬ける。

標準解答

1 淡白(淡泊・澹泊)
2 蛋白
3 裁
4 捌
5 趨向
6 嵩(崇)高
7 座(坐)礁
8 挫傷
9 荒唐
10 喉頭
11 蒼然
12 騒(躁)然
13 庇護
14 飛(蜚)語
15 隙(郤)
16 数寄(奇)
17 華(花)燭
18 過食
19 陽気
20 妖気
21 公然
22 浩然
23 蒼白
24 糟粕(魄)

目標正答率 60%
／56

□25 貴族はヒゾクな人々を見下した。
□26 七人の侍がヒゾクを懲らしめた。
□27 留学にかかるツイえを用意する。
□28 留学の夢がツイえた。
□29 彼は時代のチョウジだ。
□30 葬儀でチョウジを頼まれる。
□31 注文品の不足をテンポする。
□32 住宅を改修してテンポにする。
□33 右目のドウコウが散大している。
□34 世界情勢のドウコウを占う。
□35 焚き火がエンエンと燃える。
□36 長距離を走って気息エンエンだ。
□37 紙クズは専用の箱に捨てなさい。
□38 空き地にクズが生い茂っている。
□39 町人にフンソウして逃亡する。
□40 二国間のフンソウの収拾を図る。

□41 白紙にケイを引いた。
□42 地図のケイ線は南北に引かれる。
□43 薬で筋肉をシカンさせる。
□44 藩にシカンすることになった。
□45 オンリョウが夢枕に立つ。
□46 叔父はオンリョウな性格だった。
□47 和食のセイサンは本膳料理だ。
□48 この計画にセイサンはあるのか。
□49 カップクのよい紳士だ。
□50 家老一族はカップクした。
□51 一流大学を卒業したサイエンだ。
□52 芝居のサイエンが決定する。
□53 異国の町で出会うとはキグウだ。
□54 半年ほど親戚宅にキグウした。
□55 上司の職務命令にイハイする。
□56 父親のイハイを仏壇に祭る。

25 卑(鄙)俗
26 匪賊
27 費
28 潰(弊)
29 寵児
30 弔辞
31 填補
32 店舗(鋪)
33 瞳孔
34 動向
35 炎炎(焰焰)
36 奄奄(淹淹)
37 屑
38 葛
39 扮装
40 紛争(諍)
41 罫
42 経
43 弛緩
44 仕官(宦)
45 怨霊
46 温良
47 正餐
48 成算
49 恰幅
50 割腹
51 才媛
52 再演
53 奇遇
54 寄寓
55 違背
56 位牌

合否の分かれ目!

頻出度

B

誤字訂正

目標正答率 75%

／28

※各文にまちがって使われている漢字一字を探し、誤字を同じ音訓の正しい漢字に正せ。

□ 1 政府は、隣国の石油供給停止措置に異憾の意を表明し、強硬な態度で解除を要求した。

□ 2 収賄容疑に問われた汚職議員との印象を払色できず、選挙に臨んだが苦戦した。

□ 3 閣内不統一と民政混乱の責任を負い、常相は謹んで書翰をもって皇帝に骸骨を乞うた。

□ 4 一代で巨万の富を築き時代の超児と評された敏腕の経営者は、志半ばで病に倒れた。

□ 5 異業種からの顧問就任だが、現地の内情は致悉しており仕事には何ら支障はない。

□ 6 職と住居を失い飢寒に苦しむ労働者が続出し、社会の状況は極めて必迫している。

□ 7 大学で教鞭を執る諮問委員が官僚の煮え切らない答弁に激抗し、会議の中途で退席した。

□ 8 厳父は「梨下に冠を正さず」という諺を引用し、会計処理の粉飾を疑われた次男を諭した。

□ 9 巧みに練られた作戦は隠蜜裡に進められ、遂に組織の中枢部への潜入に成功した。

□ 10 政府は税制優遇措置撤廃法案の成立のため、野党の回柔を試みたが奏功せず苦汁を嘗めた。

□ 11 愛に恵まれない天涯孤独の画家の筆致からは、人生に対する悲哀と諦感がにじみ出ている。

□ 12 壮図を抱き情熱をもって夢を語ったが、朋友に荒唐無計と言下に否定された。

標準解答

1 異→遺
2 色→拭
3 常→丞
4 超→寵
5 致→知
6 必→逼
7 抗→昂(高)
8 梨→李
9 蜜→密
10 回→懐
11 感→観
12 計→稽

□ 13 下請け業者から仲介料の名目で搾取を続け、案の定、急鼠猫を嚙むの事態を招いた。

□ 14 隣国の宥和政策が独裁者を増長させ大戦を惹起した歴史の迭を踏まないことが肝要だ。

□ 15 摩天楼の窓から見下ろすと、眼下に鬱藤しい濃い霧が立ち籠めている。

□ 16 一族は兵糧攻めに遭いながらも楼城しつつ抗戦を続け、援軍の到着を待った。

□ 17 年の瀬の繁華街は掻き入れ時で、怒濤の如く人波が店に押し寄せている。

□ 18 新種の疫病が広まり、治療法に関する情報が錯争して流言飛語が蔓延る。

□ 19 年貢の催促で踏留する藩の役人への賄賂と饗応のため、貧民の家計は更に困窮を極めた。

□ 20 友情と愛の狭間で揺れ動く心の葛闘を描いた小説が読者の共感を呼んだ。

□ 21 研究室に籠もって、歴代皇帝が編纂した解渋な漢籍の解読に苦悶する。

□ 22 国のため一身を途して死地に赴いたが、銃弾を浴び非業の最期を遂げた。

□ 23 錬瓦造りの古風な建物が舗道に立ち並ぶ寂れた旧都を、曇天が低く覆い尽くしていた。

□ 24 長年の功績で参与に昇格すると、身分に相応しい勘禄が備わってきた。

□ 25 教授は論文の註釈と梗概を一蔑すると、研究の参考となる書籍を列挙してくれた。

□ 26 天地を揺るがす豪音が乾坤の間に鳴り響き、帝都は無残にも木っ端微塵に潰滅した。

□ 27 新機能を搭載した製品が、慢性的に停滞している市場を席肩し、好況の呼び水となった。

□ 28 桔梗の刺繡を施した清粗な着物を仕立てて、令嬢の華燭の典に列席した。

13 急→窮
14 迭→轍
15 藤→陶
16 楼→籠
17 掻→書
18 争→綜
19 踏→逗
20 闘→藤
21 解→晦
22 途→賭
23 錬→煉
24 勘→貫
25 蔑→瞥
26 豪→轟
27 肩→捲(巻)
28 粗→楚

合否の分かれ目！
頻出度
B
共通の漢字

※次の各組の二文の（　）には共通する漢字が入る。その読みを後の［　］から選び、常用漢字一字で記せ。

□1
武力と才（　）に秀でた君主だ。
引き締まった軀（　）が男らしい。

□2
彼は気（　）のある政治家だ。
叛（　）一筋の生涯だった。

□3
友のために（　）肴を調える。
チームは勝利の美（　）に酔った。

□4
凌（　）の志を持ち続ける。
（　）霞のごとき敵の大群だ。

□5
伝説の投手が（　）籍に入る。
行く末に（　）胎を抱く。

うん・かん・き・こつ・しゅ
しん・どう・らく

□6
陳列用の什（　）を納入する。
幼いわりに才（　）を感じさせる。

□7
（　）履の如くなげうつ。
業界内の（　）習を改める。

□8
探検の壮（　）に就く。
野卑な習慣を（　）絶する。

□9
（　）嬰的な気分になる。
勢力が（　）潮する。

□10
隔りは道を挟んで（　）呼の間だ。
不誠実な態度を（　）弾する。

き・さく・し・すう
たい・と・へい・わ

目標正答率60%
／24

標準解答

1	2	3	4	5	6	7	8	9	10
幹	骨	酒	雲	鬼	器	弊	途	退	指

□ 11
( )什を玩味する。
( )日に式典を挙行する。

□ 12
貢献度に応じて( )分する。
社長が断( )を下す。

□ 13
国運の( )昌を祈る。
新興企業の( )替が激しい。

□ 14
正義感に溢れた経( )家だ。
蓋( )の英傑として名高い。

□ 15
財界に気( )を通じる人がいる。
融資を受けて命( )をつないだ。

□ 16
( )年期を迎える。
税額を( )正する。

□ 17
( )爾ながら申し上げます。
倉( )の間に事態が急転する。

あん・か・こう・しん・せい
そつ・ふん・みゃく・よう・りゅう

□ 18
( )明境を異にする。
( )遠な世界が広がる。

□ 19
姑( )な手段で敵を出し抜く。
我知らず嘆( )していた。

□ 20
( )百の作品を展示する。
( )慮には及ばない。

□ 21
犯行の証拠を詮( )する。
解決の道を必死に模( )する。

□ 22
( )老に教えを請う。
悪しき( )弊を改める。

□ 23
( )坐して目を閉じる。
舌( )火を吐く。

□ 24
戦場は酸( )を極める。
資本主義の( )祖と称される。

いん・かい・げき・さく・しゅく
そく・たん・び・ぼん・ゆう

11	12	13	14	15	16	17	18	19	20	21	22	23	24
佳	案	隆	世	脈	更	卒	幽	息	凡	索	宿	端	鼻

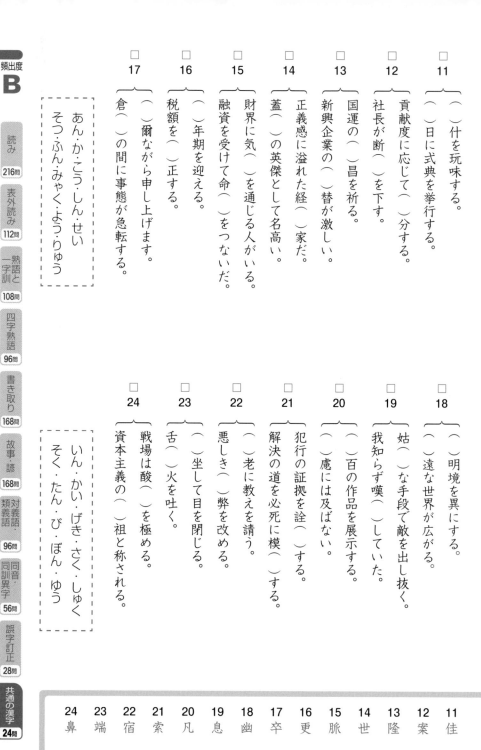

漢字パズル 2

六角形の周りにある６つの漢字とそれぞれ二字熟語になるような漢字を、中央に１文字入れましょう。読み方は内から外、外から内のどちらでもかまいません。

❶

❷
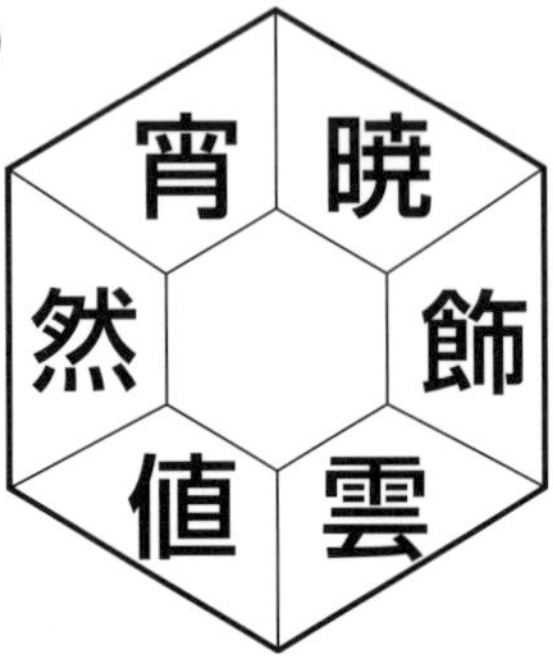

❸
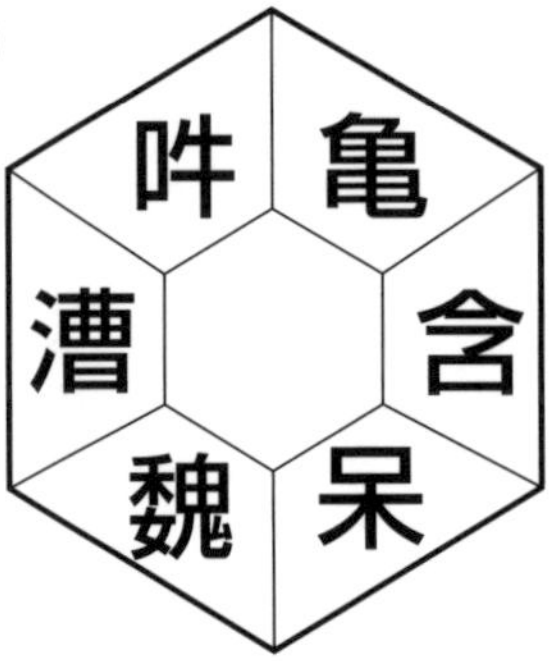

❹
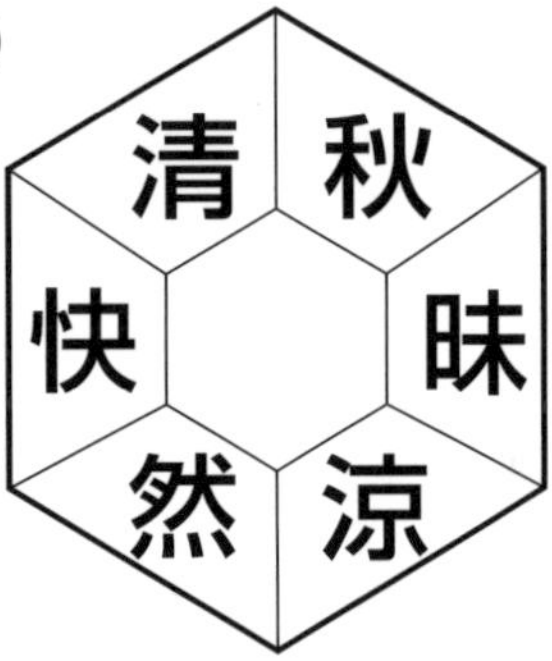

答え

❶

橋梁／棟梁／梁塵
梁園／梁柱／梁材

❷
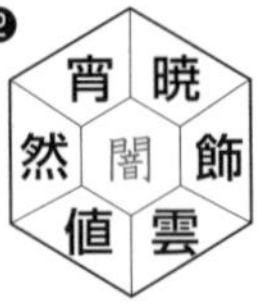

宵闇／暁闇／闇飾
闇雲／闇値／闇然

❸

阿吽／阿亀／阿含
阿呆／阿魏／阿漕

清爽／爽秋／爽味
爽涼／爽然／爽快

合格を確実にする！
ダメ押し問題 804

第3章

頻出度 C

合格を確実にする！
頻出度
C

読み―①

目標正答率 95%
／54

※次の――線の訓読みをひらがなで記せ。

□1 春が訪れて**種籾**を播く。
□2 **動**もすると手を抜きがちだ。
□3 **惟**うにこれは当然の結果だった。
□4 **些**か物足りない説明だ。
□5 ハンカチに**絢**を刺繍する。
□6 **恰**も実話のような話しぶりだった。
□7 無謀にも**筏**で急流を下る。
□8 月がだんだんと**盈**ちる。
□9 **斯**は誰のものですか。
□10 **堰**を切ったように話し始めた。
□11 まるで雲を**摑**むような話だ。
□12 捕れた**潤目鰯**を干物にする。
□13 突然の訪問に出鼻を**挫**かれた。
□14 **夙**に家を出発する。
□15 小窓から外の様子を**窺**う。
□16 **忽**ち人が集まってきた。
□17 勉強に**厭**きてしまった。
□18 河畔で集めた砂金を**淘**げる。
□19 日照り続きで花が**萎**れる。
□20 友情を**劃**かつ出来事があった。
□21 秋茄子を**鴫焼**きにして食べる。
□22 大臣を**罷**めさせる。
□23 鍋に**鱈**の切り身を入れる。
□24 その意見は勝者の**謂**だ。

標準解答

1 たねもみ
2 やや
3 おも
4 いささ
5 あや
6 あたか
7 いかだ
8 み
9 これ
10 せき
11 つか
12 うるめいわし
13 くじ
14 つと
15 うかが
16 たちま
17 あ
18 よな
19 しお
20 わ
21 しぎや
22 や
23 たら
24 いい

※次の——線の音読みをひらがなで記せ。

□25 一瞥して去っていった。
□26 辛酉は天命が改まる年と言われる。
□27 歌唄して仏の功徳をたたえる。
□28 胡乱な者が近所をうろついている。
□29 侃侃として反戦の意を訴える。
□30 叩頭して師匠に非礼を詫びる。
□31 没義道に借金を取り立てる。
□32 大嘗会が厳かに執り行われた。
□33 日が燦燦と照りつける。
□34 山中の藪沢で川釣りを楽しむ。
□35 新しい欽定憲法が制定された。
□36 組織的な不正が掩蔽されている。
□37 母屋が紅蓮の炎に包まれる。
□38 墓参して先祖の廻向をする。
□39 上質の繭糸でスカーフを織る。

□40 聖職を汚瀆する。
□41 厨芥を回収して堆肥に変える。
□42 国王が儲嗣に帝王学を授ける。
□43 よく実った稲穂を刈穫する。
□44 物を翫弄して気を紛らす。
□45 心を定め乞骸の書をしたためる。
□46 甜菜から砂糖を精製する。
□47 緻密な計画も画餅に帰した。
□48 その評論は筆鋒鋭い。
□49 頸聯の対句が巧みな漢詩だ。
□50 事件の容疑者を捕えて鞫問する。
□51 絢飾の衣装で式に出席する。
□52 砦柵を越えて敵が自陣を襲撃した。
□53 神輿を清めるための儀式を行う。
□54 夜叉はインドの鬼神である。

25 いちべつ
26 しんゆう
27 かばい
28 うろん
29 かんかん
30 こうとう
31 もぎどう
32 だいじょうえ
33 さんさん
34 そうたく
35 きんてい
36 えんぺい
37 ぐれん
38 えこう
39 けんし

40 おとく
41 ちゅうかい
42 ちょし
43 がいかく
44 がんろう
45 きつがい
46 てんさい
47 がべい(がへい)
48 ひっぽう
49 けいれん
50 きくもん
51 けんしょく
52 さいさく
53 しんよ
54 やしゃ

合格を確実にする！

頻出度

C

読み―②

※次の――線の訓読みをひらがなで記せ。

□ 1 味方の勝利に**凱**をあげる。
□ 2 **巷**で話題の恐竜の映画を鑑賞する。
□ 3 **恰**も偶然出会ったかのように装う。
□ 4 松の幹に**菰**を巻きつける。
□ 5 **栃餅**は秋の季語だ。
□ 6 私の自慢の薔薇の**苑**をご覧ください。
□ 7 お祝いに**寓**けて家を訪問する。
□ 8 仕事の担当を**劃**かつ。
□ 9 **肱**を張って立ち入りを阻止する。
□ 10 **諜**し合わせたかのような偶然だ。
□ 11 大きな**罵**り声が聞こえてきた。
□ 12 荒れはてた建物に蔦が**蔓**る。
□ 13 **笥子**に炊いたばかりの飯を盛る。
□ 14 収穫の時期に**饗**の祭りが行われる。
□ 15 **面舵**を切って北北西に変針する。
□ 16 家族が**亡骸**にすがって号泣した。
□ 17 仕事の状況は**捗捗**しくない。
□ 18 父は腕利きの**杢**として評判だ。
□ 19 **麿**は一人称だ。
□ 20 **閏年**は四年に一度めぐってくる。
□ 21 **柾目**の美しい木材を選ぶ。
□ 22 大きな**謬**りを正す。
□ 23 人の厚意を**疏**んじる。
□ 24 革の**靭**やかさを楽しむ。

目標正答率 95%

／54

標準解答

1 かちどき
2 ちまた
3 あたか
4 こも
5 とちもち
6 その
7 かこつ
8 わ
9 ひじ
10 しめ
11 ののし
12 はびこ
13 けこ（けご）
14 あえ
15 おもかじ
16 なきがら
17 はかばか
18 もく
19 まろ
20 うるうどし
21 まさめ
22 あやま
23 うと
24 しな

※次の——線の音読みをひらがなで記せ。

□25 裁判所から**勾引**状が届く。
□26 都会の片隅で**兇刃**に倒れた。
□27 **凄惨**な場面に目をそむける。
□28 当年は干支で**壬寅**にあたる。
□29 物悲しい**残鶯**の声が響く。
□30 風凄まじく**砧杵**悲し。
□31 御所の**廟堂**を見学する。
□32 **婁宿**には、おひつじ座が含まれる。
□33 高僧が**巡錫**して民衆を導いた。
□34 **鳶肩**の男たちが御輿を担いだ。
□35 **夙起**して散歩に出かける。
□36 **厭世**の感にとらわれる。
□37 **狐狸**にだまされる夢を見た。
□38 眉目秀麗な**令婿**であられる。
□39 豪雨の影響で川が**溢決**する。

□40 境内に**鴨脚**の大木が鎮座している。
□41 仲間の中で**疏外感**を味わう。
□42 **倦厭**の表情を見せないようにする。
□43 **烏兎**が矢のように過ぎ去っていく。
□44 隣家の**歎声**が耳につく。
□45 堂内を丁寧に**拭浄**する。
□46 **茅茨**をきらずに放りおく。
□47 **佳辰**に結納を取りかわす。
□48 門下に**魁傑**がそろう。
□49 資料を**瞥見**して講演する。
□50 前線の兵が突如として**舛錯**する。
□51 怨念を捨てて仇敵と**叶和**する。
□52 **酒公**に歯向かう者は誰一人いない。
□53 **衿契**と一晩酒を酌み交わす。
□54 古代人の**骸骨**が発見された。

25 こういん
26 きょうじん
27 せいさん
28 じんいん
29 ざんおう
30 ちんしょ
31 びょうどう
32 ろうしゅく
33 じゅんしゃく
34 えんけん
35 しゅっき
36 えんせい
37 こり
38 れいせい
39 いっけつ

40 おうきゃく
41 そがいかん
42 けんえん
43 うと
44 たんせい
45 しょくじょう
46 ぼうし
47 かしん
48 かいけつ
49 べっけん
50 せんさく
51 きょうわ
52 だいこう
53 きんけい
54 がいこつ

合格を確実にする！

頻出度

C 読み―③

※次の――線の訓読みをひらがなで記せ。

□1 蓋し芸術の評価は難しい。
□2 人を蕩かすような台詞をはく。
□3 地方官の行政などを按べる。
□4 両親は鴛鴦夫婦と呼ばれている。
□5 隙を見て一気になだれ込んだ。
□6 巷の声を聞くことが大切だ。
□7 彼の作品は人生の謂にほかならない。
□8 母から譲られた袷に袖を通す。
□9 惟うに別の方策があったのではないか。
□10 打ち水の沫が顔にかかる。
□11 竹の皮を編んで箕を作る。
□12 鞭が靭やかな音をたてて振られる。
□13 紡いだ麻糸を巻いて苧環を作る。
□14 夜道は人影が疏らだ。
□15 爾の命は神とともにある。
□16 牡蠣は冬がおいしいといわれる。
□17 その邑は直轄地だった。
□18 球場は熱気に蓋われていた。
□19 謬った考え方を訂正する。
□20 拳を上げて喜びを表現する。
□21 汗を拭って作業を続けた。
□22 誕生日に寓けて物をねだる。
□23 兄ばかり褒められ弟が僻む。
□24 過って襖を破いてしまった。

目標正答率 95%

／54

標準解答

1	けだ	13	おだまき
2	とろ	14	まば
3	しら	15	なんじ
4	おしどり	16	かき
5	すき	17	むら(くに)
6	ちまた	18	おお
7	いい	19	あやま
8	あわせ	20	こぶし
9	おも	21	ぬぐ
10	しぶき	22	かこつ
11	み	23	ひが
12	しな	24	ふすま

※次の――線の音読みをひらがなで記せ。

□ 25 夕方には**抜錨**する予定だ。
□ 26 **酋領**への贈り物を用意する。
□ 27 **半帖**の紙に書をしたためる。
□ 28 **晦冥**の中を進む。
□ 29 事実を**歪曲**して報道する。
□ 30 日の光を浴びて**鎌刃**が輝く。
□ 31 出来事が**怒濤**のように押し寄せる。
□ 32 判決を下すための判例を**遡及**する。
□ 33 **宮娃**が終生国王に仕える。
□ 34 **不遜**な態度に腹を立てる。
□ 35 異国の**鄭声**を忌避する。
□ 36 **拳固**を突き上げ勝利に酔う。
□ 37 桜が**只今**満開の時を迎えた。
□ 38 **爾後**を何事もなく過ごす。
□ 39 **巽与**の言、能く説ぶこと無からんか。
□ 40 革の**靭性**を確かめる。
□ 41 彼の**弄舌**ぶりには閉口する。
□ 42 **厭悪**の情をあからさまに見せる。
□ 43 正月に神社に**参詣**した。
□ 44 城の**尖塔**に幽閉されている。
□ 45 **煎餅**を焼く香ばしい匂いが漂う。
□ 46 好きな作家の作品を**玩読**する。
□ 47 社長の**宥恕**に感謝する。
□ 48 先生の**恩誼**に報いる。
□ 49 清らかな湧き水を**掬飲**する。
□ 50 盗賊団の**魁首**となる。
□ 51 いよいよ**蓋棺**のときを迎える。
□ 52 北極の**白狐**を見る。
□ 53 畑に**堆肥**を撒く。
□ 54 草木の**枯凋**を悲しむ。

25 ばつびょう
26 しゅうりょう
27 はんじょう
28 かいめい
29 わいきょく
30 れんじん
31 どとう
32 そきゅう
33 きゅうあい
34 ふそん
35 ていせい
36 げんこ
37 しこん
38 じご
39 そんよ
40 じんせい
41 ろうぜつ
42 えんお
43 さんけい
44 せんとう
45 せんべい
46 がんどく
47 ゆうじょ
48 おんぎ
49 きくいん
50 かいしゅ
51 がいかん
52 びゃっこ
53 たいひ
54 こちょう

合格を確実にする！

頻出度

C

読み―④

目標正答率 95%

／54

※次の――線の訓読みをひらがなで記せ。

□1 **迺**ち復変じて一と為る。
□2 **恰**もその場にいるような感覚だ。
□3 人の気持ちを**翫**ぶな。
□4 川の**瀞**でいかだ遊びを楽しむ。
□5 彼の一生は**荊**の道であった。
□6 **凧糸**を竹に巻き付ける。
□7 図書館にこもって読書に**耽**る。
□8 山肌に木々が**叢**立っている。
□9 **沓石**の上に柱を立てる。
□10 田んぼの水路に**真菰**が自生する。
□11 **奄**ちうわさが広まった。
□12 支流が盆地に**湊**まる。
□13 学思行相**須**つ。
□14 **頻**りに催促の電話が掛かってくる。
□15 父は**頗**る機嫌がよい。
□16 道で**偶**旧友に会った。
□17 全員、**悉**く失敗した。
□18 **抑**それは可能なのだろうか。
□19 **惟**うにこれこそ最善の方法だ。
□20 **転**た同情の念に堪えない。
□21 縁先で涼を**納**れる。
□22 延焼による被害の拡大を**禦**ぐ。
□23 未だ**嘗**て聞いたことがない。
□24 学校からは**凡**そ五百メートルだ。

標準解答

1 すなわ
2 あたか
3 もてあそ
4 とろ
5 いばら
6 たこいと
7 ふけ
8 むら
9 くついし
10 まこも
11 たちま
12 あつ
13 ま
14 しき
15 すこぶ
16 たまたま
17 ことごと
18 そもそも
19 おも
20 うた
21 い
22 ふせ
23 かつ
24 およ

※次の——線の音読みをひらがなで記せ。

□25 理由は**屢述**の通りである。
□26 **乃父**としてお前に伝えておきたい。
□27 **鶏肋**の処分に悩む。
□28 得も言われぬ**芳馨**に満ちている。
□29 **薙髪**して仏門に入った。
□30 境内に立派な**老杉**が立ち並ぶ。
□31 遺体にすがって**哀咽**する。
□32 戦時中、空襲を受けた**工廠**だ。
□33 **或問**形式で書かれた入門書だ。
□34 **庚寅**の年に大火があった。
□35 当世の**俊彦**なりと評価する。
□36 村の周囲に山々が**聯亙**する。
□37 役員名簿を**劉覧**する。
□38 **夙昔**の願いがようやく叶った。
□39 社長の**叡断**を仰ぐ。

□40 花瓶を**鄭重**に扱う。
□41 **碩徳**として礼拝されている。
□42 趣味に没頭し**戊夜**に至った。
□43 **遁辞**を弄しても無駄だ。
□44 **山砦**に立て籠もって戦った。
□45 君子は**庖厨**を遠ざく。
□46 数回**叩扉**したが返事がなかった。
□47 **献芹**の誠を尽くす。
□48 軒下に提灯を**懸吊**する。
□49 二頭の**牝馬**が誕生した。
□50 夏草が**茸茸**としている。
□51 石臼の**碓声**が響き渡る。
□52 **老鶯**は夏の季語である。
□53 寺に三日間**参籠**する。
□54 調味料が舌を**刺戟**する。

25 るじゅつ	40 ていちょう
26 だいふ	41 せきとく
27 けいろく	42 ぼや
28 ほうけい	43 とんじ
29 ちはつ（ていはつ）	44 さんさい
30 ろうさん	45 ほうちゅう
31 あいえつ	46 こうひ
32 こうしょう	47 けんきん
33 わくもん	48 けんちょう
34 こういん	49 ひんば
35 しゅんげん	50 じょうじょう
36 れんこう	51 たいせい
37 りゅうらん	52 ろうおう
38 しゅくせき	53 さんろう
39 えいだん	54 しげき

合格を確実にする！
頻出度
C

表外読み

※次の――線の表外読みをひらがなで記せ。

□1 難事業で勲を立てた。
□2 逆境にくじけず克くやった。
□3 細やかな送別会が開かれた。
□4 いろいろな方法を験してみよう。
□5 人一倍利に敏い。
□6 初な学生が上京してから変貌した。
□7 失礼仕ります。
□8 破れ鍋に綴じ蓋。
□9 不治の病を患える。
□10 諸の事情を汲む。
□11 もっと精しい地図が必要だ。
□12 清い心で神仏を尚ぶ。
□13 石の陛に苔がむす。
□14 新春を寿ぐ。
□15 目に入れても痛くない愛娘だ。
□16 円かな月を歌に詠む。
□17 ご期待に副えるよう頑張ります。
□18 予算削減に大鉈を揮う。
□19 校内の風紀を規す。
□20 薄が高原に群生する。
□21 仕事は幾ど終わっている。
□22 書類に不備がないか検める。
□23 よからぬことを企んでいるな。
□24 太だ畏れ多い話だ。

目標正答率 90%
／56

標準解答

1 いさお（いさおし）
2 よ
3 ささ
4 ため
5 さと
6 うぶ
7 つかまつ
8 わ
9 うれ
10 もろもろ
11 くわ
12 とうと（たっと）
13 きざはし
14 ことほ
15 まな
16 まど
17 そ
18 ふる
19 ただ
20 すすき
21 ほとん
22 あらた
23 たくら
24 はなは

□25 世界情勢に考えを運らす。
□26 長い時を歴てたどり着いた。
□27 救世主と崇められている。
□28 戦乱の世に生を享ける。
□29 感激を心に識す。
□30 二年おきに代表者が迭わる。
□31 慣れた手つきで角皿に漆を刷く。
□32 母親の小言が煩い。
□33 趣意を啓して引き下がった。
□34 士気が壮んな若者だ。
□35 周辺国の君主が賦を捧げる。
□36 進退ここに谷まる。
□37 着物を着て淑やかに振る舞う。
□38 羽織の領を外側に折る。
□39 香を薫いて疲れを癒やす。
□40 ありんすは郭詞だ。

□41 夜な夜な謀をめぐらす。
□42 故につらく当たる。
□43 法に遵って判断する。
□44 祖父は歯百を数える。
□45 正本と副本を校べる。
□46 何度見ても異しい様子はない。
□47 もみじが山々を彩なす。
□48 きみの意見には凡て賛成だ。
□49 形はでかいが、まだまだ幼い。
□50 動揺しない貞しい心をもつ。
□51 盛者必衰の理。
□52 望の日に月を愛でつつ団子を頬張る。
□53 豊作を祈願して氏神に幣を供える。
□54 卒かに冷たい強風が吹き荒んだ。
□55 古株の社員が若社長を傍で相ける。
□56 予予考えていた企みを行動に移す。

25 めぐ
26 へ
27 あが
28 う
29 しる
30 か
31 は
32 うるさ
33 もう
34 さか
35 みつぎ
36 きわ
37 しと
38 えり
39 た
40 くるわことば
41 はかりごと
42 ことさら
43 したが
44 よわい
45 くら
46 あや
47 あや
48 すべ
49 なり
50 ただ
51 ことわり
52 もち
53 ぬさ(みてぐら)
54 にわ
55 たす
56 かねがね

合格を確実にする！

頻出度

C

熟語と一字訓①

※次の熟語の読みとその語義にふさわしい訓読みをひらがなで記せ。

□1 蕃殖
□2 蕃る

□3 凱風
□4 凱らぐ

□5 鍾寵
□6 鍾める

□7 猷念
□8 猷る

□9 謬説
□10 謬る

□11 凋残
□12 凋む

□13 捷報
□14 捷つ

□15 劃定
□16 劃る

□17 蒐荷
□18 蒐める

□19 允可
□20 允す

□21 檮昧
□22 昧い

□23 烹炊
□24 烹る

標準解答

1 はんしょく
2 しげ

3 がいふう
4 やわ

5 しょうちょう
6 あつ

7 ゆうねん
8 はか

9 びゅうせつ
10 あやま

11 ちょうざん
12 しぼ

13 しょうほう
14 か

15 かくてい
16 くぎ

17 しゅうか
18 あつ

19 いんか
20 ゆる

21 とうまい
22 くら

23 ほうすい
24 に

目標正答率
100%

／54

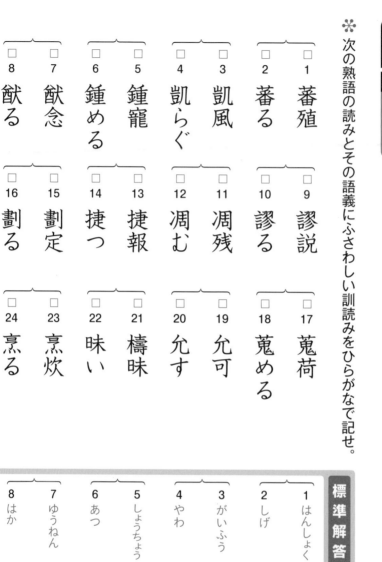

読み 216問
表外読み 56問
熟語と一字訓① 108問
四字熟語 96問
書き取り 168問
故事・諺 112問
対義語・類義語 48問
同音・同訓異字
誤字訂正
共通の漢字

□ 25 腫脹
□ 26 腫れる

□ 27 暢茂
□ 28 暢びる

□ 29 聯亙
□ 30 亙る

□ 31 酔臥
□ 32 臥す

□ 33 繋駕
□ 34 繋ぐ

□ 35 降魔
□ 36 降す

□ 37 疏水
□ 38 疏る

□ 39 詣拝
□ 40 詣でる

□ 41 僻見
□ 42 僻る

□ 43 磨礪
□ 44 礪く

□ 45 晦冥
□ 46 晦い

□ 47 萌芽
□ 48 萌む

□ 49 遁走
□ 50 遁れる

□ 51 醇朴
□ 52 醇い

□ 53 諫止
□ 54 諫める

25 しゅちょう
26 は

27 ちょうも
28 の

29 れんこう
30 わた

31 すいが
32 ふ

33 けいが
34 つな

35 ごうま
36 くだ

37 そすい
38 とお

39 けいはい
40 もう

41 へきけん
42 かたよ

43 まれい
44 みが

45 かいめい
46 くら

47 ほうが
48 めぐ

49 とんそう
50 のが

51 じゅんぼく
52 あつ

53 かんし
54 いさ

合格を確実にする！

頻出度

C

熟語と一字訓――②

※次の熟語の読みとその語義にふさわしい訓読みをひらがなで記せ。

□1 決潰
□2 潰える
□3 幽昧
□4 昧い
□5 嘉瑞
□6 嘉い
□7 捺印
□8 捺す
□9 蔑如
□10 蔑む
□11 膏沃
□12 膏える
□13 遡航
□14 遡る
□15 歎傷
□16 歎く
□17 厭悪
□18 悪む
□19 耽溺
□20 耽る
□21 悉皆
□22 悉く
□23 奉戴
□24 戴く

目標正答率 100%

／54

標準解答

1 けっかい
2 つい
3 ゆうまい
4 くら
5 かずい
6 よ
7 なついん
8 お
9 べつじょ
10 さげす
11 こうよく
12 こ
13 そこう
14 さかのぼ
15 たんしょう
16 なげ
17 えんお
18 にく
19 たんでき
20 ふけ
21 しっかい
22 ことごと
23 ほうたい
24 いただ

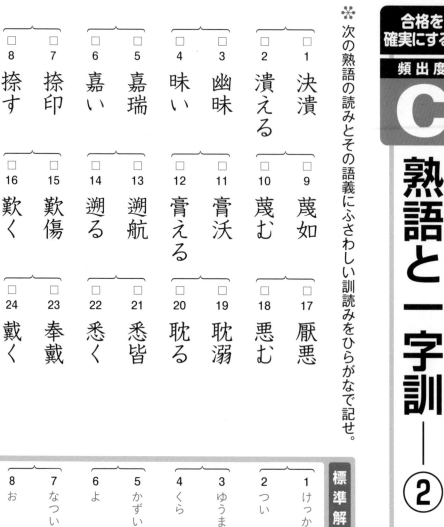

25 □ 苦諫
26 □ 諫める
27 □ 錯謬
28 □ 謬る
29 □ 匡済
30 □ 済う
31 □ 敦朴
32 □ 敦い
33 □ 輔弼
34 □ 弼ける

35 □ 蚤起
36 □ 蚤い
37 □ 欽若
38 □ 欽む
39 □ 艶冶
40 □ 艶かしい
41 □ 擢用
42 □ 擢く
43 □ 倒潰
44 □ 潰れる

45 □ 彫琢
46 □ 琢く
47 □ 晦蔵
48 □ 晦ます
49 □ 賂謝
50 □ 賂う
51 □ 溯及
52 □ 溯る
53 □ 靭性
54 □ 靭やか

25 くかん
26 いさ
27 さくびゅう
28 あやま
29 きょうさい
30 すく
31 とんぼく
32 あつ
33 ほひつ
34 たす

35 そうき
36 はや
37 きんじゃく
38 つつし
39 えんや
40 なまめ
41 てきよう（たくよう）
42 ぬ
43 とうかい
44 つぶ

45 ちょうたく
46 みが
47 かいぞう
48 くら
49 ろしゃ
50 まいな
51 そきゅう
52 さかのぼ
53 じんせい
54 しな

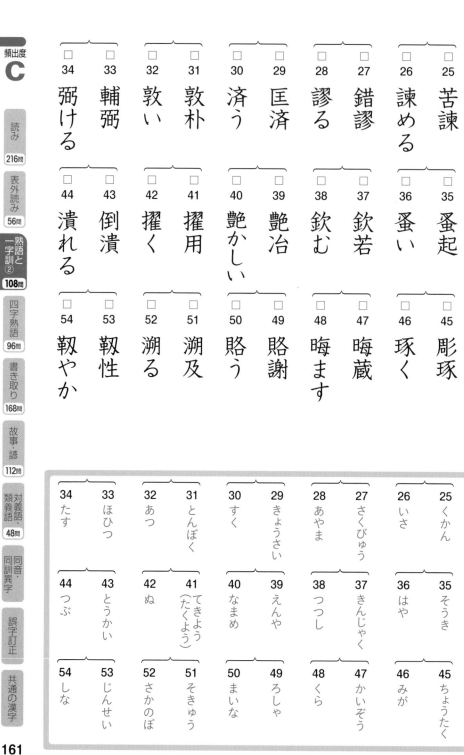

合格を確実にする！

頻出度

C

四字熟語—①

目標正答率
書き取り95%
読みと意味75%

／24

※次の問1と問2の四字熟語について答えよ。

問1 次の□に入る適切な語を［ ］から選んで漢字に直し四字熟語を完成させよ。

□ 1 □□絶壁

□ 2 一張□□

□ 3 □□坑儒

□ 4 加持□□

□ 5 四面□□

□ 6 □□走牛

□ 7 閑雲□□

□ 8 □□積玉

□ 9 泰山□□

□ 10 未来□□

□ 11 抜山□□

□ 12 伏竜□□

いっし　がいせい　こうもう　たいきん　ふんしょ　ほうすう
えいごう　きとう　そか　だんがい　ぶんぼう　やかく

標準解答

1 断崖絶壁《だんがいぜっぺき》
2 一張一弛《いっちょういっし》
3 焚書坑儒《ふんしょこうじゅ》
4 加持祈禱《かじきとう》
5 四面楚歌《しめんそか》
6 蚊虻走牛《ぶんぼうそうぎゅう》
7 閑雲野鶴《かんうんやかく》
8 堆金積玉《たいきんせきぎょく》
9 泰山鴻毛《たいざんこうもう》
10 未来永劫《みらいえいごう（ようごう）》
11 抜山蓋世《ばつざんがいせい》
12 伏竜鳳雛《ふくりゅうほうすう》

問2 次の解説・意味にあてはまる四字熟語を［　］から選び、その傍線部分だけの読みをひらがなで記せ。

□ 13 豪華なごちそうのこと
□ 14 何ごとも途中でやめては何にもならない
□ 15 災いの原因をもとから取り除くこと
□ 16 物事の要点を的確にとらえること
□ 17 長短ふぞろいな物が入り混じる様子
□ 18 極めて勢いが盛んなこと
□ 19 空が晴れ渡る様子
□ 20 役に立たないもの
□ 21 気高い者はどんな時も信念を変えない
□ 22 つまらぬ物でも後で役立つことがある
□ 23 迷っていて決心がつかないこと
□ 24 気楽に隠居生活を送ること

碧落一洗	首鼠両端	参差錯落	美酒佳肴	含飴弄孫	抜本塞源
旭日昇天	菟糸燕麦	孟母断機	不失正鵠	竹頭木屑	鳴蟬潔飢

標準解答

13	かこう	美酒佳肴
14	もうぼ	孟母断機
15	そくげん	抜本塞源
16	せいこく	不失正鵠
17	しんし	参差錯落
18	きょくじつ	旭日昇天
19	へきらく	碧落一洗
20	とし	菟糸燕麦
21	めいせん	鳴蟬潔飢
22	ぼくせつ	竹頭木屑
23	しゅそ	首鼠両端
24	がんい	含飴弄孫

合格を確実にする!

頻出度

C

四字熟語──②

目標正答率
書き取り95%
読みと意味75%

／24

※次の問1と問2の四字熟語について答えよ。

問1 次の□に入る適切な語を[ ]から選んで漢字に直し四字熟語を完成させよ。

□ 1 □□鳳雛

□ 2 □□狗肉

□ 3 □□撞着

□ 4 土崩□□

□ 5 碩師□□

□ 6 自然□□

□ 7 一目□□

□ 8 □□曲浦

□ 9 □□空拳

□ 10 魚網□□

□ 11 抜本□□

□ 12 醇風□□

がかい　がりょう
こうり　そくげん
ちょうてい　とうた
としゅ　びぞく
むじゅん　めいじん
ようとう　りょうぜん

標準解答

1 臥竜《がりょう（がりゅう）》鳳雛《ほうすう》
2 羊頭《ようとう》狗肉《くにく》
3 矛盾《むじゅん》(楯)撞着《どうちゃく》(著)
4 土崩《どほう》瓦解《がかい》
5 碩師《せきし》名人《めいじん》
6 自然《しぜん》淘汰《とうた》
7 一目《いちもく》瞭《りょう》(了)然《ぜん》
8 長汀《ちょうてい》曲浦《きょくほ》
9 徒手《としゅ》空拳《くうけん》
10 魚網《ぎょもう》鴻離《こうり》
11 抜本《ばっぽん》塞源《そくげん》
12 醇《じゅん》(淳)風《ぷう》美俗《びぞく》

問2 次の解説・意味にあてはまる四字熟語を［　］から選び、その傍線部分だけの読みをひらがなで記せ。

□ 13 選択肢が多すぎて迷うこと

□ 14 威勢がよく勇ましいこと

□ 15 知識や経験が豊富であること

□ 16 しぼみ落ちてなくなること

□ 17 利用価値がなくなった者は捨てられる運命にあること

□ 18 人に対し厳しくしたり寛大にしたりすること

□ 19 物事の根底を忘れること

□ 20 訪問客もなくさびれ果てた様子

□ 21 よく吟味してから仕える主人を選ぶべきであること

□ 22 兄弟姉妹の長子・次子などの順

□ 23 年月が慌ただしく過ぎること

□ 24 筆勢が自由自在で見事なたとえ

孟仲叔季	竜跳虎臥	門前雀羅	抜山蓋世	烏飛兎走	良禽択木
釈根灌枝	凋零磨滅	一張一弛	兎死狗烹	多岐亡羊	博聞彊識

標準解答

13 ぼうよう 多岐亡羊

14 がいせい 抜山蓋世

15 きょうしき 博聞彊識

16 ちょうれい 凋零磨滅

17 くほう 兎死狗烹

18 いっし 一張一弛

19 かんし 釈根灌枝

20 じゃくら 門前雀羅

21 りょうきん 良禽択木

22 もうちゅう 孟仲叔季

23 とそう 烏飛兎走

24 りょうちょう（りゅうちょう） 竜跳虎臥

合格を確実にする！

頻出度 C

四字熟語—③

目標正答率
書き取り95%
読みと意味75%

／24

※次の問1と問2の四字熟語について答えよ。

問1　次の□に入る適切な語を［　］から選んで漢字に直し四字熟語を完成させよ。

□ 1 天壌□□
□ 2 □□社鼠
□ 3 因循□□
□ 4 筆耕□□
□ 5 笑面□□
□ 6 長身□□
□ 7 □□進退
□ 8 □□魚躍
□ 9 一顧□□
□ 10 □□三遷
□ 11 拍手□□
□ 12 鼓腹□□

えんぴ	かっさい
きょそ	けいせい
げきじょう	けんでん
こそく	じょうこ
そうく	むきゅう
もうぼ	やしゃ

標準解答

1 天《てん》壌《じょう》無《む》窮《きゅう》
2 城《じょう》狐《こ》社《しゃ》鼠《そ》
3 因《いん》循《じゅん》姑《こ》息《そく》
4 筆《ひっ》耕《こう》硯《けん》田《でん》
5 笑《しょう》面《めん》夜《や》叉《しゃ》
6 長《ちょう》身《しん》痩《そう》軀《く》
7 挙《きょ》措《そ》進《しん》退《たい》
8 鳶《えん》飛《ぴ》魚《ぎょ》躍《やく》
9 一《いっ》顧《こ》傾《けい》城《せい》
10 孟《もう》母《ぼ》三《さん》遷《せん》
11 拍《はく》手《しゅ》喝《かっ》采《さい》
12 鼓《こ》腹《ふく》撃《げき》壌《じょう》

問2 次の解説・意味にあてはまる四字熟語を□から選び、その傍線部分だけの読みをひらがなで記せ。

□13 盛んだったものが衰える様子
□14 他人の文などを盗むこと
□15 質素な生活を送ること
□16 誉れを貴び死ぬことと何もなさずに生きること
□17 助けを借りずに独りで物事に取り組むこと
□18 蜜のように心地良い言葉
□19 悪事を働く化け物
□20 物事に深く通じて、伸びやかである様子
□21 ひっくり返るほど笑い崩れること
□22 贅《ぜい》沢の限りを尽くすこと
□23 月日
□24 同じことが無限に繰り返されるたとえ

甘言蜜語　捧腹絶倒
活剝生呑　採薪汲水
通暁暢達　永劫回帰
栄耀栄華　玉砕瓦全
秋風落漠　狐狸妖怪
金烏玉兎　赤手空拳

標準解答

13 らくばく　秋風落漠
14 せいどん　活剝生呑
15 きゅうすい　採薪汲水
16 がぜん　玉砕瓦全
17 くうけん　赤手空拳
18 てんげん　甘言蜜語
19 こり　狐狸妖怪
20 ちょうたつ　通暁暢達
21 ほうふく　捧腹絶倒
22 えいよう　栄耀栄華
23 ぎょくと　金烏玉兎
24 えいごう　永劫回帰

四字熟語—④

目標正答率
書き取り95%
読みと意味75%
／24

※次の問1と問2の四字熟語について答えよ。

問1 次の□に入る適切な語を［　］から選んで漢字に直し四字熟語を完成させよ。

□1 張三□□
□2 □□興亡
□3 百尺□□
□4 □□絶倒
□5 □□断機
□6 疾風□□
□7 街談□□
□8 錦心□□
□9 中原□□
□10 □□打坐
□11 眼高□□
□12 □□沈魚

かんとう	こうご
しかん	しゅうこう
しゅてい	ちくろく
ちらん	どとう
ほうふく	もうぼ
らくがん	りし

標準解答

1 張三李四《ちょうさんりし》
2 治乱興亡《ちらんこうぼう》
3 百尺竿頭《ひゃくせきかんとう》
4 捧《ほう》(抱)腹絶倒《ふくぜっとう》
5 孟《もう》母《ぼ》断《だん》機《き》
6 疾風怒濤《しっぷうどとう》
7 街談巷語《がいだんこうご》
8 錦心繍口《きんしんしゅうこう》
9 中原逐鹿《ちゅうげんちくろく》
10 只《し》管《かん》打《た》坐《ざ》
11 眼高手低《がんこうしゅてい》
12 落雁沈魚《らくがんちんぎょ》

問2 次の解説・意味にあてはまる四字熟語を［　］から選び、その傍線部分だけの読みをひらがなで記せ。

□13 仕事に励み、懸命に骨を折ること
□14 字の書き間違い
□15 長く続いている海岸線
□16 激しい勢い
□17 外見の美が内面と釣り合っていること
□18 つじつまが合わないこと
□19 自分の運命を天に任せること
□20 いい加減な言動で、ほころびが出ること
□21 大きすぎて逆に役に立たないことのたとえ
□22 敵に囲まれて、助けがない様子
□23 私欲に打ち勝ち、礼儀を弁えること
□24 自分の力を過信して横柄な態度をとること

文質彬彬	魯魚章草
長鞭馬腹	長汀曲浦
破綻百出	勤倹力行
夜郎自大	運否天賦
獅子奮迅	四面楚歌
克己復礼	矛盾撞着

標準解答

13 きんけん　勤倹力行
14 ろぎょ　魯魚章草
15 きょくほ　長汀曲浦
16 しし　獅子奮迅
17 ひんぴん　文質彬彬
18 どうちゃく　矛盾撞着
19 てんぷ　運否天賦
20 はたん　破綻百出
21 ちょうべん　長鞭馬腹
22 そか　四面楚歌
23 こっき　克己復礼
24 やろう　夜郎自大

合格を確実にする！
頻出度
C
書き取り――①

※次の――線のカタカナを漢字に直せ。

□1 濡れた食器を布巾でフく。
□2 勝利の知らせにカイサイを叫んだ。
□3 愛馬にテイテツをはめる。
□4 コウコウヤ然とした風貌だ。
□5 暗い所ではドウコウが開く。
□6 アカヌけたデザインの洋服だ。
□7 口からでまかせのホラを吹く。
□8 ギキョウ心に駆られ行動を起こす。
□9 和平のショコウが見え始めた。
□10 世間にケンデンして回る。
□11 収入が減り生活がヒッパクした。
□12 国際政治のヒノキ舞台に立つ。
□13 早く行かねばと気がセく。
□14 三連覇の夢がツイえた。
□15 人生をテイカンするには早すぎる。
□16 社長のツルの一声で決まった。
□17 不満が爆発し民衆がホウキした。
□18 すねて唇をトガらせる。
□19 山ビルに足の血を吸われた。
□20 野ビルを天ぷらにして食べた。
□21 カバンを新調する。
□22 生卵にショウユを数滴垂らす。
□23 波のヒマツが顔にかかった。
□24 先輩からの指令にイハイする。

目標正答率 90%
／56

標準解答

1 拭
2 快哉
3 蹄鉄
4 好好(々)爺
5 瞳孔
6 垢抜
7 法螺
8 義侠
9 曙光
10 喧伝
11 逼迫
12 檜
13 急
14 潰
15 諦観
16 鶴
17 蜂起
18 尖
19 蛭
20 蒜
21 鞄
22 醤油
23 飛沫
24 違背

- □ 25 **コトナカ**れ主義の人ばかりだ。
- □ 26 彼の発言は**フンパン**ものだった。
- □ 27 野生動物を**ジュンチ**する。
- □ 28 **セッコウ**像をデッサンする。
- □ 29 **セッコウ**が敵情を偵察する。
- □ 30 仲間はずれにされたと**ヒガ**む。
- □ 31 先祖代々つたわる**ヨロイ**だ。
- □ 32 瀬戸内海は**カキ**の名産地だ。
- □ 33 全県に**ワタ**って調査した。
- □ 34 都会の人混みに**ヘキエキ**した。
- □ 35 橋から転落し**オボ**れそうになった。
- □ 36 **ヒサシ**を貸して母屋をとられる。
- □ 37 会費は月**ゴト**に納めてください。
- □ 38 彼も**マタ**人の子であったと言えよう。
- □ 39 **ワ**き出る泉に足を浸した。
- □ 40 どこも**カシコ**も新しい建物ばかりだ。
- □ 41 **マレ**に副作用を起こすことがある。
- □ 42 学生は**スベカラ**く学業に精進すべし。
- □ 43 **ア**えて苦言を呈する。
- □ 44 帰郷**ジライ**三回の正月を迎えた。
- □ 45 彼の目つきは**タダモノ**ではない。
- □ 46 **ウド**の若芽は食用になる。
- □ 47 金**マミ**れ政権との批判を浴びた。
- □ 48 その件はちょっと**オ**いておこう。
- □ 49 それは**ウガ**った見方だろう。
- □ 50 陛下から勲章を**タマワ**った。
- □ 51 昼**アンドン**とあざけられた。
- □ 52 食器を茶**ダンス**に仕舞った。
- □ 53 ドアに**カギ**を掛けたか確かめる。
- □ 54 **キョウジン**な肉体で労役に堪える。
- □ 55 ゆく春を**ウラ**み作詩する。
- □ 56 敵の動きを身を潜めて**ウカガ**う。

25	事勿
26	噴飯
27	馴致
28	石膏
29	斥候
30	僻
31	鎧(甲)
32	蠣(牡蠣)
33	渉(亘・渡)
34	僻(辟)易
35	溺
36	庇(廂)
37	毎
38	亦
39	湧(涌)
40	彼処
41	稀(希)
42	須
43	敢(肯)
44	爾来
45	只(徒)者
46	独活
47	塗
48	措(置)
49	穿(鑿)
50	賜
51	行灯
52	簞笥
53	鍵
54	強靱
55	憾(恨・怨)
56	窺(覗・覘)

合格を確実にする！
頻出度
C
書き取り――②

目標正答率 90%
／56

※次の――線のカタカナを漢字に直せ。

□1 ヘイソク感に支配された社会だ。
□2 犯人がコツゼンと消えた。
□3 両親に干渉されヘキエキした。
□4 あの人はイワユル天才だ。
□5 損失のホテンに奔走した。
□6 ソウメイで機転の利く少年だ。
□7 本山の大ガランを修復する。
□8 ケンコンの間を真実を求め漂う。
□9 課長は社長にオモネっている。
□10 紙にケイセンを引いて表を作る。
□11 亡き父をシノび墓参りをする。
□12 春、裏の畑がネギボウズで覆われる。
□13 外国文学に興味がワく。
□14 ここカシコに桜が植えられている。
□15 ノウエンな美女が出演する映画だ。
□16 セイゼンと計画された都市だ。
□17 祖父のキジツに親戚が集まる。
□18 長年の苦労がカサなり倒れた。
□19 鶏やアヒルをカキンという。
□20 父が腕をフルった料理だ。
□21 近頃トミに耳が衰えた。
□22 勝ち負けにはあまりコウデイしない。
□23 カモイを潜って応接間に入る。
□24 経過はオオムね良好だ。

標準解答

1 閉塞
2 忽然
3 辟(辟)易
4 所謂
5 補塡
6 聡明
7 伽藍
8 乾坤
9 阿
10 罫線
11 偲
12 葱坊主
13 湧(涌)
14 彼処
15 濃艶
16 井(整)然
17 忌日
18 累(重)
19 家禽
20 揮
21 頓
22 拘泥
23 鴨居
24 概

25 **アラカジ**め情報を集めておく。
26 事故の**タダ**一人の生き残りだ。
27 努力の跡が**ウカガ**われる。
28 **ツブ**らな瞳で見つめる。
29 村落から**ツマハジ**きにされる。
30 **モット**もらしい顔つきで話す。
31 恋人の美しさに**ホレボレ**とする。
32 二十年に**ワタ**る確執がある。
33 新鮮な生の**カキ**に舌鼓を打つ。
34 **フンヌ**の形相で立ち上がった。
35 前途有望な青年の急逝を**ウラ**む。
36 自慢の腕を**フル**う。
37 **ア**えて再選挙を提言する。
38 **キョウジン**な精神で問題を解決する。
39 彼女は**マレ**に見る美人だ。
40 事件の**カギ**を握る女性だ。

41 冬物の服を**タンス**に仕舞った。
42 **アンドン**の油が切れた。
43 国王から勲章を**タマワ**った。
44 **スベカラ**く勤勉を心がけるべし。
45 感嘆**オ**くあたわず。
46 汗**マミ**れで働いた。
47 お正月に**ヤッコダコ**を揚げる。
48 **ウド**の大木とは彼のことだ。
49 彼とは**ジライ**音信不通だ。
50 芸術活動も**マタ**戦争の犠牲となった。
51 **モハヤ**これまで、と諦めた。
52 **ヒサシ**で日射しを防ぐ。
53 彼の言葉は**ケダ**し名言だ。
54 衣の下から**ヨロイ**がちらつく。
55 各家庭**ゴト**に国勢調査を行う。
56 **オボ**れる者は藁をも摑む。

25 予
26 只（唯）
27 窺（覗・覘）
28 円
29 爪弾
30 尤
31 惚惚（々）
32 渉（亘・渡）
33 蠣（牡蠣）
34 憤（忿）怒
35 憾（恨・怨）
36 揮
37 敢（肯）
38 強靱
39 稀（希）
40 鍵

41 箪笥
42 行灯
43 賜
44 須
45 措
46 塗
47 奴凧
48 独活
49 爾来
50 亦
51 最早
52 庇（廂）
53 蓋
54 鎧（甲）
55 毎
56 溺

合格を確実にする！

頻出度

C

書き取り―③

※次の――線のカタカナを漢字に直せ。

□1 ブラウスに**シシュウ**を施す。
□2 瓦で屋根を**フ**いた。
□3 祖父が漢詩を**ロウエイ**する。
□4 **ケイフン**を乾燥させて肥料にする。
□5 **ケイシ**に恵まれず絶家となった。
□6 屋上からは**ケシ**粒のように見える。
□7 残業して**ヨウヤ**く仕事が終わった。
□8 粗悪な商品は**トウタ**されるだろう。
□9 **サイエン**の誉れが高い女医だ。
□10 友人の才能に**シット**する。
□11 **ノウエン**な舞いで観客を魅了した。
□12 **ヘンパ**な扱いに不信感を抱く。
□13 雨で歩道が**ヌ**れる。
□14 手術で胃の**カイヨウ**を除去した。
□15 壁に社内報を**ガビョウ**で留める。
□16 新しい勢力が**ボッコウ**する。
□17 医療の発展に人生を**ササ**げる。
□18 悪徳商法が**チョウリョウ**する。
□19 **アオイ**を模した家紋を使う。
□20 医師免許を**ハクダツ**される。
□21 業界で大手三社が**カクチク**する。
□22 根も葉もない**ウワサ**がはびこる。
□23 **チリ**も積もれば山となる。
□24 黒**ブチ**のある白犬を飼っている。

標準解答

1 刺繍　2 葺　3 朗詠　4 鶏糞　5 継嗣　6 芥子　7 漸　8 淘汰　9 才媛　10 嫉妬　11 濃艶　12 偏頗
13 濡　14 潰瘍　15 画鋲　16 勃興　17 捧　18 跳梁　19 葵　20 剥奪　21 角逐　22 噂　23 塵　24 斑

目標正答率 90%

／56

□ 25 祭りで**チョウチン**をぶら下げる。

□ 26 **マイキョ**にいとまがない。

□ 27 車が物**スゴ**い速さで駆け抜けた。

□ 28 人里離れた場所で**イオリ**を結ぶ。

□ 29 **チョコザイ**な新人をたしなめる。

□ 30 俳諧の**ヨウケツ**を師に尋ねる。

□ 31 激しい恋の**サヤアテ**を描く。

□ 32 恐怖で**シンタン**を寒からしめる。

□ 33 綿密な計画が**ホウマツ**に帰する。

□ 34 応援の声で**ガゼン**勇気が出る。

□ 35 **キュウテキ**をついに討ち取った。

□ 36 考えただけで**ムシズ**が走る。

□ 37 **キンジュウ**にも劣る行為だ。

□ 38 国家の存続が**キタイ**に瀕している。

□ 39 事態を**トウカン**視する。

□ 40 被災地で復興の**ツチオト**が響く。

□ 41 名作曲家の**ヘンリン**を示した。

□ 42 我が**ママ**な性格に辟易する。

□ 43 円高で景気が**シリスボ**まりになる。

□ 44 **レンガ**を積んで塀を作る。

□ 45 稀代の英雄に**ドウケイ**の念を抱く。

□ 46 敬愛する作家の足跡を**タド**った。

□ 47 **ゼンショウ**戦が繰り広げられる。

□ 48 事故で**ケイツイ**を損傷した。

□ 49 落選し**ヒッソク**を余儀なくされた。

□ 50 工場の**バイエン**が空を覆う。

□ 51 **キツネ**につままれた気分だ。

□ 52 **ハニュウ**で古くから窯業を営む。

□ 53 **ガイシ**で架線を鉄柱に固定する。

□ 54 罪人を寛大に**ジョ**する。

□ 55 同じ志の仲間と**ホウトウ**を結する。

□ 56 祖父が孫を**デキアイ**する。

25 提灯
26 枚挙
27 凄
28 庵
29 猪口才
30 要訣
31 鞘当
32 心胆
33 泡沫
34 俄然
35 仇敵
36 虫酸(唾)
37 禽獣
38 危殆
39 等閑
40 槌音

41 片鱗
42 儘
43 尻窄
44 煉瓦
45 憧憬
46 辿
47 前哨
48 頸椎
49 逼塞
50 煤煙
51 狐
52 埴生
53 碍子
54 恕
55 朋党
56 溺愛

合格を確実にする！

頻出度 **C**

故事・諺—①

目標正答率70%

／56

※次の故事・諺のカタカナの部分を漢字で記せ。

□ 1 **キュウ**すれば通ず。
□ 2 **アゴ**振り三年。
□ 3 寝た牛に**アクタ**掛くる。
□ 4 無くて**ナナクセ**。
□ 5 **ヒサシ**を貸して母屋を取られる。
□ 6 **カマ**を破り船を沈む。
□ 7 **タナゴコロ**に運らす。
□ 8 **アキダル**は音が高い。
□ 9 出る**クイ**は打たれる。
□ 10 **ハッサク**は麦まんじゅうの食い終い。
□ 11 畑に**ハマグリ**。
□ 12 **ミジン**積もりて山となる。
□ 13 わが物食えば**カマド**将軍。
□ 14 **サル**の木登り、蟹の横這い。
□ 15 **スルガ**の富士と一里塚。
□ 16 **マクラ**を高くして眠る。
□ 17 **エテ**に帆をあげ。
□ 18 人生字を識るは**ユウカン**の始め。
□ 19 **ショウ**を以て石を量る。
□ 20 **リュウビ**を逆立てる。
□ 21 **カタズ**を呑む。
□ 22 大きい**ヤカン**は沸きが遅い。
□ 23 **カンジョウ**合って、銭足らず。
□ 24 頭隠して**シリ**隠さず。

標準解答

1 窮
2 顎
3 芥
4 七癖
5 庇（廂）
6 釜
7 掌
8 空樽
9 杭（杙）
10 八朔
11 蛤（蚌）
12 微塵
13 竈
14 猿
15 駿河
16 枕
17 得手
18 憂患
19 升
20 柳眉
21 固唾
22 薬缶
23 勘定
24 尻

□25 管を以て天を**ウカガ**う。
□26 **メッキ**が剝げる。
□27 砂長じて**イワオ**となる。
□28 失策は人にあり、**カンジョ**は神にあり。
□29 **キンラン**の契り。
□30 人を**ノロ**わば穴二つ。
□31 先の**カリ**より手前の雀。
□32 下手の**ホウチョウ**百遍洗え。
□33 鈴虫は音のために**カゴ**に飼わる。
□34 **モウボ**三遷の教え。
□35 **ヒンセン**にして楽しみあり。
□36 **ドングリ**の背比べ。
□37 鰻は夏**ヤ**せの薬。
□38 人跡繁ければ山も**クボ**む。
□39 **キコ**の勢い。
□40 鬼神は**ヨコシマ**無し。

□41 **アイ**より青し。
□42 **ヒガ**の火に入るが如し。
□43 **ハンジョウ**を入れる。
□44 医者の薬も**サジ**加減。
□45 爪の**アカ**を煎じて飲む。
□46 **カンタン**相照らす。
□47 **ロギョ**章草の誤り。
□48 蟷螂の**オノ**。
□49 狂瀾を既倒に**メグ**らす。
□50 武士は食わねど高**ヨウジ**。
□51 紺屋の**シロバカマ**。
□52 **サギ**を烏。
□53 **ケイセツ**の功を積む。
□54 匂い**マツタケ**味しめじ。
□55 **リョウキン**は木を択ぶ。
□56 **アコギ**が浦に引く網。

25 窺(覗・覘)
26 鍍(滅)金
27 巌
28 寛恕
29 金蘭
30 呪(詛)
31 雁
32 庖(包)丁
33 籠
34 孟母
35 貧賤
36 団栗
37 痩(瘠・羸)
38 窪(凹)
39 騎虎
40 邪
41 藍
42 飛蛾
43 半畳
44 匙(匕)
45 垢
46 肝胆
47 魯魚
48 斧
49 廻
50 楊枝(子)
51 白袴
52 鷺
53 蛍雪
54 松茸
55 良禽
56 阿漕

合格を確実にする！
頻出度
C

故事・諺──②

※次の故事・諺のカタカナの部分を漢字で記せ。

□1 リョウジンを動かす。
□2 ワザワいを転じて福となす。
□3 秋の日はツルベ落とし。
□4 心にジョウを下ろす。
□5 小さくとも針はノまれぬ。
□6 ナマコの油揚げを食う。
□7 餓鬼にオガラ。
□8 マかぬ種は生えぬ。
□9 蜂の巣にカマ。
□10 ジュシをして名を成さしむ。
□11 ホリュウの質。
□12 ダテの薄着。
□13 李白イット詩百篇。
□14 不倶タイテンの敵。
□15 ウラみに報ゆるに徳を以てす。
□16 針の穴から天をノゾく。
□17 死児のヨワイを数える。
□18 ウルシは剝げても生地は剝げぬ。
□19 ショリの歎。
□20 用のない星はヨイからござる。
□21 天は尊く地は卑くしてケンコン定まる。
□22 タドンに目鼻。
□23 一人娘にムコ八人。
□24 ハッケの八つ当たり。

目標正答率 70%
／56

標準解答

1 梁塵
2 禍
3 釣瓶
4 錠
5 呑
6 海鼠
7 苧殻
8 蒔(播)
9 鎌
10 竪(孺)子
11 蒲柳
12 伊達
13 一斗
14 戴天
15 怨(恨)
16 覗(覘)
17 齢
18 漆
19 黍離
20 宵
21 乾坤
22 炭団
23 婿
24 八卦

□ 25 **ムケイ**の言は聴くことなかれ。

□ 26 大声**リジ**に入らず。

□ 27 枯れ木も山の**ニギ**わい。

□ 28 蟹の甲より年の**コウ**。

□ 29 しくじるは**ケイコ**のため。

□ 30 裸で**ユズ**の木に登る。

□ 31 自家**ヤクロウ**中の物。

□ 32 多忙な**ミツバチ**には悲しむ暇がない。

□ 33 知らぬ神より**ナジ**みの鬼。

□ 34 柔能く**ゴウ**を制す。

□ 35 **カン**を蓋いて事定まる。

□ 36 **アイサツ**は時の氏神。

□ 37 人古今に通ぜざるは馬牛にして**キンキョ**す。

□ 38 神明に**オウドウ**無し。

□ 39 昨日の大尽今日の**コジキ**。

□ 40 **ココウ**を凌ぐ。

□ 41 **ヒル**に塩。

□ 42 女三人寄れば**カシマ**しい。

□ 43 羊をして**オオカミ**に将たらしむ。

□ 44 松は二葉より**トウリョウ**の思いあり。

□ 45 人の**ウワサ**も七十五日。

□ 46 **タクアン**のおもしに茶袋。

□ 47 **キンパク**が剝げる。

□ 48 耳を**オオ**いて鐘を盗む。

□ 49 **チ**に働けば角が立つ。

□ 50 **イワシ**の頭も信心から。

□ 51 青がきが**ジュクシ**弔う。

□ 52 艱難**ナンジ**を玉にす。

□ 53 **ウサギ**を見て犬を呼ぶ。

□ 54 **ウバザクラ**の狂い咲き。

□ 55 天地**ゼンコウ**無し。

□ 56 人間到る処**セイザン**有り。

25 無稽
26 里(俚)耳
27 賑(殷)
28 劫(功)
29 稽古
30 柚(柚子)
31 薬籠
32 蜜蜂
33 馴染(昵)
34 剛
35 棺
36 挨拶
37 襟裾
38 横道
39 乞食
40 糊(餬)口
41 蛭
42 姦
43 狼
44 棟梁
45 噂
46 沢庵
47 金箔
48 掩(覆)
49 智
50 鰯
51 熟柿
52 汝
53 兎
54 姥桜
55 全功
56 青山

合格を確実にする！

頻出度

C

対義語・類義語

目標正答率 85%

／48

※□の中の語を必ず一度使って漢字に直し、対義語・類義語を記せ。

対義語

□ 1 軟弱
□ 2 憂慮
□ 3 脆弱
□ 4 恩愛
□ 5 接着
□ 6 枯渇
□ 7 悠悠
□ 8 駄馬
□ 9 黄昏
□ 10 近接

あんど
えんこん
おういつ
きゅうきゅう
きょうこう
きょうじん
けんかく
しゅんめ
はくり
ふつぎょう

類義語

□ 11 経緯
□ 12 遭遇
□ 13 吉兆
□ 14 動向
□ 15 急逝
□ 16 矛盾
□ 17 妙趣
□ 18 危地
□ 19 蒼天
□ 20 落成

ここう
しゅんこう
しょうずい
すうせい
だいごみ
てんまつ
どうちゃく
とんし
へきくう
ほうちゃく

標準解答

1 軟弱《なんじゃく》↔強硬《きょうこう》
2 憂慮《ゆうりょ》↔安堵《あんど》（案堵）
3 脆弱《ぜいじゃく》↔強靱《きょうじん》
4 恩愛《おんあい》↔怨恨《えんこん》
5 接着《せっちゃく》↔剝離《はくり》
6 枯渇《こかつ》↔横溢《おういつ》（汪溢）
7 悠悠《ゆうゆう》↔汲汲《きゅうきゅう》（汲々）
8 駄馬《だば》↔駿馬《しゅんめ》
9 黄昏《たそがれ》↔払暁《ふつぎょう》
10 近接《きんせつ》↔懸隔《けんかく》

11 経緯《けいい》＝顚末《てんまつ》
12 遭遇《そうぐう》＝逢着《ほうちゃく》（逢著）
13 吉兆《きっちょう》＝祥瑞《しょうずい》
14 動向《どうこう》＝趨勢《すうせい》
15 急逝《きゅうせい》＝頓死《とんし》
16 矛盾《むじゅん》＝撞着《どうちゃく》（撞著）
17 妙趣《みょうしゅ》＝醍醐味《だいごみ》
18 危地《きち》＝虎口《ここう》
19 蒼天《そうてん》＝碧空《へきくう》
20 落成《らくせい》＝竣工《しゅんこう》（竣功）

対義語

□21 豪胆
□22 追跡
□23 優柔
□24 繊弱
□25 凶兆
□26 斬新
□27 抗争
□28 碇泊
□29 旭日
□30 消沈
□31 賢明
□32 豊稔
□33 峻険
□34 精緻

うぐ
おくびょう
かだん
きょうこう
けんこう
けんろう
ざっぱく
しゃよう
ずいしょう
たんい
ちんぷ
とんそう
ばつびょう
わぼく

類義語

□35 不世出
□36 出産
□37 出家
□38 寝台
□39 認可
□40 苦悩
□41 営営
□42 復活
□43 突飛
□44 尾根
□45 人民
□46 股肱
□47 隆昌
□48 遷延

いんきょ
えいよう
がしょう
ききょう
けう
しし
そうせい
そせい
ちたい
とんせい
はんもん
ふくしん
ぶんべん
りょうせん

21 豪胆《ごうたん》↕臆病《おくびょう》
22 追跡《ついせき》↕遁走《とんそう》
23 優柔《ゆうじゅう》↕果断《かだん》
24 繊弱《せんじゃく》↕堅牢《けんろう》
25 凶兆《きょうちょう》↕瑞祥《ずいしょう》(瑞象)
26 斬新《ざんしん》↕陳腐《ちんぷ》
27 抗争《こうそう》↕和睦《わぼく》
28 碇泊《ていはく》↕抜錨《ばつびょう》
29 旭日《きょくじつ》↕斜陽《しゃよう》
30 消沈《しょうちん》↕軒昂《けんこう》
31 賢明《けんめい》↕迂愚《うぐ》
32 豊稔《ほうじん》↕凶荒《きょうこう》
33 峻険《しゅんけん》↕坦夷《たんい》
34 精緻《せいち》↕雑駁《ざっぱく》

35 不世出《ふせいしゅつ》＝稀有《けう》(希有)
36 出産《しゅっさん》＝分娩《ぶんべん》
37 出家《しゅっけ》＝遁世《とんせい》(遯世)
38 寝台《しんだい》＝臥床《がしょう》(臥牀)
39 認可《にんか》＝允許《いんきょ》
40 苦悩《くのう》＝煩悶《はんもん》
41 営営《えいえい》＝孜孜《しし》(孳孳)
42 復活《ふっかつ》＝蘇生《そせい》(甦生)
43 突飛《とっぴ》＝奇矯《ききょう》
44 尾根《おね》＝稜線《りょうせん》
45 人民《じんみん》＝蒼生《そうせい》
46 股肱《ここう》＝腹心《ふくしん》
47 隆昌《りゅうしょう》＝栄耀《えいよう》
48 遷延《せんえん》＝遅滞《ちたい》

漢字パズル 3

動植物や物に関する難読語が並んでいます。「懺悔」から始めて、しりとりをしながら、15語すべてをつなげてみましょう。準1級配当外の漢字もありますよ。

猫虎　下駄　軍鶏　土筆　蒟蒻　懺悔　蚰蜒　柳葉魚　辛夷　海月　百舌　章魚　土竜　十姉妹　頭巾

懺　悔→（　　）→（　　）→（　　）→（　　）→（　　）
（　　）→（　　）→（　　）→（　　）→（　　）→（　　）
（　　）→（　　）→（　　）

答え

懺悔（ざんげ）→下駄（げた）→章魚（たこ）→辛夷（こぶし）→軍鶏（しゃも）→土竜（もぐら）→猫虎（らっこ）→蒟蒻（こんにゃく）→海月（くらげ）→蚰蜒（げじげじ）→十姉妹（じゅうしまつ）→土筆（つくし）→柳葉魚（ししゃも）→百舌（もず）→頭巾（ずきん）

語彙力の幅を広げる

実力問題

84

第4章

文章題

文章題—①

※文章中の傍線(1~6)のカタカナを漢字に直し、波線(ア~カ)の漢字の読みをひらがなで記せ。

井は勝手口から唯六歩、ぼろぼろに腐った[1]**ムギワラ**屋根が通路と井を[2]**オオ**って居る。上[ア]**窄**まりになった[イ]**桶**の井筒、鉄の車は少し欠けてよく綱がはずれ、[ウ]**釣瓶**は一方しか無いので、釣瓶縄の一端を屋根の柱に結わえてある。汲み上げた水が恐ろしく泥臭いのも[エ]**尤**、[3]**イカリ**を下ろして見たら、渇水の折からでもあろうが、水深が一尺とはなかった。

移転の翌日、信者仲間の人達が来て井浚えをやってくれた。鍋蓋、古[オ]**手拭**、[4]**チャワン**のかけ、色々の物が揚がって来て、底は清潔になり、水量も多少は増したが、依然たる赤土水の濁り水で、[カ]**如何**に[5]**ムトンチャク**の彼でもがぶがぶ飲む気になれなかった。近隣の水を当座は貰って使ったが、何れも似寄った赤土水である。墓向うの家の水を貰いに往った女中が、井を[6]**ノゾ**いたら芥だらけ虫だらけでございます、と顔を顰《しか》めて帰って来た。其向う隣の家に往ったら、其処の息子が、此家《うち》の水はそれは好い水で、演習行軍に来る兵隊なぞもほめて飲む、と得意になって吹聴したが、其れは赤子の時から飲み馴れたせいで、大した水でもなかった。

出典/徳冨蘆花『みゝずのたはごと』より抜粋改変

標準解答

[書き]
1 麦藁
2 覆
3 錨
4 茶碗(椀)
5 無頓着
6 覗(覘)

[読み]
ア すぼ
イ おけ
ウ つるべ
エ もっとも
オ てぬぐい
カ いか

※文章中の傍線(7～14)のカタカナを漢字に直し、波線(キ～セ)の漢字の読みをひらがなで記せ。

家から五丁程西に当たって、品川堀と云う小さな流水がある。玉川上水の分派で、品川方面の[7]**カンガイ**専用の水だが、附近の村人は朝々顔も洗えば、襁褓《おしめ》の洗濯もする、肥桶を洗う。なあに玉川の水だ、朝早くさえ[キ]**汲**めば汚ない事があるものかと、男役に彼は水汲む役を引受けた。起きぬけに、手桶と大きなバケットを両手に[ク]**提**げて、霜を踏んで流れに行く。顔を洗う。腰膚ぬいで冷水[ケ]**摩擦**をやる。日露戦争の[8]**ホトボリ**がまださめぬ頃で、面[コ]**籠手**かついで[9]**アサゲイコ**から帰って来る村の若者が「冷たいでしょう」と[10]**アイサツ**することもあった。摩擦を終って、[サ]**膚**を入れ、手桶とバケットをずんぶり流れに浸して満々と水を汲み上げると、ぐいと両手に提げて、最初一丁が程は一気に小走りに急いで行く。耐えかねて下ろす。腰[シ]**而**下の着物はずぶ[11]**ヌ**れになって、水は七分に減って居る。

(中略) 余り腕が痛いので、東京に出たついでに、渋谷の道玄坂で天秤棒を買って帰った。丁度[12]**モモヒキ**尻からげ天秤棒を肩にした姿を山路愛山君に見られ、理想を実行すると笑止な顔で笑われた。買って戻った天秤棒で、早速翌朝から手桶とバケットを振り分けに担って、[ス]**汐**汲みならぬ髯男の水汲みと出かけた。両手に提げるより幾何か優《まし》だが、使い[13]**ナ**れぬ肩と腰が思う様に言う事を聴いてくれぬ。天秤棒に肩を入れ、[セ]**曳**やっと立てば、腰がフラフラする。[14]**ヒザ**はぎくりと折れそうに体は顛倒《ひっくりかえ》りそうになる。

出典／徳冨蘆花『みゝずのたはごと』より抜粋改変

［書き］

7	灌漑
8	余炎(熱)
9	朝稽古
10	挨拶
11	濡
12	股引
13	馴(慣)
14	膝

［読み］

キ	く
ク	さ
ケ	まさつ
コ	こて
サ	はだ
シ	から
ス	しお
セ	えい

文章題―②

※文章中の傍線(1～6)のカタカナを漢字に直し、波線(ア～カ)の漢字の読みをひらがなで記せ。

御者は真一文字に馬を飛ばして、雲を**カスミ**と走りければ、美人は魂身に添わず、目を閉じ、息を凝らし、五體を縮めて、力の限り**渠**の腰に縋りつ。風は颼々《そうそう》と両腋に起こりて毛髪竪ち、道は宛然《さながら》河の如く、濁流脚下に**奔注**して、身は是虚空を転ぶに似たり。

渠は実に死すべしと**念**いぬ。次第に風やみ、馬**駐**ると覚えて、直ちに**コントウ**して正気を失いぬ。是御者が静かに馬より**扶**け下ろして、茶店の**ザシキ**に舁入《かきい》れたりし時なり。渠は此の介抱を主のうばに嘱《たの》みて、其身は息をも継がず再び羸馬《るいば》に策打《むちう》ちて、旧来し路を急ぎけり。

程無く美人は**サ**めて、こは石動《いするぎ》の棒端《ぼうばな》なるを覚りぬ。御者は既に在らず。渠は其名をうばに**タズ**ねて、金様なるを知りぬ。

(中略)金沢なる浅野川の磧は、宵々毎に納涼の人出の為に熱了せられぬ。此の節を機として、諸国より入込みたる野師《やし》等は、磧《かわら》も狭しと見世物小屋を掛け**聯**ねて、猿芝居、娘軽業、山雀《やまがら》の芸等、剣の刃渡、活人形、名所の**ノゾキ**機関《からくり》、電気手品、盲人相撲、評判の大蛇、天狗の骸骨、手無娘、子供の玉乗等いちいち数えるに遑《いとま》あらず。

出典／泉鏡花『義血侠血』より抜粋改変

標準解答

[書き]
1 霞
2 昏倒
3 坐(座)敷
4 醒
5 訊(尋)
6 覗(覘)

[読み]
ア かれ
イ ほんちゅう
ウ おも
エ とどま
オ たす
カ つら

※文章中の傍線(7〜14)のカタカナを漢字に直し、波線(キ〜セ)の漢字の読みをひらがなで記せ。

阿部一族の立て[7]**コモ**っている山崎の屋敷に討ち入ろうとして、竹内数馬の手のものは**払暁**[キ]に表門の前に来た。夜通し[8]**カネタイコ**を鳴らしていた屋敷の内が、今はひっそりとして空家かと思われる程である。門の扉は鎖してある。板塀の上に二三尺伸びている夾竹桃《きょうちくとう》の木末《うら》には、[9]**クモ**のいが掛かっていて、それに夜露が真珠のように光っている。[10]**ツバメ**が一羽どこからか飛んで来て、つと塀の内に入った。

数馬は馬を乗り放って降り立って、**暫**[ク]く様子を見ていたが、「門を開けい」と云った。足軽が二人塀を乗り越して内に**這入**[ケ]った。門の**廻**[コ]りには敵は一人もいないので、錠前を打ちこわして貫の木を抜いた。

隣家の柄本又七郎は数馬の手のものが門を開ける物音を聞いて、前夜結縄を切って置いた竹垣を踏み破って、**駈**[サ]け込んだ。(中略)

「[11]**ヒキョウ**じゃ。引くな」又七郎が叫んだ。

「いや逃げはせぬ。腹を切るのじゃ」言い棄てて座敷に這入った。

その[12]**セツナ**に「おじ様、お相手」と叫んで、前髪の**七之丞**[シ]が電光の如くに飛んで出て、又七郎の[13]**フトモモ**を**衝**[ス]いた。入懇《じっこん》の弥五兵衛に深手を負わせて、覚えず気が[14]**ユル**んでいたので、**手練**[セ]れの又七郎も少年の手に掛かったのである。

出典/森鷗外『阿部一族』より抜粋改変

[書き]

7	籠
8	鉦太鼓
9	蜘(蜘蛛)
10	燕
11	卑怯
12	刹那
13	太股
14	弛(緩)

[読み]

キ	ふつぎょう
ク	しばら
ケ	はい
コ	まわ
サ	か
シ	しちのじょう
ス	つ
セ	てだ

文章題――③

※文章中の傍線（1～6）のカタカナを漢字に直し、波線（ア～カ）の漢字の読みをひらがなで記せ。

路の畔に軒の傾いた小さな百姓家があって、壁には1**スキ**や犂《くわ》や古い2**ミノ**などがかけてある。髪の乱れた肥った嬶《かかあ》が柱により懸かって、今年生れた赤子に乳をア**呑**ませて居ると、亭主らしい鬚面の四十男は、雨に仕事の出来ぬのを退屈そうに、手を伸ばして大きなイ**欠**をして居た。

鎮守の八幡宮の3**カヤブキ**の古い社殿は街道から見える処にあった。華表《とりい》の傍には社殿修繕の寄附金の姓名と額とが古く新しく並べて書いてある。周囲の欅《けやき》の大木にはもう新芽がウ**萌**し始めた。賽銭箱の前には、額髪を4**テヌグイ**で巻いた子傅《こもり》が二人、子守歌を調子よく5**ウタ**って居た。

昨日の売残りのふかし甘薯が不味そうに並べてある店もあった。雨は細く糸のようにエ**其**の低き軒を6**カス**めた。

畑にはオ**漸**く芽を出しかけた桑、眼もさめるように黄《きいろ》い菜の花、げんげや菫《すみれ》や草の生えて居るカ**畦**、遠くに杉や樫の森に囲まれた豪農の白壁も見える。

出典／田山花袋『田舎教師』より抜粋改変

標準解答

［書き］
1 鋤（鍬）
2 蓑（簑）
3 茅（萱）葺
4 手拭
5 唄（歌）
6 掠（攫）

［読み］
ア の
イ あくび
ウ きざ
エ そ
オ ようや
カ あぜ

※文章中の傍線（7～14）のカタカナを漢字に直し、波線（キ～セ）の漢字の読みをひらがなで記せ。

[7]**フスマ**をあけて、縁側へ出ると、向こう二階の障子に身を倚《も》たして、那美さんが立って居る。顋《あご》を襟のなかへ埋めて、横顔丈しか見えぬ。余が[8]**アイサツ**をしようと思う途端に、女は、左の手を落とした[9]**ママ**、右の手を風の如く動かした。[キ]**閃**くは稲妻か、二折れ三折れ胸のあたりを、するりと走るや否や、かちりと音がして、閃きはすぐ消えた。女の左手には九寸五分の白[ク]**鞘**がある。姿は[ケ]**忽**ち障子の影に隠れた。余は朝っぱらから歌舞伎座を[10]**ノゾ**いた気で宿を出る。

門を出て、左へ切れると、すぐ[コ]**岨道**つづきの、[サ]**爪上**がりになる。[11]**ウグイス**が所々で鳴く。左手がなだらかな谷へ落ちて、[シ]**蜜柑**が一面に植えてある。（中略）岸には大きな柳がある。下に小さな舟を[12]**ツナ**いで、一人の男がしきりに垂綸《いと》を見つめて居る。（中略）久一さんの頭の中には一尾の[13]**フナ**も宿る余地がない。一行の舟は静かに太公望の前を通り越す。

日本橋を通る人の数は、一分に何百か知らぬ。もし[ス]**橋畔**に立って、行く人の心に蟠《わだかま》る[14]**カットウ**を一々に聞き得たならば、浮世は目まぐるしくて生きづらかろう。

（中略）川幅はあまり広くない。底は浅い。流れはゆるやかである。[セ]**舷**によって、水の上を滑って、どこ迄行くか、春が尽きて、人が騒いで、鉢ち合せをしたがる所迄行かねば已《や》まぬ。

出典／夏目漱石『草枕』より抜粋改変

［書き］
7 襖
8 挨拶
9 儘
10 覗（覘）
11 鶯
12 繋（係・維）
13 鮒
14 葛藤

［読み］
キ ひらめ
ク さや
ケ たちま
コ そばみち
サ つまあ
シ みかん
ス きょうはん
セ ふなばた（ふなべり）

第1回 模擬試験

180点以上 合格安全圏
160点以上 合格範囲内
159点以下 努力が必要

制限時間：60分

/200

※実際の試験形式と異なる場合があります。実力チェック用としてお使い下さい。

1 次の――線部分の読みをひらがなで記せ。（各1×30＝30点）

1 **老爺**に郷土の歴史を尋ねる。（　）
2 事件の**凄惨**さは報道からも推測できる。（　）
3 **爾後**、先方からの連絡はない。（　）
4 最果ての**祁寒**の地で暮らす。（　）
5 **蔚蔚**たる木々が生い茂る。（　）
6 **赫灼**たる太陽が容赦なく照りつける。（　）
7 **厩舎**に飼料を運び込む。（　）
8 社会を揺るがす**椿事**が続く。（　）
9 体格の違いで**牝牡**を見分ける。（　）
10 **甜菜**の根の搾り汁で砂糖を作る。（　）
11 **荏苒**と無為な日々を送る。（　）
12 僧侶が**錫杖**を手に歩き出した。（　）
13 **彼此**の思惑が交錯する。（　）
14 事実を**歪曲**して報道する。（　）
15 敷地に入って警備員に**誰何**された。（　）
16 種々の言説が**喧伝**されている。（　）
17 学者が誌上で**鼎談**する。（　）
18 家族の**紐帯**が一層強まった。（　）
19 **烏鷺**の戦いを好む。（　）
20 師匠の**萱堂**が昨夜逝去された。（　）
21 貴婦人は**郁**しい香りを漂わせていた。（　）
22 頂上から**巽**の方角を見下ろす。（　）
23 生と死の**硲**を暫くさまよった。（　）
24 担任の先生に遅刻を**尤**められる。（　）
25 わが国の宇宙開発研究の**魁**である。（　）
26 昔の**誼**で口添えしてもらった。（　）

27 ぐずる子を宥めて幼稚園へ送る。（　　）
28 恋の柵でがんじがらめになる。（　　）
29 我が子の出世を嘉した。（　　）
30 鐺を使って敵を迎え撃った。（　　）

2 **次の——線部分の表外読みをひらがなで記せ。**（各1×10＝10点）

1 舞子の白い項が目に眩しい。（　　）
2 抑事の発端は君の不注意からだ。（　　）
3 敵の奇襲に戦いた。（　　）
4 コップの水を零してしまった。（　　）
5 宝くじの当せん者に肖りたいものだ。（　　）
6 作法に則って儀式を執り行う。（　　）
7 偶立ち寄った店で旧友に再会した。（　　）
8 寒い冬に温かい鍋は堪えられない。（　　）
9 成功は偏に彼の努力の賜物だ。（　　）
10 実り豊かな収穫の秋を迎えた。（　　）

---

3 **次の熟語の読みと、一字訓の読みをひらがなで記せ。**（各1×10＝10点）

1 挽車（　　）	2 挽く（　　）
3 禿筆（　　）	4 禿びる（　　）
5 墨煤（　　）	6 煤ける（　　）
7 遡行（　　）	8 遡る（　　）
9 仰臥（　　）	10 臥す（　　）

4 **次の各組の二文の（　）には共通する漢字が入る。その読みを後の[　]から選び、常用漢字（一字）で記せ。**（各2×5＝10点）

1 新（1）工業国の経済成長が著しい。
夙（1）して朝夕学問に励む。（　　）

2 企業が政府の庇（2）を受ける。
自らの志を（2）持する。（　　）

3 閉（3）した経済状態を打ち破る。
人々が広場に塡（3）する。（　　）

4 私権の濫（4）はこれを許さず。（　　）
財政政策の効（4）が広がる。

5 県の（5）納長が選任された。（　　）
「（5）師の表」の一節を読む。

かご　こう　じゅう
すい　そく　よう　れき

5 次の——線部分のカタカナを漢字で記せ。（各2×20＝40点）

1 狼のエジキになるのは嫌だ。（　　）
2 イハイを仏壇に安置する。（　　）
3 国家の機密がロウエイする。（　　）
4 暗闇の中でロウソクをともす。（　　）
5 目にいっぱいの涙をタタえる。（　　）
6 三振に肩をスボめてベンチに帰る。（　　）
7 ウの花が初夏の訪れを告げる。（　　）

8 古墳からハニワが出土する。（　　）
9 事の成り行きにアゼンとする。（　　）
10 子猫が足にマツわりつく。（　　）
11 工場の資材をコンポウする。（　　）
12 事故の知らせに顔面ソウハクになる。（　　）
13 オンリョウに取りつかれた。（　　）
14 良い顧客先をアッセンしてもらう。（　　）
15 連戦を勝ち抜いてガイカをあげた。（　　）
16 企業経営のサイハイを振る。（　　）
17 オダてられて気分が高揚する。（　　）
18 大勢の客を上手にサバく。（　　）
19 時代のチョウジともてはやされる。（　　）
20 友情と愛をテンビンにかける。（　　）

6 次の各文にまちがって使われている同じ音訓の漢字が一字ある。上に誤字を、下に正しい漢字を記せ。

（各2×5＝10点）

1 先夫を不慮の事故で亡くした後に再嫁した姉は、今は隣月を迎え、実家に戻って来ている。（　）→（　）

2 西欧諸国では、社会保障費に占める粗税負担率は、近年、急上昇する傾向にある。（　）→（　）

3 農民戦争の首怪は、謀殺された先の国王であると称して辺境地帯で政府に叛旗を翻した。（　）→（　）

4 大店の若旦那は、踊り、三味線、謡いなどの道楽に凝って、遂には財産を投尽してしまった。（　）→（　）

5 こしらえの良い背広を着て公安機関に出入りしていた記者は、実は敵国の間聴として働いていた。（　）→（　）

7 次の問1と問2の四字熟語について答えよ。

問1 次の四字熟語の（1〜10）に入る適切な語を後の［　］から選び漢字二字で記せ。

（各2×10＝20点）

1 □□規矩（　）
2 □□鯨呑（　）
3 経世□□（　）
4 □□無頼（　）
5 □□空拳（　）
6 吉日□□（　）
7 剛毅□□（　）
8 前虎□□（　）
9 陶犬□□（　）
10 煩悩□□（　）

がけい　かだん　こうじょう　こうろう
さいみん　さんしょく　せきしゅ　ほうとう
ぼだい　りょうしん

問2 次の解説・意味にあてはまる四字熟語を後の［　］から選び、その傍線部分だけの読みをひらがなで記せ。

（各2×5＝10点）

1 微力でもしだいで成功するたとえ（　　）
2 立派で美しいさま（　　）
3 議論がまとまらないこと（　　）
4 古い慣習を守り続けること（　　）
5 朝早くから夜遅くまで働くこと（　　）

点滴穿石	竜章鳳姿
隔靴掻痒	天壌無窮
甲論乙駁	披星戴月
永劫回帰	旧套墨守

8 次の［　］の中の語を漢字に直し、対義語・類義語を完成させよ。（各2×10＝20点）

【対義語】
1 貴顕（　　）
2 富貴（　　）
3 中枢（　　）
4 憂慮（　　）
5 英明（　　）

【類義語】
6 滞在（　　）
7 朝暮（　　）
8 出版（　　）
9 鍛錬（　　）
10 動向（　　）

あんど　ぐまい　じょうし　すうせい
たんせき　とうや　とうりゅう　びせん
ひんせん　まっしょう

9 次の故事・成語・諺のカタカナの部分を漢字で記せ。（各2×10＝20点）

1 人間万事**サイオウ**が馬。（　　）
2 門前**ジャクラ**を張る。（　　）
3 **センダン**は双葉より芳し。（　　）
4 天網**カイカイ**疎にして漏らさず。（　　）
5 **ルリ**もはりも照らせば光る。（　　）
6 昔とった**キネヅカ**。（　　）
7 **テップ**の急。（　　）
8 飢えたる者は**ソウコウ**を甘んず。（　　）
9 **コウサ**は拙誠に如かず。（　　）
10 **アリ**の穴から堤も崩れる。（　　）

10 文章中の傍線（1～5）のカタカナを漢字に直し、波線（ア～コ）の漢字の読みをひらがなで記せ。

（書き取り 各2×5＝10点・読み 各1×10＝10点）

A

オヨ[1]そ政は**ヨ**[2]る所に立ち、**ワザワイ**[3]は安んずる所に生ず。今国家よる所の者は海、安んずる所の者は外患、一旦たのむべきもの、たのむべからざれば、安んずべきもの、安んずべからず。然るに**アンド**[4]して**イタズラ**[5]に太平を唱うるは、固より論なし。

出典／渡辺崋山『慎機論』より

B

彼は画と云う名の**殆**[ア]ど下すべからざる**達磨**[イ]の幅を掛けて、よう出来た抔《など》と得意である。彼は画工《えかき》に博士があるものと心得て居る。彼は鳩の眼を夜でも利くものと思って居る。それにもかかわらず、芸術家の資格があると云う。彼の心は底のない**嚢**[ウ]の様に行き抜けである。何にも停滞して居らん。随所に動き去り、任意に**作**[エ]し去って、些の塵滓《じんし》の腹部に**沈澱**[オ]する景色がない。もし彼の脳裏に一点の趣味を貼し得たならば、彼は**之**[カ]く所に同化して、行屎走尿《こうしそうにょう》の際にも、完全たる芸術家として存在し得るだろう。余の如きは、探偵に屁《へ》の数を勘定される間は、到底画家にはなれない。画架に向かう事はできる。小手板を握る事はできる。然し画工にはなれない。こうやって、名も知らぬ山里へ来て、暮れんとする春色のなかに五尺の**痩軀**[キ]を埋めつくして、はじめて、真の芸術家たるべき態度に吾身を置き得るのである。一たび此の境界に入れば美の天下はわが有に帰する。尺素を染めず、寸縑《すんけん》を塗らざるも、われは第一流の大画工である。技に於て、ミケルアンゼロに及ばず、**巧**[ク]みなる事ラフハエルに譲る事ありとも、芸術家たるの人格に於て、古今の大家と歩武を**斉**[ケ]うして、毫も**遜**[コ]る所を見出し得ない。

出典／夏目漱石『草枕』より

A

1（　　）
2（　　）
3（　　）
4（　　）
5（　　）

B

ア（　　）　カ（　　）
イ（　　）　キ（　　）
ウ（　　）　ク（　　）
エ（　　）　ケ（　　）
オ（　　）　コ（　　）

▼解答は202ページ

第2回 模擬試験

180点以上 合格安全圏
160点以上 合格範囲内
159点以下 努力が必要

制限時間:60分

／200

※実際の試験形式と異なる場合があります。実力チェック用としてお使い下さい。

1 **次の――線部分の読みをひらがなで記せ。**（各1×30＝30点）

1 海岸近くに**頁岩**が堆積している。（　　）
2 作業場から**砧声**がもれ響く。（　　）
3 特命が下り大臣を**輔弼**する。（　　）
4 建物が**櫛比**する町並みを歩く。（　　）
5 **汀渚**で鳥たちがえさをついばむ。（　　）
6 孫娘の**上巳**の節句を盛大に祝う。（　　）
7 長い間に**馴致**された習慣は消せない。（　　）
8 郷土の**稗史**を楽しみながら読む。（　　）
9 幼君には**儲君**としての使命がある。（　　）
10 脚本の**草藁**があがってきた。（　　）
11 格式高い神社で**禰宜**を務める。（　　）
12 **弓箭**の道を極めようとする。（　　）
13 修験者が、被っていた**兜巾**を外した。（　　）

14 鶴**九皐**に鳴き声天に聞こゆ。（　　）
15 聖書をいつも**枕頭**に置いている。（　　）
16 旧道の脇に**庚申**塚がある。（　　）
17 我**樗材**なるも日々研鑽を積む。（　　）
18 腕が立つ**杏林**として名高い。（　　）
19 田んぼ一面に**禾穂**が実る。（　　）
20 **蓑笠**の男が雪道を歩いている。（　　）
21 名人と言われる人の**噺**に聞き入る。（　　）
22 **坐**らにして政局を察知する。（　　）
23 **栂**の木で椅子を造った。（　　）
24 漁船が**凪**いだ海を進んでいる。（　　）
25 夏まつりで金魚**掬**いを楽しんだ。（　　）
26 発言内容を**悉**く検討する。（　　）

27 夕飯のおかずは**鱈**の香味焼きだ。（　　）
28 力は山を抜き気は世を**蓋**う。（　　）
29 本番**宛**らの練習試合をする。（　　）
30 **椙**の巨木が鎮座している。（　　）

2 **次の――線部分の表外読みをひらがなで記せ。**（各1×10＝10点）

1 十姉妹を**番**いで飼う。（　　）
2 辺りはすっかり夜の**帳**に包まれた。（　　）
3 司会の大役を**仕**る。（　　）
4 国の将来を**患**える。（　　）
5 人の欠点を**論**うのはよしなさい。（　　）
6 わが国の将来を**慮**る。（　　）
7 **罷**り間違えば大損したかもしれない。（　　）
8 長年の部長の苦労を**労**う。（　　）
9 **濃**やかな心配りに感謝する。（　　）
10 放課後、同級生と街角で**屯**する。（　　）

3 **次の熟語の読みと、一字訓の読みをひらがなで記せ。**（各1×10＝10点）

1 頓挫（　　）　2 頓く（　　）
3 一瞥（　　）　4 瞥る（　　）
5 允可（　　）　6 允す（　　）
7 肇造（　　）　8 肇める（　　）
9 葺屋（　　）　10 葺く（　　）

4 **次の各組の二文の（　）には共通する漢字が入る。その読みを後の［　　］から選び、常用漢字（一字）で記せ。**（各2×5＝10点）

1
- 彼は精力が（1）溢している。
- 国王が専（1）の限りを尽くす。

（　　）

2
- 講和会議で相手国から（2）質をとる。
- 諫（2）を疎まれ、左遷された。

（　　）

3
- 国史の（3）纂作業にいそしむ。
- 歴史書を（3）年体で記述する。

（　　）

4 独裁政権が内部から瓦(4)した。
貴重な史料の(4)題を記す。（　）

5 物資を掠(5)する。
詩歌を換骨(5)胎する。（　）

おう　かい　げん　ごん
せい　だつ　び　へん

5 次の――線部分のカタカナを漢字で記せ。
（各2×20＝40点）

1 話にオヒレがついて広まった。（　）
2 同僚の出世をヒガむ。（　）
3 畑に生えた雑草を鎌でナぐ。（　）
4 優勝を果たし故郷にガイセンする。（　）
5 時代劇で武士にフンソウした。（　）
6 隣接する三国がテイリツする。（　）
7 台風で壊れたアマドイを修繕する。（　）
8 些事をオオゲサに騒ぎ立てる。（　）
9 相手の話をウ呑みにする。（　）
10 カンガイを施した農地に作物が実る。（　）
11 朗報に接しカイサイを叫ぶ。（　）
12 コンペキの空に一筋の雲が浮かぶ。（　）
13 出費がカサみ生活が苦しくなる。（　）
14 古民家の天井がススけている。（　）
15 執行役員にバッテキされる。（　）
16 強固な守りの前に攻めアグんだ。（　）
17 毎朝丁寧に髭をソる。（　）
18 厳しい試練にもヒルまなかった。（　）
19 新鮮なカンキツ類が市場に並ぶ。（　）
20 セッケンで丁寧に手を洗う。（　）

6 次の各文にまちがって使われている同じ音訓の漢字が一字ある。上に誤字を、下に正しい漢字を記せ。

(各2×5＝10点)

1 市長は、職権濫用を非難した報道に対し、事実を隈曲したものであると抗議の声明を発表した。（　）→（　）

2 「糟功の妻は堂より下さず」という中国の故事は、多分、万国共通の家族倫理と言えるであろう。（　）→（　）

3 赤い鎧兜に身を包み、長柄の槍を小脇に挟んだ武将が、間撃を縫って敵の本陣へと馬を馳せた。（　）→（　）

4 祖父は骨陶品の蒐集が趣味であり、さまざまな道具を渉猟してはそれを鑑賞している。（　）→（　）

5 蒙味な民衆を教導し、世務を啓く者という意味で、新聞記者は社会の木拓と言われている。（　）→（　）

7 次の問1と問2の四字熟語について答えよ。

問1 次の四字熟語の（1〜10）に入る適切な語を後の□から選び漢字二字で記せ。

(各2×10＝20点)

1 □□浄土（　）

2 □□猛進（　）

3 □□羨魚（　）

4 □□夕虚（　）

5 □□併呑（　）

6 前途□□（　）

7 古色□□（　）

8 紫電□□（　）

9 沈魚□□（　）

10 道聴□□（　）

いっせん　ごんぐ　せいだく　そうぜん
ちょうえい　ちょとつ　とせつ　らくがん
りょうえん　りんえん

問2 次の解説・意味にあてはまる四字熟語を後の□から選び、その傍線部分だけの読みをひらがなで記せ。

(各2×5＝10点)

1 遠い外国のこと（　　）
2 豪華な衣服のたとえ（　　）
3 無理にこじつけること（　　）
4 感情がまつわりついて離れないさま（　　）
5 疑われることはしないほうがよい（　　）

波濤万里　容貌魁偉　眉目秀麗　牽強附会
情緒纏綿　草茅危言　李下瓜田　綾羅錦繡

8 **次の［　］の中の語を漢字に直し、対義語・類義語を完成させよ。**（各2×10＝20点）

【対義語】
1 出家（　　）
2 進取（　　）
3 愚鈍（　　）
4 険阻（　　）
5 起工（　　）

【類義語】
6 碇泊（　　）
7 没入（　　）
8 勃発（　　）
9 腹心（　　）
10 難解（　　）

かいじゅう　げんぞく　ここう　じゃっき
しゅんせい　そうめい　たいえい　ちんせん
とうびょう　へいたん

9 **次の故事・成語・諺のカタカナの部分を漢字で記せ。**（各2×10＝20点）

1 **キャラ**で作った仏同然。（　　）
2 **エンオウ**の契り。（　　）
3 命長ければ**ホウライ**を見る。（　　）
4 **オウム**よく言えども飛鳥を離れず。（　　）
5 味噌**コ**しで水を掬う。（　　）
6 **ワサビ**と浄瑠璃は泣いて賞める。（　　）
7 **シシ**に鰭。（　　）
8 弓は袋に太刀は**サヤ**。（　　）
9 天を仰いで**ツバキ**する。（　　）
10 君子**ホウチュウ**に入るに忍びず。（　　）

10 文章中の傍線（1～5）のカタカナを漢字に直し、波線（ア～コ）の漢字の読みをひらがなで記せ。

（書き取り 各2×5＝10点・読み 各1×10＝10点）

A

親子三人引き連れて約一里ばかりの寺に1**モウ**で、暫し2**モクトウ**して妾が志を祖先に告げぬ。初秋のいと3**サワ**やかに晴れたる日なりき。生まれて十七年の住みなれし家に背き、恩愛厚き父母の4**シッカ**を離れんとする苦しさは、5**シノ**ぶとすれど胸に余りて、外貌《おもて》にや表われけん。

出典／福田英子『妾の半生涯』より

B

吉五郎、おれはこの元旦、衣服をあらためて雑煮のア**膳**に向って、太箸を取り、食わんとして、不図涙が……止め度なくイ**頬**を流れている。いま市中にさまようて饑寒《きかん》に苦しむ人々を思うと、結構に料理した雑煮の餅が、急にウ**咽**を下らなくなったのだ。その時の詩だ。エ**忽**チ思フ城中多キト㆓菜色㆒、一身ノ温飽慚《は》ヅ㆓于天ニ㆒

――偽らざるその時の心持なのだ。同時に稲妻のごとくわが心をオ**掠**めたのは、何故おれは食って彼は食わぬか……という言葉だ。誰でも深く考えてみるがカ**好**い、何故おれは食って彼は食えぬか……考えるほど心に寒く、悚然《しょうぜん》として戦慄《せんりつ》せずにはいられない、人間の大きな問題だ。

出典／真山青果「大塩平八郎」より

C

西洋医学の発達は全く驚嘆する外はないぞ。（中略）西洋には牛痘と云って、牛の体に疱瘡《ほうそう》して、そのキ**発疹**の液汁《しる》をとって人体にク**種**える術があることを知ったんだ。暗竭利亜《アンゲリア》のジエンナーという ケ**碩学**が初めて発見した秘法だよ。（中略）腕種えと云って腕に小さなコ**創**をつけて牛痘をそれに擦り込むだけなのだ。至って手軽なものだ。

出典／真山青果「玄朴と長英」より

A
1（　　）
2（　　）
3（　　）
4（　　）
5（　　）

B
ア（　　）
イ（　　）
ウ（　　）
エ（　　）
オ（　　）

C
カ（　　）
キ（　　）
ク（　　）
ケ（　　）
コ（　　）

▼解答は203ページ

第1回 模擬試験 標準解答

1 読み 各1点(30)

1 ろうや
2 せいさん
3 じご
4 きかん
5 うつうつ
6 かくしゃく
7 きゅうしゃ
8 ちんじ
9 ひんぼ
10 てんさい
11 じんぜん
12 しゃくじょう
13 ひし
14 わいきょく
15 すいか
16 けんでん
17 ていだん
18 ちゅうたい（じゅうたい）
19 うろ
20 けんどう
21 かぐわ
22 たつみ
23 はざま
24 とが
25 さきがけ
26 よしみ
27 なだ
28 しがらみ
29 よみ
30 やり

2 表外の読み 各1点(10)

1 うなじ
2 そもそも
3 おのの
4 こぼ
5 あやか
6 のっと
7 たまたま
8 こた
9 ひとえ
10 とき

3 熟語の読み 一字訓読み 各1点(10)

1 ばんしゃ
2 ひ
3 とくひつ
4 ち
5 ぼくばい
6 すす
7 そこう
8 さかのぼ
9 ぎょうが
10 ふ

4 共通の漢字 各2点(10)

1 興
2 護
3 塞
4 用
5 出

5 書き取り 各2点(40)

1 餌食
2 位牌
3 漏洩（泄）
4 蠟燭
5 湛
6 窄（歙）
7 卯
8 埴輪
9 唖然
10 纏
11 梱包
12 蒼白
13 怨霊
14 斡旋
15 凱歌
16 采配
17 煽
18 捌
19 寵児
20 天秤

6 誤字訂正 各2点(10)

1 隣→臨
2 粗→租
3 怪→魁
4 投→蕩
5 聴→諜

7 四字熟語

問1 各2点(20)

1 鉤縄
2 蚕食
3 済民
4 放蕩
5 赤手
6 良辰
7 果断
8 後狼
9 瓦鶏
10 菩提

問2 各2点(10)

1 せんせき
2 ほうし
3 おつばく
4 きゅうとう
5 ひせい

8 対義語・類義語 各2点(20)

1 微賤
2 貧賤
3 末梢
4 安（案）堵
5 愚昧
6 逗留
7 旦夕
8 上梓
9 陶冶
10 趨勢

9 故事・諺 各2点(20)

1 塞翁
2 雀羅
3 栴檀
4 恢恢
5 瑠（琉）璃
6 杵柄
7 轍鮒
8 糟糠
9 巧詐
10 蟻

10 文章題 書き取り 各2点(10) 読み 各1点(10)

1 凡
2 拠（依）
3 禍
4 安（案）堵
5 徒

ア ほとん
イ だるま
ウ ふくろ
エ な
オ ちんでん
カ ゆ
キ そうく
ク たく
ケ ひとし
コ ゆず（おと）

第2回 模擬試験 標準解答

1 読み 各1点(30)

1 けつがん
2 ちんせい
3 ほひつ
4 しっぴ
5 ていしょ
6 じょうし
7 じゅんち
8 はいし
9 ちょくん
10 そうこう
11 ねぎ
12 きゅうせん
13 ときん
14 きゅうこう
15 ちんとう
16 こうしん
17 ちょざい
18 きょうりん
19 かすい
20 さりゅう
21 はなし
22 いなが
23 とが(つが)
24 な
25 すく
26 ことごと
27 たら
28 おお
29 さなが
30 すぎ

2 表外の読み 各1点(10)

1 つが
2 とばり
3 つかまつ
4 うれ
5 あげつら
6 おもんぱか
7 まか
8 ねぎら
9 こま
10 たむろ

3 熟語の読み 一字訓読み 各1点(10)

1 とんざ
2 つまず
3 いちべつ
4 み
5 いんか
6 ゆる
7 ちょうぞう
8 はじ
9 しゅうおく
10 ふ

4 共通の漢字 各2点(10)

1 横
2 言
3 編
4 解
5 奪

5 書き取り 各2点(40)

1 尾鰭
2 僻
3 薙
4 凱旋
5 扮装
6 鼎立
7 雨樋
8 大袈裟
9 鵜
10 灌漑
11 快哉
12 紺碧
13 嵩
14 煤
15 抜擢
16 倦
17 剃(剔)
18 怯
19 柑橘
20 石鹸

6 誤字訂正 各2点(10)

1 隈→歪
2 功→糠
3 撃→隙
4 陶→董
5 拓→鐸

7 四字熟語

問1 各2点(20)

1 欣求
2 猪突
3 臨淵
4 朝盈
5 清濁
6 遼遠
7 蒼然
8 一閃
9 落雁
10 塗(途)説

問2 各2点(10)

1 はとう
2 りょうら
3 けんきょう
4 てんめん
5 かでん

8 対義語・類義語 各2点(20)

1 還俗
2 退嬰
3 聡明
4 平坦
5 竣成
6 投錨
7 沈潜
8 惹起
9 股肱
10 晦渋

9 故事・諺 各2点(20)

1 伽羅
2 鴛鴦
3 蓬莱
4 鸚鵡
5 漉(濾)
6 山葵(薑)
7 獅子
8 鞘
9 唾
10 庖厨

10 文章題 書き取り 各2点(10) 読み 各1点(10)

1 詣
2 黙禱
3 爽
4 膝下
5 偲(慕・忍)

ア ぜん
イ ほお(ほほ)
ウ のど
エ たちま
オ かす
カ よ
キ ほ(は)っしん
ク う
ケ せきがく
コ きず

読み ダメ押しの600

本編には収録しきれなかった、過去に出題された実績がある読みの問題を600問掲載しました。準1級の出題範囲は膨大であるため、時間が許す限り、多くの問題を解いておきましょう。

※ 次の――線の音読みをひらがなで記せ。

□ 繭紬の紋付を着る。 ▼けんちゅう
□ 病竈を摘出する。 ▼びょうそう
□ 戦争を厭忌する。 ▼えんき
□ 国民の輿望を担う。 ▼よぼう
□ 独断を諫止する。 ▼かんし
□ 坤軸を揺るがす地震。 ▼こんじく
□ 垂簾の政を行う。 ▼すいれん
□ 綾子の被布を羽織る。 ▼りんず
□ 肇国の祖を祭る。 ▼ちょうこく
□ 相好を崩す。 ▼そうごう
□ 隣国同士が輯睦する。 ▼しゅうぼく
□ 舛誤が見当たらない。 ▼せんご
□ 御落胤が出家する。 ▼らくいん
□ 空隙を埋める。 ▼くうげき
□ 湛湛と水をたたえる。 ▼たんたん

□ 紬紡糸で織り上げる。 ▼ちゅうぼうし
□ 橘中の楽しみ。 ▼きっちゅう
□ 云々すべきではない。 ▼うんぬん
□ 亮然たる差が開く。 ▼りょうぜん
□ 君寵に浴する。 ▼くんちょう
□ 負笈して立身する。 ▼ふきゅう
□ 檜垣で敷地を囲う。 ▼ひがき
□ 妾宅を構える。 ▼しょうたく
□ 輪輿の職人を雇う。 ▼りんよ
□ 柴荊で隠遁する。 ▼さいけい
□ 草木が萌動する。 ▼ほうどう ぼうどう
□ 空気を呑吐する。 ▼どんと
□ 藍綬褒章を授与する。 ▼らんじゅ
□ 鎮咳薬を処方する。 ▼ちんがい
□ 残蟬の声が響く。 ▼ざんせん

□ 蓬莱に憧憬する。 ▼ほうらい
□ 醱墨の技法を用いる。 ▼はつぼく
□ 宏壮な屋敷に住む。 ▼こうそう
□ 敵将を籠絡する。 ▼ろうらく
□ 芙蓉の顔、柳の眉。 ▼ふよう
□ 瓦石同然の偽物だ。 ▼がせき
□ 足先が壊死する。 ▼えし
□ 料理を註文する。 ▼ちゅうもん
□ 杢怪の幸い。 ▼もっけ
□ 剃度の儀式を行う。 ▼ていど
□ 醇乎たる精神を保つ。 ▼じゅんこ
□ 顔色を勃如と変える。 ▼ぼつじょ
□ 佑宰に相談する。 ▼ゆうさい
□ 蟬吟が騒々しい。 ▼せんぎん
□ 埴生の宿に泊まる。 ▼はにゅう

□ 恩賜公園が開園する。 ▼おんし
□ 木犀の花が匂う。 ▼もくせい
□ 今年の干支は丙寅だ。 ▼へいいん
□ 世を捨て巌栖する。 ▼がんせい
□ 旅先で饗応を受ける。 ▼きょうおう
□ 来年は辛巳にあたる。 ▼しんし
□ 腫物に触る様に扱う。 ▼しゅもつ
□ 斧正を請う。 ▼ふせい
□ 砕屑が散乱している。 ▼さいせつ
□ 塵垢にまみれる。 ▼じんこう
□ 妖艶な姿を披露する。 ▼ようえん
□ 広く学問を貫穿する。 ▼かんせん
□ 双方は劃然と異なる。 ▼かくぜん
□ 蛙声が騒がしい。 ▼あせい
□ 賜餐の栄に浴する。 ▼しさん

□ **雛妓**に芸を仕込む。 ▼すうぎ
□ 特産品を**蒐荷**する。 ▼しゅうか
□ **己丑**の年に逝去する。 ▼きちゅう
□ **簾政**を布く。 ▼れんせい
□ **斯道**の大家となる。 ▼しどう
□ **城柵**を巡らす。 ▼じょうさく
□ 鷹を**馴服**させる。 ▼じゅんぷく
□ 男児を**分娩**する。 ▼ぶんべん
□ **寒垢離**を取る。 ▼かんごり
□ **碧梧**が生い茂る。 ▼へきご
□ **矩形**に成型加工する。 ▼くけい
□ 次の**丁卯**で還暦だ。 ▼ていぼう
□ **自然薯**を掘り起こす。 ▼じねんじょ
□ **宏図**を実行に移す。 ▼こうと
□ **諒闇**で祝儀を控える。 ▼りょうあん
□ **魁梧**たる力士を破る。 ▼かいご
□ **註疏**を加える。 ▼ちゅうそ
□ **胡座**して思索に耽る。 ▼こざ
□ **亮闇**が明ける。 ▼りょうあん
□ 湖畔を**周匝**する。 ▼しゅうそう

□ **貴賤**を問わない。 ▼きせん
□ **瓶酒**を岳父に贈る。 ▼へいしゅ
□ **劫火**に包まれる。 ▼ごうか こうか
□ **激昂**して退席する。 ▼げきこう げっこう
□ 原則に**背馳**する。 ▼はいち
□ 地図に**卯酉**線を描く。 ▼ぼうゆう
□ **迅瀬**を小舟で下る。 ▼じんらい
□ 渓間に**灘声**が響く。 ▼だんせい たんせい
□ **姦詐**を見抜く。 ▼かんさ
□ **藪林**が生い茂る。 ▼そうりん
□ 娘の早世を**歎**ずる。 ▼たん
□ 十分な**戎器**を備える。 ▼じゅうき
□ **紫檀**の家具を設える。 ▼したん
□ 仏像に**腕釧**を飾る。 ▼わんせん
□ **貨賂**を受け取る。 ▼かろ
□ 文化が**凋零**する。 ▼ちょうれい
□ 篤志家が**賑救**する。 ▼しんきゅう
□ **唾壺**に唾を吐く。 ▼だこ
□ 導線を**盤陀**付けする。 ▼はんだ
□ 政局の**趨向**に従う。 ▼すうこう

□ **哀憐**の情が湧く。 ▼あいれん
□ **筆絢**に親しむ。 ▼ひっけん
□ 万事**亨通**する。 ▼こうつう
□ **鬱乎**たる森林が続く。 ▼うっこ
□ **晴嵐**が吹き荒れる。 ▼せいらん
□ 敗戦が**旦夕**に迫る。 ▼たんせき
□ **柴門**を閉める。 ▼さいもん
□ **王胤**が元服する。 ▼おういん
□ **瓶子**で酒を杯に注ぐ。 ▼へいじ へいし
□ **分水嶺**に立つ。 ▼ぶんすいれい
□ **敦厚**な人柄を慕う。 ▼とんこう
□ 文献の**錯謬**に気付く。 ▼さくびゅう
□ 公表内容を**填足**する。 ▼てんそく
□ **叢書**を熟読玩味する。 ▼そうしょ
□ **丞相**に任命される。 ▼じょうしょう しょうじょう
□ **寧馨児**と持てはやす。 ▼ねいけいじ
□ 境内で**神鹿**を飼う。 ▼しんろく
□ 到着を**鶴首**して待つ。 ▼かくしゅ
□ **光耀**を発する。 ▼こうよう
□ **辺佑**で静かに暮らす。 ▼へんゆう

□ 綱紀が**弛廃**する。 ▼しはい
□ 魔除けの札を**貼**する。 ▼ちょう
□ **林藪**に分け入る。 ▼りんそう
□ **鉄杵**を磨く。 ▼てっしょ
□ 重機が**轟音**を立てる。 ▼ごうおん
□ **蕃境**に踏み入れる。 ▼ばんきょう
□ 山は**嵐気**に包まれた。 ▼らんき
□ **聯珠**に興じる。 ▼れんじゅ
□ 屋根を**補葺**する。 ▼ほしゅう
□ **潟湖**を干拓する。 ▼せきこ
□ **禾本**科に属する。 ▼かほん
□ **狼戻**の心を抱く。 ▼ろうれい
□ **端坐**して黙想する。 ▼たんざ
□ **翠雨**が降り注ぐ。 ▼すいう
□ 孤児に**憐情**を覚える。 ▼れんじょう
□ **射倖心**を煽る。 ▼しゃこうしん
□ **劫末**が近づく。 ▼ごうまつ
□ 妻の早世に**浩歎**する。 ▼こうたん
□ 前言を**幡然**と改める。 ▼はんぜん
□ **巌頭**に立って眺める。 ▼がんとう

- ☐ **水団**をする。 ▼すいとん
- ☐ 敵の**臣妾**となる。 ▼しんしょう
- ☐ 街灯が**晃晃**と輝く。 ▼こうこう
- ☐ 旧友と**鷗盟**を結ぶ。 ▼おうめい
- ☐ **諸彦**に告ぐ。 ▼しょげん
- ☐ 旧套を**簸却**する。 ▼はきゃく
- ☐ 豪族同士が**逐鹿**する。 ▼ちくろく
- ☐ **鷹隼**が大空に舞う。 ▼ようじゅん ようしゅん
- ☐ 詩集を**梓行**する。 ▼しこう
- ☐ 学友と**款語**する。 ▼かんご
- ☐ **老妓**の円熟した芸だ。 ▼ろうぎ
- ☐ **嘉猷**を進言する。 ▼かゆう
- ☐ 一時的に**瀦滞**する。 ▼ちょたい
- ☐ **鼠盗**を掃滅する。 ▼そとう
- ☐ 老僧が**寂滅**する。 ▼じゃくめつ
- ☐ **柏槙**が林立する。 ▼びゃくしん
- ☐ **気焔**を吐く。 ▼きえん
- ☐ **孝悌**は仁を為すの本。 ▼こうてい
- ☐ **怯夫**のらく印を押す。 ▼きょうふ
- ☐ 藩主の**芝眉**を拝する。 ▼しび

- ☐ リンパ節が**腫脹**する。 ▼しゅちょう
- ☐ **皇儲**が外遊する。 ▼こうちょ
- ☐ **蠟涙**が流れ落ちる。 ▼ろうるい
- ☐ **談藪**を熟読玩味する。 ▼だんそう
- ☐ **穎悟**と評される。 ▼えいご
- ☐ **泥裏**に土塊を洗う。 ▼でいり
- ☐ **鹿柴**をめぐらす。 ▼ろくさい
- ☐ **熟柿**を天日に干す。 ▼じゅくし
- ☐ **叡智**を結集する。 ▼えいち
- ☐ **宛然**偉人の如しだ。 ▼えんぜん
- ☐ 配膳の順を**按排**する。 ▼あんばい
- ☐ **胤嗣**が誕生する。 ▼いんし
- ☐ 来年は**辛丑**に当たる。 ▼しんちゅう
- ☐ 兵が**戟**を構える。 ▼げき
- ☐ **骨董**市で壺を購う。 ▼こっとう
- ☐ 返書に**倭語**を用いる。 ▼わご
- ☐ 猫が**蕃殖**する。 ▼はんしょく
- ☐ 静養して**爽然**となる。 ▼そうぜん
- ☐ **樵蘇**を生業とする。 ▼しょうそ
- ☐ 早春の**花圃**を愛でる。 ▼かほ

- ☐ **戴冠**式が挙行された。 ▼たいかん
- ☐ **翰藻**に通じる。 ▼かんそう
- ☐ **戊申**の年に生まれる。 ▼ぼしん
- ☐ 際立って**聡慧**な子だ。 ▼そうけい
- ☐ **不壊**の信仰をもつ。 ▼ふえ
- ☐ **凄艶**な姿に驚嘆する。 ▼せいえん
- ☐ **大姦**は忠に似たり。 ▼たいかん
- ☐ **月卿**が参内する。 ▼げっけい
- ☐ **縦容**と応対する。 ▼しょうよう
- ☐ **青黛**の空を見上げる。 ▼せいたい
- ☐ **尖鋭**な思想に立つ。 ▼せんえい
- ☐ 外出前に**粉黛**を施す。 ▼ふんたい
- ☐ **紙燭**に火を点ける。 ▼しそく ししょく
- ☐ **吃緊**の課題を扱う。 ▼きっきん
- ☐ 河水を**堰塞**する。 ▼えんそく
- ☐ **双頰**に涼風を感じる。 ▼そうきょう
- ☐ **貝母**を薬に用いる。 ▼ばいも
- ☐ **衿帯**に陣を張る。 ▼きんたい
- ☐ **碩儒**に助言を求める。 ▼せきじゅ
- ☐ **摯実**な態度で接する。 ▼しじつ

- ☐ **徒爾**に終わる。 ▼とじ
- ☐ **緩頰**を煩わす。 ▼かんきょう
- ☐ 我先と**潰走**する。 ▼かいそう
- ☐ **膏雨**を待つ。 ▼こうう
- ☐ 疑いのない**穎哲**だ。 ▼えいてつ
- ☐ **謬説**に惑わされる。 ▼びゅうせつ
- ☐ **鬱勃**たる闘志が湧く。 ▼うつぼつ
- ☐ 乱世に**簸弄**される。 ▼はろう
- ☐ 私財を**奪掠**される。 ▼だつりゃく
- ☐ 職を退き**幽栖**する。 ▼ゆうせい
- ☐ **神祇**を祭る。 ▼じんぎ
- ☐ 奥地に**草庵**を結ぶ。 ▼そうあん
- ☐ **姻戚**関係を結ぶ。 ▼いんせき
- ☐ 不意の事で**吃驚**する。 ▼きっきょう
- ☐ 来年は**己酉**に当たる。 ▼きゆう
- ☐ **枕辺**で看病する。 ▼ちんぺん
- ☐ 世の**毀誉**を意識する。 ▼きよ
- ☐ **造兵廠**で弾薬を作る。 ▼ぞうへいしょう
- ☐ 陛下より**徽号**を賜る。 ▼きごう
- ☐ 客車を**聯結**する。 ▼れんけつ

□ **杢体**を付ける。 ▼もったい

□ **己未**の年に卒業する。 ▼きび

□ **圃畦**が乾燥する。 ▼ほけい

□ **暗碧**の夜空を眺める。 ▼あんぺき

□ 幼少より**穎異**な子だ。 ▼えいい

□ **虞犯**少年を更生する。 ▼ぐはん

□ 辺境の地で**棲遅**する。 ▼せいち

□ 寒冬に**栗栗**とする。 ▼りつりつ

□ **鳴禽**の声が響く。 ▼めいきん

□ **敏慧**な頭脳をもつ。 ▼びんけい

□ 前戦の兵を**掩護**する。 ▼えんご

□ 鬱気が**弥漫**する。 ▼びまん

□ 経典を**請来**する。 ▼しょうらい

□ **叩門**して中に入る。 ▼こうもん

□ 幼子が**嬉戯**する。 ▼きぎ

□ **屢次**の災難に遭う。 ▼るじ

□ **西戎**が侵入する。 ▼せいじゅう

□ **階梯**をかけ上がる。 ▼かいてい

□ **臼歯**で嚙み砕く。 ▼きゅうし

□ 王から**冊封**を受ける。 ▼さくほう／さっぽう

□ **辰砂**で顔料を作る。 ▼しんしゃ／しんさ

□ **叡慮**を奉ずる。 ▼えいりょ

□ **有卦**に入る。 ▼うけ

□ **金無垢**の時計を買う。 ▼きんむく

□ **閏統**が王位を襲ぐ。 ▼じゅんとう

□ **天竺**から伝来する。 ▼てんじく

□ **寸隙**を割いて鍛える。 ▼すんげき

□ **淵藪**として栄える。 ▼えんそう

□ **甘藷**で地酒を造る。 ▼かんしょ

□ **稗官**に甘んじる。 ▼はいかん

□ **稀有**な事故が起こる。 ▼けう、きゆう

□ **垢衣**を脱ぐ。 ▼こうい／くえ

□ **筆翰**流るるが如し。 ▼ひっかん

□ **帥先**して実践する。 ▼そっせん

□ **小隙**を埋める。 ▼しょうげき

□ **寵辱**を繰り返す。 ▼ちょうじょく

□ 都を離れ**隠栖**する。 ▼いんせい

□ 好んで**禽鳥**を描く。 ▼きんちょう

□ **頃来**多忙を極める。 ▼けいらい

□ **甜瓜**が成熟する。 ▼てんか

□ 隣地を**奄有**する。 ▼えんゆう

□ **斯学**の権威となす。 ▼しがく

□ **聾啞**者に配慮する。 ▼ろうあ

□ **肌膚**に膏薬を貼る。 ▼きふ

□ **姦計**を巡らす。 ▼かんけい

□ **飛箭**が降り注ぐ。 ▼ひせん

□ **斧斤**で薪を割る。 ▼ふきん

□ **捷報**に歓喜する。 ▼しょうほう

□ **慧悟**で勇敢な家臣だ。 ▼けいご

□ 我が境涯を**慨歎**する。 ▼がいたん

□ そう海の**一粟**。 ▼いちぞく

□ 皆の提案を**綜合**する。 ▼そうごう

□ **轟然**たる砲声が響く。 ▼ごうぜん

□ 勅語を**捧読**する。 ▼ほうどく

□ **塁砦**を構築する。 ▼るいさい

□ 他説を**論駁**する。 ▼ろんばく

□ **雛孫**が子猫と戯れる。 ▼すうそん

□ **山麓**に草原が広がる。 ▼さんろく

□ **溝渠**を張り巡らす。 ▼こうきょ

□ 山中に鹿が**群棲**する。 ▼ぐんせい

□ 酒席に**舞妓**を呼ぶ。 ▼ぶぎ

□ 弾が**戎衣**を貫く。 ▼じゅうい

□ **叔姪**婚を禁じる。 ▼しゅくてつ

□ **仁恕**の心で接する。 ▼じんじょ

□ **薪柴**を集める。 ▼しんさい

□ **翠微**を眺める。 ▼すいび

□ **縄矩**を定める。 ▼じょうく

□ **冥加**に尽きる。 ▼みょうが

□ **乙巳**の変が起こる。 ▼いっし／おっし

□ この**界隈**では評判だ。 ▼かいわい

□ 荷物に**符牒**を付ける。 ▼ふちょう

□ **妬心**を覚える。 ▼としん

□ 突如**瑞雲**が現れる。 ▼ずいうん

□ **弁疏**の余地がない。 ▼べんそ

□ 罪人に**訊鞫**を加える。 ▼じんきく

□ **羅紗**の帽子を被る。 ▼らしゃ

□ 公徳を**砥礪**する。 ▼しれい／ていれい

□ **管窺**を自覚する。 ▼かんき

□ 複数の地を**汎称**する。 ▼はんしょう

□ **梓匠**を雇う。 ▼ししょう

□ **青翠**の大海が広がる。 ▼せいすい
□ **董狐**の筆。 ▼とうこ
□ **杜撰**な計画を見直す。 ▼ずさん
□ **籠城**作戦を敢行する。 ▼ろうじょう
□ **葡萄**を発酵させる。 ▼ぶどう
□ **欽羨**の念を抱く。 ▼きんせん
□ **戊寅**の年に生まれる。 ▼ぼいん
□ 適宜**傭役**する。 ▼ようえき
□ 灌木が**暢茂**する。 ▼ちょうも
□ 娘の**弄瓦**を祝す。 ▼ろうが
□ **拳骨**を振り上げる。 ▼げんこつ
□ 自陣に**鹿砦**を設ける。 ▼ろくさい
□ **雲梯**で腕力を鍛える。 ▼うんてい
□ 罪人を**庇蔭**する。 ▼ひいん
□ **舟筏**で対岸に渡る。 ▼しゅうばつ
□ 浄土を**欣求**する。 ▼ごんぐ
□ 宿場町に**茅舎**が並ぶ。 ▼ぼうしゃ
□ 田に**畦畔**を作る。 ▼けいはん
□ 空高く**紙鳶**をあげる。 ▼しえん
□ 腕を**撫**して待つ。 ▼ぶ

□ **牒状**を送る。 ▼ちょうじょう
□ **卦体**が悪い。 ▼けたい
□ **袈裟**と衣は心に着よ。 ▼けさ
□ **枇杷**の実を収穫する。 ▼びわ
□ 戦略に**智嚢**を絞る。 ▼ちのう
□ **長袖**の上着を着る。 ▼ちょうしゅう
□ **檮昧**を以て至福とす。 ▼とうまい
□ **英彦**として尊ばれる。 ▼えいげん
□ **障碍**を乗り越える。 ▼しょうがい しょうげ
□ **占卜**で政事を行う。 ▼せんぼく
□ 片田舎に**逼塞**する。 ▼ひっそく
□ 容赦なく**詮議**する。 ▼せんぎ
□ 名器を**賞翫**する。 ▼しょうがん
□ 御**諒察**下さい。 ▼りょうさつ
□ **火箭**を打ち上げる。 ▼かせん
□ **畏怖**の念を抱く。 ▼いふ
□ **些末**な事にこだわる。 ▼さまつ
□ 闇に紛れて**掩撃**する。 ▼えんげき
□ **薬圃**から薬草を摘む。 ▼やくほ
□ 多くの**兵戟**を蓄える。 ▼へいげき

□ **嘉節**を皆で祝う。 ▼かせつ
□ 作業が**濡滞**する。 ▼じゅたい
□ **穎才**が認められる。 ▼えいさい
□ **顎関節**が脱臼する。 ▼がくかんせつ
□ **伎楽**を上演する。 ▼ぎがく
□ 敗れて**繫囚**となる。 ▼けいしゅう
□ 主から**鶏黍**を受ける。 ▼けいしょ
□ **禎祥**が見られる。 ▼ていしょう
□ **昂然**と胸を張る。 ▼こうぜん
□ 官吏を辞め**晦匿**する。 ▼かいとく
□ 砂浜に**濤声**が響く。 ▼とうせい
□ 家臣を**駕御**する。 ▼がぎょ
□ 政敵を**鼠輩**と蔑む。 ▼そはい
□ **防諜**を強化する。 ▼ぼうちょう
□ **渥丹**の器に菜を盛る。 ▼あくたん
□ 昔から**要津**とされる。 ▼ようしん
□ **竹篦**を打つ。 ▼ちくへい しっぺい
□ **割烹**で夕飯を済ます。 ▼かっぽう
□ **播種**期を迎える。 ▼はしゅ
□ 各地に**擾乱**が起こる。 ▼じょうらん

□ **微塵**も痕跡がない。 ▼みじん びじん
□ **芸妓**が舞を披露する。 ▼げいぎ
□ 鐘も**撞木**の当たり柄。 ▼しゅもく しもく
□ **軽忽**な言動を戒める。 ▼けいこつ きょうこつ
□ **慧敏**さに感心する。 ▼けいびん
□ 僧侶が**頭陀**行する。 ▼ずだ
□ 師から**烹煎**を教わる。 ▼ほうせん
□ **銅壺**で湯を沸かす。 ▼どうこ
□ **而立**を迎え起業する。 ▼じりつ
□ 容疑者を**鞠訊**する。 ▼きくじん
□ **名妓**と評判が高い。 ▼めいぎ
□ 罪を**貰赦**する。 ▼せいしゃ
□ 中流の**砥柱**。 ▼しちゅう
□ 城を堀で**匝囲**する。 ▼そうい
□ 情勢が**逼急**している。 ▼ひっきゅう ひょくきゅう
□ **竈煙**が立ち上がる。 ▼そうえん
□ 春山に**鶯語**が響く。 ▼おうご
□ **漏壺**が時を知らせる。 ▼ろうこ
□ 自ら**竪立**する。 ▼じゅりつ
□ **甑中**に塵を生ず。 ▼そうちゅう

✲ 次の――線の訓読みをひらがなで記せ。

□ 今**猶**達者に暮らす。 ▼なお
□ **窃**かに物を盗む。 ▼ひそ
□ **太**だ迷惑している。 ▼はなは
□ **仮令**高くても買う。 ▼たとい たとえ
□ 巧詐は拙誠に**如**かず。 ▼し
□ **縮緬**の羽織を着る。 ▼ちりめん
□ 極端に**趨**る。 ▼はし
□ 商店で日用品を**購**う。 ▼あがな
□ 国を**彊**くする。 ▼つよ
□ **梢**を切り落とす。 ▼こずえ
□ 月が青白く**耀**く。 ▼かがや
□ 和装が**艶**かしい。 ▼なまめ
□ **栃**の実の灰汁を抜く。 ▼とち とちのき
□ 異議を**称**える。 ▼とな
□ **黄昏**時に帰途に就く。 ▼たそがれ
□ **浅葱**色の服を着る。 ▼あさぎ
□ 部隊の**殿**を務める。 ▼しんがり
□ **錫**を産出する。 ▼すず

□ 国を長く**鎖**す。 ▼とざ
□ えびで**鯛**を釣る。 ▼たい
□ 己の立場を**弁**える。 ▼わきま
□ 荒れた地面を**均**す。 ▼なら
□ **蝦蔓**の実が完熟する。 ▼えびづる
□ 書物を読み**漁**る。 ▼あさ
□ **鋤鍬**で開墾する。 ▼すきくわ
□ 諸行無常の**理**。 ▼ことわり
□ **嵩高**に物を言う。 ▼かさだか
□ **千尋**の谷底に落ちる。 ▼ちひろ ちいろ
□ **椎茸**を栽培する。 ▼しいたけ
□ 新調した帽子を**冠**る。 ▼かむ、かぶ
□ **藁**にもすがる思い。 ▼わら
□ **只管**無事を祈る。 ▼ひたすら
□ 発展を**碍**げる。 ▼さまた
□ **屍**を人前にさらす。 ▼しかばね かばね
□ **鈍**色の雲に覆われる。 ▼にび
□ **兜**の緒を締める。 ▼かぶと

□ **蒲**が生い茂る。 ▼がま かば
□ **努努**油断するな。 ▼ゆめゆめ
□ **見窄**らしい家に住む。 ▼みすぼ
□ **篦太**い声が響く。 ▼のぶと
□ **態**と見ぬふりをした。 ▼わざ
□ 息子は**申年**生まれだ。 ▼さるどし
□ **瑞垣**を巡らす。 ▼みずがき
□ **利鎌**を振り下ろす。 ▼とがま とかま
□ 内憂外患**交**至る。 ▼こもごも
□ **沫雪**が深々と降る。 ▼あわゆき
□ よって**件**の如し。 ▼くだん
□ **愛弟子**に説諭する。 ▼まなでし
□ 書類を**紙撚**で綴じる。 ▼こより
□ 猿が林檎を**噛**る。 ▼かじ
□ 壁一面に**蔦**が這う。 ▼つた
□ **妄**りに立ち入るな。 ▼みだ
□ **隼**が獲物を狙う。 ▼はやぶさ
□ 事故で**肋骨**が折れる。 ▼あばらぼね

□ 車が進まず**焦**れる。 ▼じ
□ **雅**やかな格好をする。 ▼みやび
□ **真鰯**を塩焼きにする。 ▼まいわし
□ **畦道**を歩いて帰る。 ▼あぜみち
□ 落石で道を**塞**ぐ。 ▼ふさ
□ 尾を塗中に**曳**く。 ▼ひ
□ **楢**を切り倒す。 ▼なら
□ 旅で気分が**解**れる。 ▼ほぐ ほご
□ 不正が**顕**れる。 ▼あらわ
□ 気を**緊**めて着手する。 ▼し
□ **薦被**りを奉納する。 ▼こもかぶ
□ 老骨に**鞭**つ。 ▼むちう
□ 境界線に**杭**を打つ。 ▼くい
□ 野菜を**糠**に漬ける。 ▼ぬか
□ **萌黄**色に布を染める。 ▼もえぎ
□ **一片**の花びらが舞う。 ▼ひとひら
□ **漫**ろに歩く。 ▼そぞ すず
□ **裳着**の式を行う。 ▼もぎ

- □ **黍餅**を振る舞う。 ▼きびもち
- □ **某**かの金が必要だ。 ▼なにがし
- □ 乾いた畑に水を**漑**ぐ。 ▼そそ
- □ 園庭で**蹴鞠**を楽しむ。 ▼けまり
- □ 進退**谷**まる。 ▼きわ
- □ **妖**しい魅力がある。 ▼あや
- □ 相手に不信感を**懐**く。 ▼いだ
- □ 暗闇の中で**摸**る。 ▼さぐ
- □ **椋鳥**が群がっている。 ▼むくどり
- □ 部屋に**立蔀**を立てる。 ▼たてじとみ
- □ 柱を**沓巻**で飾る。 ▼くつまき
- □ **一廉**の人物だ。 ▼ひとかど いっかど
- □ **徒疎**かにはできない。 ▼あだおろそ
- □ **笹舟**を水に浮かべる。 ▼ささぶね
- □ 一時避難所を**設**える。 ▼しつら
- □ 被害者の苦境を**慮**る。 ▼おもんぱか
- □ 良禽は樹を**択**ぶ。 ▼えら
- □ **挙**って参加する。 ▼こぞ
- □ **神楽**を奉納する。 ▼かぐら
- □ **蝦根**が自生する。 ▼えびね

- □ **笹身**に下味を付ける。 ▼ささみ
- □ **四阿**で一服する。 ▼あずまや
- □ **鮫**をもりで捕らえる。 ▼さめ
- □ この世に生を**享**ける。 ▼う
- □ **窟**に獣が棲む。 ▼いわや ほらあな
- □ 先輩から**扱**かれる。 ▼しご
- □ **真榊**を奉納する。 ▼まさかき
- □ **鏑矢**を放つ。 ▼かぶらや
- □ **蓋物**に前菜を盛る。 ▼ふたもの
- □ 布団を**被**って寝る。 ▼かぶ
- □ **日向**で居眠りする。 ▼ひなた
- □ 枯れた老木を**伐**る。 ▼き
- □ 人の人たる**所以**だ。 ▼ゆえん
- □ **辻札**を立てる。 ▼つじふだ
- □ 必死に**足掻**く。 ▼あが
- □ 玄米から**種麹**を造る。 ▼たねこうじ
- □ 茶に**栗鹿子**を添える。 ▼くりかのこ
- □ **蝦芋**の煮物を作る。 ▼えびいも
- □ 職人技を**琢**く。 ▼みが
- □ 母と**倶**に買い物する。 ▼とも

- □ 仇敵の暗殺を**猷**る。 ▼はか
- □ 天子を神と**崇**める。 ▼あが
- □ 山中で**吹螺**を吹く。 ▼ほらがい
- □ 思慮が浅く**路**を誤る。 ▼みち
- □ 度重なる失策を**詰**る。 ▼なじ
- □ 激痛に**悶**える。 ▼もだ
- □ 神社に**黒橿**が並ぶ。 ▼くろがし
- □ **羅**を身に纏う。 ▼うすぎぬ うすもの
- □ 関係者に疑点を**質**す。 ▼ただ
- □ **鶯**が春を告げる。 ▼うぐいす
- □ **賤**しい身となる。 ▼いや
- □ 絶体絶命の**鍔際**だ。 ▼つばぎわ
- □ **辻斬**りに遭遇する。 ▼つじぎ
- □ **茜雲**が秋空に輝く。 ▼あかねぐも
- □ **大凡**の見当は付く。 ▼おおよそ
- □ **黍**餅を焼く。 ▼きび
- □ **勾玉**が出土する。 ▼まがたま
- □ 血気**旺**んな若者だ。 ▼さか
- □ 暖炉の**側**に寄る。 ▼そば
- □ 静かな保養所で**寛**ぐ。 ▼くつろ

- □ 宗家の**弥栄**を祈る。 ▼いやさか
- □ **曲者**が忍び込む。 ▼くせもの
- □ 手際よく仕事を**熟**す。 ▼こな
- □ 勢いが**昌**んになる。 ▼さか
- □ 満開の桜を**愛**でる。 ▼め
- □ **苧殻**を焚く。 ▼おがら
- □ **丙午**に大火が起こる。 ▼ひのえうま
- □ **御簾**を巻き上げる。 ▼みす
- □ **常闇**に包まれる。 ▼とこやみ
- □ 事件の**緒**をつかむ。 ▼いとぐち
- □ **篠笹**が茂る。 ▼しのざさ
- □ 庭園に**柊**を植える。 ▼ひいらぎ ひらぎ
- □ **小径**を散歩する。 ▼こみち
- □ **斑入**りの花を飾る。 ▼ふい
- □ **蟻**が土に巣穴を作る。 ▼あり
- □ **糠袋**で体を洗う。 ▼ぬかぶくろ
- □ コートの**衿**を立てる。 ▼えり
- □ ひどく**吃**る癖がある。 ▼ども
- □ 知る**由**もない。 ▼よし
- □ 瓶の上が**括**れている。 ▼くび

□ 神を**象**った像を作る。▼かたど
□ **寝惚**けて蹴つまずく。▼ねぼ
□ **葦火**を焚き暖をとる。▼あしび
□ 商いが**朽**れる。▼すた
□ **鯉濃**を馳走する。▼こいこく
□ **気忙**しい年の暮れだ。▼きぜわ
□ 福祉行政を**掌**る。▼つかさど
□ **轡虫**の声が騒々しい。▼くつわむし
□ **己亥**の年を迎える。▼つちのとい
□ **直**向きに努力する。▼ひた
□ **粥腹**で力が入らない。▼かゆばら
□ **鋸屑**を燃料に用いる。▼のこくず　のこぎりくず　おがくず
□ **小噺**を披露する。▼こばなし
□ 苦労の**甲斐**があった。▼かい
□ 前例に**則**って決める。▼のっと
□ 日々研究に**勤**しむ。▼いそ
□ 敵を前に**後退**りする。▼あとずさ　あとじさ　あとすさ
□ **朔**に市が立つ。▼ついたち
□ 起きて**髭**を剃る。▼くちひげ　ひげ
□ 商品を豊富に**揃**える。▼そろ

□ 冬至に**柚湯**に浸かる。▼ゆずゆ
□ 企業秘密が**露**になる。▼あらわ
□ 桜の下で**野点**する。▼のだて
□ **厨**で食事を用意する。▼くりや
□ 綿糸を**二梱**仕入れる。▼ふたこり　ふたこうり
□ 余命**幾何**もない。▼いくばく
□ **薄**が鬱蒼と茂る。▼すすき
□ 運動して体が**熱**った。▼ほて
□ **朝凪**の海で舟を漕ぐ。▼あさなぎ
□ **杯**を酌み交わす。▼さかずき
□ 弟子が師に**楯突**く。▼たてつ
□ 幼子に**御伽噺**を読む。▼おとぎばなし
□ **畷**をひたすら歩く。▼なわて
□ 川で**鮎汲**みをする。▼あゆく
□ 鉛筆を**散**で売る。▼ばら
□ 山中を**隈**なく捜す。▼くま
□ 我が心石に**匪**ず。▼あら
□ 材木を鋸で**挽**き切る。▼ひ
□ 川が**二俣**に分かれる。▼ふたまた
□ 外套の**釦**を外す。▼ぼたん

□ **伝**を頼って上京する。▼つて
□ 板を**井桁**に組む。▼いげた
□ **幌**をかけて走る。▼ほろ
□ **長柄**の柄杓で掬う。▼ながえ
□ **縞鯵**を三枚に下ろす。▼しまあじ
□ **椋**はなっても木は榎。▼むく
□ **私**かに画策する。▼ひそ
□ **剰**え、風も強くなる。▼あまつさ
□ 縄を**糾**う。▼あざな
□ **徐**に口を開く。▼おもむろ
□ 釣り糸に**錘**を付ける。▼おもり
□ 全容を**詳**らかにする。▼つまび　つばひ
□ 子供のように**燥**ぐ。▼はしゃ
□ 人生を旅に**准**える。▼なぞら　なずら
□ **姥目樫**の実を拾う。▼うばめがし
□ 緻密な作戦を**煉**る。▼ね
□ 闇夜に烏、雪に**鷺**。▼さぎ
□ 夜に**蔀戸**を下ろす。▼しとみど
□ **虎斑**の猫が横切る。▼とらふ
□ **柾**の生け垣で囲む。▼まさき

□ いずれにも**与**しない。▼くみ
□ 風が止み**油凪**となる。▼あぶらなぎ
□ **竿**に釣り糸を付ける。▼さお
□ **榎茸**を吸い物にする。▼えのきだけ　えのきたけ
□ **筏形**に花を生ける。▼いかだがた
□ 敵軍が背後から**逼**る。▼せま
□ 気分が**鬱**ぎ込む。▼ふさ
□ 尉と**姥**の置物を買う。▼うば、むば

四字熟語ダメ押しの174

本編には収録しきれなかった、ねらわれやすい四字熟語を厳選して、五十音順に配列しました。四字熟語は、意味といっしょに覚えると理解が深まります。試験前に確認しておきましょう。

四字熟語	意味
あ	
哀毀骨立《あいきこつりつ》	非常に悲しんでいる様子。
愛及屋烏《あいきゅうおくう》	愛情が深いことのたとえ。
哀鴻遍野《あいこうへんや》	戦争によって追われた兵士や難民が多くいるさま。
曖昧模糊《あいまいもこ》	ぼんやりしていて、はっきりしない様子。
握髪吐哺《あくはっとほ》	優秀な人材を熱心に探し求める様子。
浅瀬仇波《あさせあだなみ》	考えが浅い人は、ささいな事にも騒ぎ立てることのたとえ。
按甲休兵《あんこうきゅうへい》	武装を解除して戦いを終わらせること。
安車蒲輪《あんしゃほりん》	老人を大事にすること。
暗箭傷人《あんせんしょうじん》	隠れて人を誹謗したり中傷したりすること。
衣錦還郷《いきんかんきょう》	出世して故郷に帰ること。
衣繍夜行《いしゅうやこう》	出世しても故郷に帰らなければ人に知られないことのたとえ。
一壺千金《いっこせんきん》	価値がないものでも場合によっては極めて高い価値をもつこと。
意馬心猿《いばしんえん》	煩悩のせいで混乱して落ち着きがないこと。
允文允武《いんぶんいんぶ》	学問と武芸ともに優れていること。
有耶無耶《うやむや》	はっきりしない様子。いい加減な様子。
雲集霧散《うんしゅうむさん》	たくさんのものが集まったり散ったりすること。
運否天賦《うんぷてんぷ》	運命を天に任せること。
易姓革命《えきせいかくめい》	中国の政治思想で、王朝の交代のこと。
掩耳盗鐘《えんじとうしょう》	浅い考えで、自分で自分を偽り悪事をはたらくこと。
鳶目兎耳《えんもくとじ》	物事がよく見える目と、他人の隠し事を聞き出す耳のこと。
横説竪説《おうせつじゅせつ》	自在に物事を論じること。
椀飯振舞《おうばんぶるまい》	気前よく人に振る舞うこと。
か	
蓋棺事定《がいかんじてい》	人の値打ちは死んでからはじめて定まるということ。
格物致知《かくぶつちち》	物事の本質を深く理解して、知見を広めること。

確《かっ》乎《こ》不《ふ》抜《ばつ》 ▼意志が堅く、動揺しないこと。

河《か》図《と》洛《らく》書《しょ》 ▼希少な図書のこと。

瓦《が》釜《ふ》雷《らい》鳴《めい》 ▼分不相応な地位についた者が他人に威張り散らすこと。

瓜《か》剖《ぼう》豆《とう》分《ぶん》 ▼国などが小さく分裂すること。

迦《か》陵《りょう》頻《びん》伽《が》 ▼仏教における想像上の生き物。声が非常に美しい様子。

換《かん》骨《こつ》奪《だっ》胎《たい》 ▼他人の作った文の趣意に沿いながらも独自の表現を加えること。

管《かん》中《ちゅう》窺《き》豹《ひょう》 ▼物事の本質を見通す力が弱いこと。

冠《かん》履《り》顛《てん》倒《とう》 ▼地位や物の価値の順番が逆になるなどして乱れること。

規《き》行《こう》矩《く》歩《ほ》 ▼行いや心がきちんとしていて正しいこと。

気《き》骨《こつ》稜《りょう》稜《りょう》 ▼自分の信念を貫く様子。

橘《きっ》井《せい》杏《きょう》林《りん》 ▼医者にする敬称。

鬼《き》斧《ふ》神《しん》工《こう》 ▼非常に優れた作品のこと。

脚《きゃっ》下《か》照《しょう》顧《こ》 ▼自分自身をかえりみたり身近なことに注意すべきという教え。

泣《きゅう》血《けつ》漣《れん》如《じょ》 ▼深く悲しみ涙が止まらない様子。

鳩《きゅう》首《しゅ》協《きょう》議《ぎ》 ▼人々が寄り集まって相談すること。

僑《きょう》軍《ぐん》孤《こ》進《しん》 ▼他からの助けがなく一人だけで戦うこと。

尭《ぎょう》鼓《こ》舜《しゅん》木《ぼく》 ▼他人からの戒めによく耳を傾けること。

教《きょう》唆《さ》煽《せん》動《どう》 ▼他人をそそのかして、あおり立てること。

彊《きょう》食《しょく》自《じ》愛《あい》 ▼しっかりと食事をとって体を大事にすること。

尭《ぎょう》年《ねん》舜《しゅん》日《じつ》 ▼世の中が平和で穏やかなこと。

勤《きん》倹《けん》尚《しょう》武《ぶ》 ▼勤勉で質素につとめ、武事を重んじること。

勤《きん》倹《けん》力《りっ》行《こう》 ▼仕事に精を出し、倹約して、力を尽くして励むこと。

錦《きん》上《じょう》添《てん》花《か》 ▼美しいものに、それにも増して美しいものを加えること。

金《きん》声《せい》玉《ぎょく》振《しん》 ▼立派な人物として成功すること。

九《く》品《ほん》蓮《れん》台《だい》 ▼極楽浄土にあるといわれる蓮の葉の台。

桂《けい》林《りん》一《いっ》枝《し》 ▼卓越した人物のこと。

牽《けん》衣《い》頓《とん》足《そく》 ▼つらく悲しい別れを惜しむ様子。

懸《けん》崖《がい》撒《さっ》手《しゅ》 ▼勇気を出して思い切って実行すること。

犬《けん》牙《が》相《そう》制《せい》 ▼隣国との国境が複雑に入り組んで互いに牽制しあう様子。

剣《けん》戟《げき》森《しん》森《しん》 ▼気性が激しい様子。

光《こう》陰《いん》如《じょ》箭《ぜん》 ▼歳月の過ぎるのが速い様子。

口《こう》角《かく》飛《ひ》沫《まつ》 ▼激しく議論を戦わせること。

傲《ごう》岸《がん》不《ふ》遜《そん》 ▼おごりたかぶって、へりくだる気持ちがない様子。

綱《こう》紀《き》粛《しゅく》正《せい》 ▼乱れた規律を正し、不正をなくすこと。

光《こう》彩《さい》陸《りく》離《り》 ▼光彩が入り乱れて美しい様子。

孔《こう》席《せき》墨《ぼく》突《とつ》 ▼物事に注力して休む暇のない様子。

宏《こう》大《だい》無《む》辺《へん》 ▼広く果てしないこと。

孝《こう》悌《てい》忠《ちゅう》信《しん》 ▼目上の人に尽くして仕えること。

香《こう》美《び》脆《ぜい》味《み》 ▼贅沢で立派な食事のたとえ。

紅《こう》毛《もう》碧《へき》眼《がん》 ▼西洋人のこと。

光《こう》禄《ろくの》池《ち》台《だい》 ▼広くて立派な家のたとえ。

五《ご》穀《こく》豊《ほう》穣《じょう》 ▼穀物が豊かに実る様子。

克《こっ》己《き》復《ふく》礼《れい》 ▼自分の欲望を抑え、礼にかなった行いをすること。

さ

歳《さい》寒《かんの》松《しょう》柏《はく》 ▼不運な境遇にも打ち勝ち、志を曲げないこと。

才《さい》子《し》佳《か》人《じん》 ▼立派な男女のこと。

採《さい》薪《しん》汲《きゅう》水《すい》 ▼自然の中で質素な生活を送ること。

山《さん》河《が》襟《きん》帯《たい》 ▼天然の地形を生かした堅固な要塞のこと。

三《さん》者《しゃ》鼎《てい》立《りつ》 ▼三者が互いに向かい合って立つ様子。

三《さん》十《じゅう》而《じ》立《りつ》 ▼三十歳で自信をつけ、自分の学問を確立すること。

自《じ》家《か》薬《やく》籠《ろう》 ▼自分の手中にあるもの。

師《し》資《し》相《そう》承《しょう》 ▼師匠の教えを弟子に受け継いでいくこと。

死《し》屍《し》累《るい》累《るい》 ▼死体が重なりあっている残酷な様子。

悉《しっ》皆《かい》成《じょう》仏《ぶつ》 ▼ありとあらゆるものが成仏すること。

漆《しっ》身《しん》呑《どん》炭《たん》 ▼恨みを晴らすため大変に苦しい思いをすること。

自《じ》然《ねん》法《ほう》爾《に》 ▼人の手を加えず、ありのままに任せること。

子《し》墨《ぼく》客《かく》卿《けい》 ▼詩文を作る人のこと。

社《しゃ》燕《えん》秋《しゅう》鴻《こう》 ▼出会って間もなく別れること。

寂《じゃく》滅《めつ》為《い》楽《らく》 ▼迷いから解き放たれた先に真の安楽があるということ。

車《しゃ》載《さい》斗《と》量《りょう》 ▼非常に数が多いこと。

羞《しゅう》花《か》閉《へい》月《げつ》 ▼容姿が美しい女性のたとえ。

守株待兎《しゅしゅたいと》 ▼古い習慣に固執して融通が利かないこと。

出処進退《しゅっしょしんたい》 ▼続けるか辞めるかという身の処し方。

純情可憐《じゅんじょうかれん》 ▼素直で飾り気がなく、かわいらしいこと。

掌中之珠《しょうちゅうのたま》 ▼自分にとって最も大切なもののこと。

常套手段《じょうとうしゅだん》 ▼いつも決まって使う方法。

唇歯輔車《しんしほしゃ》 ▼互いに密接な関係にあること。

身体髪膚《しんたいはっぷ》 ▼人間の体全体のこと。

水滴石穿《すいてきせきせん》 ▼小さな力でも集まると非常に大きな力になるということ。

水天一碧《すいてんいっぺき》 ▼海と空が一続きになって、青々としていること。

推本遡(溯)源《すいほんそげん》 ▼物事の本質を追い求めること。

趨炎附熱《すうえんふねつ》 ▼時の権力者に服従すること。

精衛塡海《せいえいてんかい》 ▼不可能なことを計画し、失敗して無駄になること。

西施捧心《せいしほうしん》 ▼病気に苦しむ美しい女性のたとえ。

西戎東夷《せいじゅうとうい》 ▼西方と東方の異民族。

碩学大儒《せきがくたいじゅ》 ▼学問の真理を究めた偉大な学者のたとえ。

尺短寸長《せきたんすんちょう》 ▼優れた人にも欠点があり、また劣っている人にも長所があること。

尺璧非宝《せきへきひほう》 ▼時間は非常に大切であるという教え。

浅酌低唱《せんしゃくていしょう》 ▼ほどよく酒を飲んで、低い小声で歌うこと。

千射万箭《せんしゃばんせん》 ▼一つのことも、いい加減にしてはいけないという教え。

禅譲放伐《ぜんじょうほうばつ》 ▼古代中国で行われた王朝交代の方式。

栴檀双葉《せんだんのふたば》 ▼立派な人物は幼少のころより優れているということ。

千編(篇)一律《せんぺんいちりつ》 ▼平凡で面白みのないこと。

桑弧蓬矢《そうこほうし》 ▼男子が志を立てること。

曾参歌声《そうしんのかせい》 ▼貧しくても気高く生きること。

聡明叡知《そうめいえいち》 ▼聖人がもつという四つの徳。優れた才能の持ち主。

楚越同舟《そえつどうしゅう》 ▼仲の悪い者が、共に一つの場所にいること。

楚材晋用《そざいしんよう》 ▼他のところにいる人材を、重要な地位に取り立てて使うこと。

た

断簡零墨《だんかんれいぼく》 ▼ちょっと書いたものの切れ端。

断章取義《だんしょうしゅぎ》 ▼他人の文の一部を切り取って都合よく使うこと。

耽美主義《たんびしゅぎ》 ▼理性ではなく美を重視する世界観。

知小謀大《ちしょうぼうだい》 ▼ 知力が乏しいにもかかわらず大きな計画を立てること。

朝穿暮塞《ちょうせんぼそく》 ▼ 建物を頻繁に壊したり、作ったりする様子。

直言極諫《ちょくげんきょっかん》 ▼ 自分の信ずるところを遠慮なく目上の人に忠告すること。

通儒碩学《つうじゅせきがく》 ▼ 学問の真理を究めた偉大な学者のたとえ。

剃《てい》(薙)髪落飾《はつらくしょく》 ▼ 髪を剃って仏門に入ること。

鉄網珊瑚《てつもうさんご》 ▼ 優れた人や物を探し求めること。

電光雷轟《でんこうらいごう》 ▼ 勢いが激しい様子。

天長地久《てんちょうちきゅう》 ▼ 天地はいつまでも変わらないで、あり続けること。

同床異夢《どうしょういむ》 ▼ 同じ立場にあっても、考えや目指すものが違うこと。

動静云為《どうせいうんい》 ▼ 言葉と行い。

党同伐異《とうどうばつい》 ▼ 物事の道筋と関係なく仲間に味方しそれ以外の者を攻撃すること。

同病相憐《どうびょうそうれん》 ▼ 同じ病気に苦しんでいる人が、互いに同情しあうこと。

豆剖瓜分《とうぼうかぶん》 ▼ まとまっていたものが、複数に分かれること。

斗折蛇行《とせつだこう》 ▼ 道や川が曲がりくねっている様子。

斗粟尺布《とぞくしゃくふ》 ▼ 兄弟の仲が悪いこと。

途方途轍《とほうとてつ》 ▼ 筋道。道理。

吐哺捉髪《とほそくはつ》 ▼ 優秀な人材を熱心に探し求める様子。

な

忍気呑声《にんきどんせい》 ▼ 怒りを抑えて声に出さないこと。

熱願冷諦《ねつがんれいてい》 ▼ 熱心に願うことと、冷静に物事の本質を明らかにすること。

燃犀之明《ねんさいのめい》 ▼ 物を見抜く力があること。

能鷹隠爪《のうよういんそう》 ▼ 優れた人物は能力を人前でひけらかさないということ。

は

稗官野史《はいかんやし》 ▼ 人々の間に伝わるうわさなどを歴史風に書いたもの。

白衣蒼狗《はくいそうく》 ▼ 世の中の変化が速いこと。

白虹貫日《はくこうかんじつ》 ▼ 反乱が起こり君主に危険が迫る予兆のこと。

破綻百出《はたんひゃくしゅつ》 ▼ 言葉や行いに次々とほころびが出てくる様子。

白駒空谷《はっくくうこく》 ▼ 賢人がしかるべき地位に重用されず、在野にあること。

八紘一宇《はっこういちう》 ▼ 全世界が一つ屋根の下にあるという考え。

飛耳長目《ひじちょうもく》 ▼ 広範な知識を持ち、観察が鋭いこと。

百伶百利《ひゃくれいひゃくり》 ▼ 非常に賢いこと。

百花斉放《ひゃっかせいほう》 ▼ 文化や芸術が自由活発に行われること。

氷《ひょう》壺《こ》秋《しゅう》月《げつ》 ▼心が澄んでいる様子。

猫《びょう》鼠《そ》同《どう》眠《みん》 ▼悪事を取り締まる側と、取り締まられる側が共謀すること。

牝《ひん》鶏《けい》牡《ぼ》鳴《めい》 ▼女性が権力を握ること。

釜《ふ》底《てい》抽《ちゅう》薪《しん》 ▼根底にある原因を除去しない限り問題は解決しないということ。

舞《ぶ》文《ぶん》曲《きょく》筆《ひつ》 ▼巧みに言葉をもてあそび、事実を曲げて書くこと。

並《へい》駕《が》斉《せい》駆《く》 ▼能力などに差がないこと。

閉《へい》月《げつ》羞《しゅう》花《か》 ▼美しい女性のたとえ。

平《へい》談《だん》俗《ぞく》語《ご》 ▼日常のありふれた言葉。

閉《へい》明《めい》塞《そく》聡《そう》 ▼世間と触れる機会を断つこと。

偏《へん》僻《ぺき》蔽《へい》固《こ》 ▼考えが偏っていて、強情な様子。

報《ほう》怨《えん》以《い》徳《とく》 ▼恨みを向けられている相手にも愛情を注ぎ、利益を与えること。

鳳《ほう》凰《おう》来《らい》儀《ぎ》 ▼世の中が平和に治まっている様子。

朋《ほう》党《とう》比《ひ》周《しゅう》 ▼利害が一致する仲間が助け合い、それ以外の者を排除すること。

捧《ほう》腹《ふく》大《たい》笑《しょう》 ▼腹をかかえて笑うこと。

ま

無《む》智《ち》蒙《もう》昧《まい》 ▼知識がなく愚かな様子。

明《めい》哲《てつ》保《ほ》身《しん》 ▼聡明で事理に通じている人は危険を察知して身の安全を保つこと。

名《めい》誉《よ》挽《ばん》回《かい》 ▼失った名誉や信用を取り戻すこと。

問《もん》牛《ぎゅう》知《ち》馬《ば》 ▼相手の隠している事柄を、巧妙な尋問で明らかにすること。

問《もん》鼎《てい》軽《けい》重《ちょう》 ▼権力者の実力を疑うこと。

や

妖《よう》怪《かい》変《へん》化《げ》 ▼人知では容易に理解できない奇怪な現象や物体のこと。

抑《よく》揚《よう》頓《とん》挫《ざ》 ▼盛んだった勢いが途中で弱まること。

ら

蘭《らん》亭《てい》殉《じゅん》葬《そう》 ▼書画や骨董、器物などを非常に愛好するたとえ。

良《りょう》禽《きん》択《たく》木《ぼく》 ▼賢人は、君主をよく見極めてから仕えるということ。

梁《りょう》上《じょうの》君《くん》子《し》 ▼泥棒のこと。

竜《りょう》騰《とう》虎《こ》闘《とう》 ▼実力が伯仲している者同士が激しく戦うこと。

麟《りん》鳳《ぽう》亀《き》竜《りょう》 ▼平和な世に現れるとされている空想の動物。賢者のこと。

礪《れい》山《ざん》帯《たい》河《が》 ▼永久に不変の誓いのたとえ。

冷《れい》嘲《ちょう》熱《ねっ》罵《ば》 ▼冷ややかにあざけり、ひどくののしること。

六《ろっ》根《こん》清《しょう》浄《じょう》 ▼迷いから解き放たれて、心が清らかになること。

論《ろん》功《こう》行《こう》賞《しょう》 ▼功績の大小を論じて定め、それにふさわしい賞を与えること。

熟語と一字訓 頻出ベスト100

過去の検定試験を分析し、ねらわれやすい熟語と一字訓の読みを厳選して、頻出度の高い順に配列しました。試験前に確認しておきましょう。

熟語		一字訓
畢生《ひっせい》	―	畢《お》わる
允可《いんか》	―	允《ゆる》す
肇造《ちょうぞう》	―	肇《はじ》める
鍾寵《しょうちょう》	―	鍾《あつ》める
徽言《きげん》	―	徽《よ》い
劃定《かくてい》	―	劃《くぎ》る
匡弼《きょうひつ》	―	匡《ただ》す
編輯《へんしゅう》	―	輯《あつ》める
曝書《ばくしょ》	―	曝《さら》す
趨向《すうこう》	―	趨《おもむ》く
盈虚《えいきょ》	―	盈《み》ちる
臆度《おくたく》	―	臆《おしはか》る
烹煎《ほうせん》	―	烹《に》る
捷報《しょうほう》	―	捷《か》つ
蕃殖《はんしょく》	―	蕃《しげ》る
耽溺《たんでき》	―	耽《ふけ》る
疏水《そすい》	―	疏《とお》る
弘毅《こうき》	―	毅《つよ》い
礪行《れいこう》	―	礪《みが》く
遁辞《とんじ》	―	遁《のが》れる
聯亙《れんこう》	―	亙《わた》る

瀆職《とくしょく》 ― 瀆《けが》す
凋残《ちょうざん》 ― 凋《しぼ》む
檮昧《とうまい》 ― 昧《くら》い
紛擾《ふんじょう》 ― 擾《みだ》れる
牟食《ぼうしょく》 ― 牟《むさぼ》る
厭悪《えんお》 ― 悪《にく》む
醇朴《じゅんぼく》 ― 醇《あつ》い
優渥《ゆうあく》 ― 渥《あつ》い
謬説《びゅうせつ》 ― 謬《あやま》る

膏沃《こうよく》 ― 膏《こ》える
堰塞《えんそく》 ― 堰《せ》く
侃侃《かんかん》 ― 侃《つよ》い
夙成《しゅくせい》 ― 夙《はや》い
叢生《そうせい》 ― 叢《むら》がる
董督《とうとく》 ― 董《ただ》す
猷念《ゆうねん》 ― 猷《はか》る
汎論《はんろん》 ― 汎《ひろ》い
弼匡《ひっきょう》 ― 弼《たす》ける

一瞥《いちべつ》 ― 瞥《み》る
進捗《しんちょく》 ― 捗《はかど》る
頓挫《とんざ》 ― 頓《つまず》く
岨峻《そしゅん》(しょしゅん) ― 岨《そばだ》つ
顚落《てんらく》 ― 顚《たお》れる
嬰鱗《えいりん》 ― 嬰《ふ》れる
永訣《えいけつ》 ― 訣《わか》れる
訊責《じんせき》 ― 訊《と》う
輿望《よぼう》 ― 輿《おお》い

窺管《きかん》 ― 窺《のぞ》く
晦冥《かいめい》 ― 晦《くら》い
靭性《じんせい》 ― 靭《しな》やか
切磋《せっさ》 ― 磋《みが》く
凱風《がいふう》 ― 凱《やわ》らぐ
蒐荷《しゅうか》 ― 蒐《あつ》める
鳩合《きゅうごう》 ― 鳩《あつ》める
勃爾《ぼつじ》 ― 勃《にわ》かに
敦信《とんしん》 ― 敦《あつ》い

繋泊《けいはく》 ― 繋《つな》ぐ
遡行《そこう》 ― 遡《さかのぼ》る
諫止《かんし》 ― 諫《いさ》める
周匝《しゅうそう》 ― 匝《めぐ》る
冶態《やたい》 ― 冶《い》る
掩蓋《えんがい》 ― 掩《おお》う
恢偉《かいい》 ― 恢《ひろ》い
嘗薬《しょうやく》 ― 嘗《な》める
亨通《こうつう》 ― 亨《とお》る

掬飲《きくいん》 ― 掬《すく》う
仰臥《ぎょうが》 ― 臥《ふ》す
蚤起《そうき》 ― 蚤《はや》い
蕪辞《ぶじ》 ― 蕪《みだ(あ)》れる
蔽護《へいご》 ― 蔽《おお》う
湛然《たんぜん》 ― 湛《たた》える
翫笑《がんしょう》 ― 翫《もてあそ》ぶ
編纂《へんさん》 ― 纂《あつ》める
豊穣《ほうじょう》 ― 穣《みの》る

纏着《てんちゃく》 ― 纏《まつ》わる

背戻《はいれい》 ― 戻《もと》る

赫灼《かくしゃく》 ― 赫《かがや》く

賂謝《ろしゃ》 ― 賂《まいな》う

欽羨《きんせん》 ― 欽《つつし》む

遼遠《りょうえん》 ― 遼《はる》か

不屑《ふせつ》 ― 屑《いさぎよ》い

偓促《(あくそく)(あくさく)あくせく》 ― 偓《かか》わる

稗官《はいかん》 ― 稗《こま》かい

按罪《あんざい》 ― 按《しら》べる

戚容《せきよう》 ― 戚《うれ》える

慰撫《いぶ》 ― 撫《な》でる

跨年《こねん》 ― 跨《また》ぐ

瀦水《ちょすい》 ― 瀦《た》まる

頗僻《はへき》 ― 頗《かたよ》る

稽停《けいてい》 ― 稽《とどこお》る

牢守《ろうしゅ》 ― 牢《かた》い

椎破《ついは》 ― 椎《う》つ

杜口《とこう》 ― 杜《ふさ》ぐ

暢叙《ちょうじょ》 ― 暢《の》べる

積沓《せきとう》 ― 沓《かさ》なる

厭世《えんせい》 ― 厭《いと》う

婁絡《(るらく)ろうらく》 ― 婁《つな》ぐ

尤物《ゆうぶつ》 ― 尤《すぐ》れる

繍閤《しゅうこう》 ― 繍《うつく》しい

テーマ別 難読漢字

過去の検定試験を分析し、試験によく出る難しい名詞や動詞を厳選して、テーマ別に配列しました。故事・諺などの書き取り分野でもよく出るので、テーマごとにまとめて覚えてしまいましょう。

植物

栴檀	せんだん
独活	うど
柊	ひいらぎ
柏	かしわ
檜	ひのき
柚(柚子)	ゆず
李	すもも
枇杷	びわ
辛夷	こぶし
瓜	うり
蕎麦	そば
牡丹	ぼたん
瓢	ふくべ、ひさご
杏	あんず
栗	くり
粟	あわ
蓮華	れんげ
菖蒲	しょうぶ
茄子	なす、なすび
芥子	けし
葱	ねぎ
蓬	よもぎ
蔓	つる
萩	はぎ
荻	おぎ
菱	ひし
葦	よし
蓮	はす、はちす
葎	むぐら
葵	あおい
山葵	わさび
芝蘭	しらん
優曇華	うどんげ
芭蕉	ばしょう
芙蓉	ふよう

動物

鸚鵡	おうむ
鴻	おおとり
鴇	とき
鵜	う
鷹	たか
鶯	うぐいす
鳶	とび、とんび
鷺	さぎ
鴛 ※1	おしどり
鴦 ※1	おしどり
烏	からす
雀	すずめ
雲雀	ひばり
麒麟	きりん
豹	ひょう

□ 狐	きつね
□ 狸	たぬき
□ 狗	いぬ
□ 鼠	ねずみ
□ 胡蝶	こちょう
□ 蜘蛛	くも
□ 蠅	はえ
□ 虻	あぶ
□ 蟻	あり
□ 蛭	ひる
□ 蛙	かえる
□ 蚤	のみ
□ 蟹	かに
□ 蛸	たこ
□ 鰐	わに
□ 鮫	さめ
□ 鮪	まぐろ

□ 鯖	さば
□ 鰯	いわし

道具

□ 鞘※2	さや
□ 鍔(鐔)※3	つば
□ 槍	やり
□ 鞍※4	くら
□ 簾	すだれ
□ 暖簾	のれん
□ 提灯	ちょうちん
□ 蠟燭	ろうそく
□ 錐	きり
□ 鉦※5	かね
□ 金槌	かなづち
□ 竈	かまど
□ 匙(匕)	さじ
□ 楊枝(子)	ようじ

仏教

□ 阿弥陀	あみだ
□ 釈迦	しゃか
□ 冥土	めいど
□ 菩提※6	ぼだい
□ 袈裟※7	けさ

体の部位

□ 肱	ひじ
□ 拳	こぶし
□ 肋	あばら

感情

□ 惚れる	ほ(れる)
□ 怯える	おび(える)
□ 耽る	ふけ(る)

動作

□ 叩く	たた(く)
□ 掻く	か(く)

□ 撫でる	な(でる)
□ 掬う	すく(う)
□ 捌く	さば(く)
□ 諫める	いさ(める)
□ 吃る	ども(る)
□ 喋る	しゃべ(る)
□ 嘘	うそ
□ 欠	あくび
□ 窄める	すぼ(める) つぼ(める)
□ 這う	は(う)

※1 鴛鴦(えんおう)として出題されることが多い。
※2 刀の刀身を保護するもの
※3 刀身と柄の間にある金具
※4 人や荷物を乗せるために馬の背に置く道具
※5 打楽器の一種
※6 悟りの境地
※7 主に仏教の僧侶が着る衣服

準1級漢字音訓表

▼詳細は日本漢字能力検定協会の資料を参照のこと。

漢字	異体字など	音読み	訓読み
阿		ア	お、おもね(る)、くま、ひさし、よ(る)
娃		ア、アイ	うつく(しい)
啞	唖	ア、アク	ああ、わら(う)
蛙		ア、ワ	かえる、みだ(ら)
窪		ア、ワ	くぼ、くぼ(む)
渥		アク	あつ(い)、うるお(い)、こ(い)
偓		アク	かか(わる)
斡		アツ、カン	つかさど(る)、めぐ(る)
庵		アン	いおり
按		アン	おさ(える)、かんが(える)、しら(べる)
鞍		アン	くら
杏		アン、キョウ	あんず
葦	葦	イ	あし、よし
飴	飴	イ	あめ
謂		イ	い(う)、いい、いわ(れ)
夷		イ	うずくま(る)、えびす、えみし、おご(る)、ころ(す)、たい(らか)、たい(らげる)
伊		イ	かれ、これ、ただ
蔚		イ、ウツ	
惟		イ、ユイ	おも(う)、これ、ただ
鮪		イ、ユウ	しび、まぐろ
倭		イ、ワ	やまと
郁		イク	かぐわ(しい)、さか(ん)
粥		イク、シュク	かゆ、ひさ(ぐ)
溢	溢	イツ	あふ(れる)、おご(る)、こぼ(れる)、す(ぎる)、み(ちる)
蔭		イン	おお(う)、おかげ、かげ、しげ(る)
允		イン	じょう、まこと、まこと(に)、ゆる(す)

※許容字体で書いても正解になります。

漢字	異体字など	音読み	訓読み
胤		イン	たね
寅		イン	つつし(む) とら
鸚		イン オウ	
迂	迂	ウ	うと(い) とお(い) まが(る)
烏		ウ オ	いずく(んぞ) からす くろ(い) なん(ぞ)
胡		ウ コ ゴ	あごひげ／いずく(んぞ) えびす／でたらめ ながい(き)／なん(ぞ) みだ(り)
佑		ウ ユウ	たす(け) たす(ける)
鬱	欝	ウツ	さか(ん) しげ(る) ふさ(ぐ)
苑		ウツ エン オン	その ふさ(がる)
云		ウン	い(う)
廻		エ カイ	まわ(す) まわ(る) めぐ(らす) めぐ(る)
慧		エ ケイ	かしこ(い) さと(い)
瑛		エイ	
嬰		エイ	あかご ふ(れる) めぐ(る)
盈		エイ	あま(る) み(ちる)
叡		エイ	かしこ(い)
穎	頴	エイ	すぐ(れる) ほさき
曳		エイ	ひ(く)
洩		エイ セツ	の(びる) も(れる)
亦		エキ	また
堰		エン	いせき せ(く) せき
掩		エン	おお(う) かば(う) たちま(ち)
奄		エン	おお(う) たちま(ち) ふさ(がる)
淵	渕	エン	おくぶか(い) ふか(い) ふち
鴛		エン	おしどり
燕		エン	くつろ(ぐ) さかもり つばめ
鳶		エン	とび とんび

漢字	異体字など	音読み	訓読み
焔	焰	エン	ほのお も(える)
薗		エン オン	その
厭		エン オン ヨウ	あ(きる) いと(う) いや おさ(える)
於		オ	お(いて) お(ける)
襖	襖	オウ	あお ふすま わたいれ
鶯	鴬	オウ	うぐいす
鴦		オウ	おしどり
鴨		オウ	かも
鷗	鴎	オウ	かもめ

漢字	異体字など	音読み	訓読み
姶		オウ	みめよ(い)
凰		オウ コウ	おおとり
邑		オウ ユウ	うれ(える) くに みやこ むら
鷹		オウ ヨウ	たか
迦	迦	カ	
珂		カ	
禾		カ	いね のぎ
瓜	瓜	カ	うり
榎		カ	えのき

漢字	異体字など	音読み	訓読み
霞		カ	かす(む) かすみ
樺		カ	かば
嘩	嘩	カ	かまびす(しい)
茄		カ	なす なすび はす
嘉		カ	よ(い) よみ(する)
駕		ガ	あつか(う) しの(ぐ) の(る) のりもの
峨	峩	ガ	けわ(しい)
俄		ガ	にわ(か) にわか
臥		ガ	ふ(す) ふしど

漢字	異体字など	音読み	訓読み
蝦		カ ガ	えび がま
伽		カ ガ キャ	とぎ
蛾		ガ ギ	あり まゆげ
卦		カ ケ	うらな(い) うらな(う)
魁		カイ	おお(きい) おさ かしら さきがけ
恢	恢	カイ	おお(きい) ひろ(い)
蟹	蠏	カイ	かに
晦	晦	カイ	くら(い) くら(ます) つごもり みそか
堺		カイ	さかい
檜	桧	カイ	ひ ひのき
亥		ガイ	い
苅		ガイ	か(る)
崕	崖	ガイ	がけ
凱		カイ ガイ	かちどき やわ(らぐ)
咳		カイ ガイ	しわぶ(く) しわぶき せ(く) せき
漑	漑漑	カイ ガイ	すす(ぐ) そそ(ぐ)
鎧		カイ ガイ	よろ(う) よろい
芥		カイ ケ	あくた からし ちい(さい)
碍		ガイ ゲ	ささ(える) さまた(げる)
鮭		カイ ケイ	さかな さけ
葢	蓋	ガイ コウ	おお(い) おお(う) かさ けだ(し) ふた
赫		カク	あか(い) あつ(い) かがや(く) さか(ん)
劃		カク	くぎ(る) わ(かつ)
廓		カク	くるわ ひろ(い) ひろ(げる) むな(しい)
摑	掴	カク	つか(む)
鍔		ガク	つば
鰐		ガク	わに

漢字	異体字など	音読み	訓読み
塙		カク コウ	かた(い) はなわ
攪	撹	カク コウ	ま(ぜる) みだ(す)
筈		カツ	はず やはず
恰		カッ コウ	あたか(も)
桓		カン	
莞		カン	い むしろ
函	凾	カン	い(れる) はこ よろい
諫	諌	カン	いさ(める)
姦		カン	かしま(しい) みだら よこしま
柑		カン	こうじ みかん
竿		カン	さお ふだ
菅		カン	すが すげ
灌	潅	カン	そそ(ぐ)
舘		カン	たち たて やかた
侃		カン	つよ(い)
翰	翰	カン	てがみ と(ぶ) ふで ふみ みき
癌		ガン	
翫	翫	ガン	あじ(わう) あなど(る) むさぼ(る) もてあそ(ぶ)
巌	巖	ガン	いわ いわお がけ けわ(しい)
雁	鴈	ガン	かり
贋		ガン	にせ
萱		カン ケン	かや わすれぐさ
澗	澗	カン ケン	たに たにみず
葵		キ	あおい
嬉		キ	あそ(ぶ) うれ(しい) たの(しむ)
磯		キ	いそ
窺		キ	うかが(う) のぞ(く)

漢字	異体字など	音読み	訓読み
祁	祁	キ	おお(いに)　おお(きい)　さか(んに)
麒		キ	きりん
徽	徽	キ	しるし　よ(い)
其		キ	そ(の)　それ
毅		キ	たけ(し)　つよ(い)
箕		キ	ちりとり　み
槻		キ	つき
鰭		キ	はた　ひれ
妓		ギ	あそびめ　こ　わざおぎ
蟻		ギ	あり　くろ　くろ(い)
祇	祇	ギ	くにつかみ
誼		ギ	すじみち　よ(い)　よしみ
稀		キ　ケ	うす(い)　まば(ら)　まれ
鞠		キク	かが(む)　とりしら(べる)　まり　やしな(う)
麹	麴	キク	こうじ　さけ
掬		キク	すく(う)　むす(ぶ)
迄	迄	キツ	いた(る)　およ(ぶ)　まで
吃		キツ	く(う)　す(う)　ども(る)
橘		キツ	たちばな
桔		キツ　ケツ	
仇		キュウ	あだ　かたき　つれあい
厩	厩廏廐	キュウ	うまや
笈	笈	キュウ	おい
汲	汲	キュウ	く(む)　ひ(く)
韮	韭	キュウ	にら
灸		キュウ	やいと

漢字	異体字など	音読み	訓読み
玖		キュウ ク	
鳩		キュウ ク	あつ(まる) あつ(める) はと やす(んずる)
嘘	噓	キョ	うそ すすりな(く) は(く) ふ(く)
渠	渠	キョ	おお(きい) かしら かれ なん(ぞ) みぞ
鋸		キョ	のこ のこぎり
禦		ギョ	つよ(い) ふせ(ぐ)
蕎		キョウ	
饗	饗 饗	キョウ	あえ う(ける) もてな(す)
喬		キョウ	おご(る) たか(い)
兇		キョウ	おそ(れる) わる(い)
俠	侠	キョウ	おとこだて きゃん
橿		キョウ	かし
叶		キョウ	かな(う)
僑		キョウ	かりずまい やど(る)
彊		キョウ	し(いる) つと(める) つよ(い)
匡		キョウ	すく(う) ただ(す)
尭	堯	ギョウ	たか(い)
馨		キョウ ケイ	かお(り) かお(る)
卿	卿 卿	キョウ ケイ	きみ くげ
怯		キョウ コウ	お(じる) おび(える) ひる(む)
劫		キョウ コウ ゴウ	おびや(かす) かす(める)
亨		キョウ コウ ホウ	とお(る) に(る)
旭		キョク	あさひ
禽		キン	いけど(り) とら(える) とり
欽		キン	うやま(う) つつし(む)
衿		キン	えり
芹		キン	せり

漢字	異体字など	音読み	訓読み
檎		キン ゴ	
欣		キン ゴン	よろこ(ぶ)
駈		ク	か(ける) か(る)
軀	躯	ク	からだ むくろ
矩	矩	ク	さしがね のり
倶	俱	ク グ	とも(に)
寓		グ グウ	かこつ(ける) かりずまい やど(る) よ(せる)
垢		ク コウ	あか けが(れる) はじ よご(れる)
狗		ク コウ	いぬ
鉤	鈎	ク コウ	おびどめ か(ける) かぎ つりばり ま(がる)
弘		グ コウ	ひろ(い) ひろ(める)
腔	腔	クウ コウ	から からだ
馴		クン シュン ジュン	おし(える) すな(お) な(らす) な(れる) よ(い)
袈		ケ	
罫		ケイ	
畦		ケイ	あぜ うね
荊	荆	ケイ	いばら むち
繫	繋	ケイ	か(かる) きずな つな(がる) つな(ぐ) とら(える)
桂		ケイ	かつら
圭		ケイ	かどだ(つ) たま
珪		ケイ	たま
頸	頚	ケイ	くび
隙	隙	ケキ ゲキ	すき ひま
戟		ケキ ゲキ	ほこ
訣		ケツ	おくぎ わか(れる)
蕨		ケツ	わらび
頁		ケツ ヨウ	かしら ページ

漢字	異体字など	音読み	訓読み
倦	倦	ケン	あ(きる) あぐ(む) う(む) つか(れる)
鹼	鹸	ケン	あく しおけ
絢		ケン	あや
捲	捲	ケン	いさ(む) ま(く) めく(る)
蜎		ケン	うつく(しい)
鰹		ケン	かつお
喧		ケン	かまびす(しい) やかま(しい)
牽		ケン	つら(なる) ひ(く)
絃		ゲン	いと つる
諺	諺	ゲン	ことわざ
彦	彥	ゲン	ひこ
硯		ケン ゲン	すずり
鈷		コ	
姑		コ	おんな しばら(く) しゅうと しゅうとめ
乎		コ	か かな や を
狐	狐	コ	きつね
糊		コ	くちす(ぎ) のり
菰	菰	コ	こも まこも
壺	壷	コ	つぼ
袴		コ	はかま ももひき
跨		コ	また また(がる) また(ぐ) よ(る)
梧		ゴ	あおぎり
伍		ゴ	いつ(つ) くみ
冴	冴	ゴ	さ(える)
吾		ゴ	わ(が) われ
瑚		コ ゴ	
醐		コ ゴ	

漢字	異体字など	音読み	訓読み
晃		コウ	あき(らか)、ひか(る)
膏		コウ	あぶら、うるお(す)、こ(える)、めぐ(む)
礦	砿	コウ	あらがね
袷		コウ	あわせ
佼		コウ	うつく(しい)
浩		コウ	おお(い)、おお(きい)、おごる、ひろ(い)
鴻		コウ	おお(きい)、おおとり
宏		コウ	おお(きい)、ひろ(い)
紘		コウ	おおづな、ひろ(い)
釦		コウ	かざ(る)、ボタン
庚		コウ	かのえ、とし
杭		コウ	くい、わた(る)
閤		コウ	くぐりど、たかどの、へや
倖		コウ	さいわ(い)、へつら(う)
肴		コウ	さかな
皐	皋	コウ	さつき、さわ
鮫		コウ	さめ
縞		コウ	しま、しろぎぬ
叩		コウ	たた(く)、はた(く)、ひか(える)
巷	巷	コウ	ちまた
糠		コウ	ぬか
蛤		コウ	はまぐり
肱		コウ	ひじ
幌		コウ	ほろ
亙		コウ	わた(る)
藁		コウ	わら
轟		ゴウ	おお(いに)、とどろ(く)

漢字	異体字など	音読み	訓読み
嚙	噛	ゴウ	か(む) かじ(る)
壕		ゴウ	ほり
濠		ゴウ	ほり
昂		コウ ゴウ	あ(がる) たか(い) たかぶ(る)
鵠	鵠	コウ コク	おお(きい) くぐい しろ(い) ただ(しい) まと
亘		コウ セン	わた(る)
忽		コツ	たちま(ち) ゆるが(せ)
惚		コツ	とぼ(ける) ほ(れる) ぼ(ける) ほう(ける)
昏		コン	く(れ) くら(い) くら(む)

漢字	異体字など	音読み	訓読み
梱		コン	こうり こり しきみ
坤		コン	つち ひつじさる
艮		コン ゴン	うしとら
裟		サ	
些		サ	いささ(か) すこ(し)
嵯	嵳	サ	けわ(しい)
乍		サ	たちま(ち) なが(ら)
瑳		サ	みが(く)
蓑		サ サイ	みの

漢字	異体字など	音読み	訓読み
坐		ザ	いなが(ら) いま(す) おわ(す) すわ(る) そぞろ(に) ましま(す)
紗		サ シャ	うすぎぬ
叉		サ シャ	こまぬ(く) こまね(く) さ(す) また
哉		サイ	か かな や
晒		サイ	さら(す)
柴		サイ	しば ふさ(ぐ) まつ(り)
砦		サイ	とりで
犀		サイ セイ	かた(い) するど(い)

漢字	異体字など	音読み	訓読み
棲		サイ セイ	す(む) すみか
啐		サイ ソツ	な(める) なきごえ
朔		サク	きた ついたち
窄		サク	すぼ(む) せば(まる) せま(い) つぼ(む)
薩	薩	サツ	
撒		サツ サン	ま(く)
珊	珊珊	サン	
燦		サン	あき(らか) あざ(やか) きら(めく)
纂		サン	あつ(める) くみひも つ(ぐ)
餐		サン	く(う) たべもの の(む)
讃	讚	サン	たす(ける) たた(える) ほ(める)
蒜		サン	ひる にんにく
撰	撰	サン セン	えら(ぶ)
梓		シ	あずさ だいく はんぎ
覗		シ	うかが(う) のぞ(く)
斯		シ	か(かる) か(く) こ(の) これ
此		シ	か(く) こ(の) ここ これ
屍		シ	かばね しかばね
髭		シ	くちひげ ひげ
仔		シ	こ こま(か) た(える)
之		シ	こ(の) これ の ゆ(く)
匙		シ	さじ
獅		シ	しし
偲		シ	しの(ぶ)
只		シ	ただ
孜		シ	つと(める)
砥		シ	と と(ぐ) といし みが(く)

漢字	異体字など	音読み	訓読み
巳		シ	み
而		ジ	しか(して) しかも しか(るに) しか(れども) なんじ
痔		ジ	しもがさ
蒔		シ ジ	う(える) ま(く)
錫		シ シャク セキ	すず たまもの つえ
笥		シ ス	け はこ
弛		シ チ	たゆ(む) たる(む) ゆる(む)
馳		ジ チ	は(せる)
爾		ジ ニ	そ(の) なんじ

漢字	異体字など	音読み	訓読み
竺		ジク トク	あつ(い)
宍		ジク ニク	しし
櫛	櫛 櫛	シツ	くし くしけず(る)
悉		シツ	ことごと(く) つく(す) つぶさ(に)
蛭		シツ テツ	ひる
這	這	シャ	こ(の) これ は(う)
柘		シャ	つげ やまぐわ
惹		ジャ ジャク	ひ(く) まね(く)
姐		シャ ソ	あね あねご ねえ

漢字	異体字など	音読み	訓読み
勺		シャク	
灼	灼	シャク	あき(らか) あらたか や(く) やいと
雀		ジャク	すずめ
蹟		シャク セキ	あと
杓	杓	シャク ヒョウ	しゃく(う) ひしゃく
濡		ジュ	うるお(う) こら(える) とどこお(る) ぬ(れる)
綬		ジュ	くみひも ひも
竪	豎	ジュ	こども こもの た(つ) たて
嬬		ジュ	つま よわ(い)

漢字	異体字など	音読み	訓読み
咒	呪	ジュ シュウ	のろ(う) まじな(い) まじな(う)
鷲		ジュ シュウ	わし
諏		シュ ス	と(う) はか(る)
趨		シュ スウ ソク	うなが(す) おもむ(く) はし(る) はや(い)
蛛		シュ チュ チュウ	くも
撞		シュ トウ ドウ	つ(く)
龝	穐	シュウ	あき とき
蒐		シュウ	あつ(める) か(り)
輯		シュウ	あつ(める) やわ(らぐ)
鰍		シュウ	いなだ かじか どじょう
繡	繍	シュウ	うつく(しい) にしき ぬいとり
酋	酋	シュウ	おさ かしら
洲		シュウ	しま す
葺		シュウ	つくろ(う) ふ(く)
萩		シュウ	はぎ
柊	柊	シュウ	ひいらぎ
戎		ジュウ	いくさ えびす おお(い) おお(きい) つわもの
什		ジュウ	とお
廿		ジュウ	にじゅう
鍬		シュウ ショウ	くわ すき
嵩		シュウ スウ	かさ かさ(む) たか(い)
紐		ジュウ チュウ	ひも
揖		シュウ ユウ	あつ(まる) へりくだ(る) ゆず(る)
楢	楢	シュウ ユウ	なら
夙		シュク	つと(に) はや(い) まだき
竣		シュン	お(わる)
峻		シュン	おお(きい) きび(しい) けわ(しい) たか(い)

漢字	異体字など	音読み	訓読み
舜	舜	シュン	むくげ
淳		ジュン	あつ(い) すなお
閏		ジュン	うるう
楯		ジュン	たて
醇		シュン ジュン	あつ(い) もっぱ(ら)
隼		シュン ジュン	はやぶさ
遁	遁	シュン ジュン トン	しりご(みする) のが(れる)
駿		シュン スン	すぐ(れる)
惇		ジュン トン	あつ(い) まこと

漢字	異体字など	音読み	訓読み
曙	曙	ショ	あけぼの
藷	藷	ショ	いも さとうきび
杵		ショ	きね
黍		ショ	きび
渚	渚	ショ	なぎさ みぎわ
汝		ジョ	なんじ
薯	薯	ショ ジョ	いも
恕		ショ ジョ	おもいや(る) ゆる(す)
鋤		ショ ジョ	す(く) すき

漢字	異体字など	音読み	訓読み
鼠		ショ ス ソ	ねずみ
疏	疏	ショ ソ	あら(い) うと(い) うと(む) おろそ(か) とお(す) とお(る) ふみ まば(ら)
疋		ショ ソ ヒツ	あし ひき
湘		ショウ	
蕉		ショウ	
娼		ショウ	あそびめ
鍾		ショウ	あつ(める) さかずき つりがね
昌		ショウ	うつく(しい) さか(ん) みだ(れる)

漢字	異体字など	音読み	訓読み
廠	厰	ショウ	うまや かりや しごとば
捷		ショウ	か(つ) はや(い)
梢		ショウ	かじ こずえ
樟		ショウ	くす くすのき
鞘	鞘	ショウ	さや
醤	醬	ショウ	ししびしお ひしお
篠	篠	ショウ	しの
菖		ショウ	しょうぶ
蛸	蛸	ショウ	たこ
蔣	蒋	ショウ	まこも
哨	哨	ショウ	みはり
妾		ショウ	めかけ めしつかい わらわ
裳		ショウ	も もすそ
茸		ジョウ	きのこ しげ(る) たけ ふくろづの
擾		ジョウ	さわ(ぐ) な(らす) みだ(れる) わずら(わしい)
杖		ジョウ	つえ
穣	穰	ジョウ	みの(る) ゆた(か)
嘗		ショウ ジョウ	かつ(て) こころ(みる) な(める)
丞		ショウ ジョウ	たす(ける)
甥		ショウ セイ	おい
鉦		ショウ セイ	かね
錆	錆	ショウ セイ	さ(びる) さび
鯖	鯖	ショウ セイ	さば よせなべ
瀞	瀞	ジョウ セイ	とろ
庄		ショウ ソウ	いなか むらざと
鎗		ショウ ソウ	やり
樵		ショウ ゾウ	きこ(る) きこり こ(る)

漢字	異体字など	音読み	訓読み
橡		ショウ ゾウ	くぬぎ つるばみ とち
帖		ジョウ チョウ	かきもの た(れる) やす(める)
牒		ジョウ チョウ	ふだ
鄭	鄭	ジョウ テイ	ねんご(ろ)
秤	秤	ショウ ビン	はかり
摺	摺	ショウ ロウ	くじ(く) す(る) たた(む) ひだ
埴		ショク	はに
蝕	蝕	ショク	むしば(む)
燭		ショク ソク	ともしび
粟		ショク ソク ゾク	あわ ふち もみ
榛		シン	くさむら はしばみ はり
晋	晉	シン	すす(む)
辰		シン	たつ とき ひ
賑		シン	にぎ(やか) にぎ(わう) ほどこ(す)
矧		シン	は(ぐ)
疹		シン	はしか
秦		シン	はた
儘		ジン	ことごと(く) まま
靱	靭 靫	ジン	しな(やか)
塵		ジン	ちり
訊		シン ジン	き(く) たず(ねる) たよ(り) と(う)
槙	槇	シン テン	まき
荏		ジン ニン	え やわ(らか)
壬		ジン ニン	おもね(る) みずのえ
稔		ジン ニン ネン	つ(む) とし みの(る)
雛		ス スウ	ひな ひよこ
蘇		ス ソ	ふさ よみがえ(る)

漢字	異体字など	音読み	訓読み
厨	廚	ズ チュウ	くりや はこ
杜		ズ ト	と(じる) ふさ(ぐ) もり やまなし
逗	逗	ズ トウ	くぎ(り) とど(まる)
錘		スイ	おもり つむ
翠	翆	スイ	かわせみ みどり
錐		スイ	きり するど(い)
蕊	蕋 蘂	ズイ	しべ
瑞		ズイ	しるし みず めでた(い)
吋		スン トウ	インチ
貰		セイ	か(りる) もら(う) ゆる(す)
棲		セイ	す(む) すみか
靖		セイ	やす(い) やす(んじる)
脆	脆	セイ ゼイ	かる(い) もろ(い) やわ(らかい) よわ(い)
汐		セキ	うしお しお
碩		セキ	おお(きい)
屑	屑	セツ	いさぎよ(い) くず
鱈	鱈	セツ	たら
栴		セン	
煽	煽	セン	あお(り) あお(る) おこ(る) おだ(てる)
茜		セン	あかね
舛		セン	あやま(る) いりま(じる) そむ(く)
穿	穿	セン	うが(つ) つらぬ(く) は(く) ほじ(る) ほじく(る)
釧		セン	うでわ くしろ
尖		セン	さき するど(い) とが(る)
銑		セン	ずく
揃	揃	セン	そろ(い) そろ(う) そろ(える)
苫		セン	とま むしろ

漢字	異体字など	音読み	訓読み
閃		セン	ひらめ(く)
箭	箭	セン	や
苒	苒	ゼン	
賤	賎	セン ゼン	あや(しい) いや(しい) いや(しめる) しず やす(い)
蟬	蝉	セン ゼン	うつく(しい) せみ つづ(く)
楚		ソ	いばら しもと すわえ むち
溯	遡	ソ	さかのぼ(る) む(かう)
岨		ソ	そば そばだ(つ)
噌	噌	ソ ソウ	かまびす(しい)

漢字	異体字など	音読み	訓読み
宋		ソウ	
蒼		ソウ	あお あお(い) あわただ(しい) しげ(る) ふる(びる)
葱		ソウ	あお(い) き ねぎ
鰺	鯵	ソウ	あじ
湊		ソウ	あつ(まる) みなと
綜		ソウ	おさ す(べる) まじ(える)
搔	掻	ソウ	か(く)
糟		ソウ	かす
竈	竈 竃	ソウ	かまど へっつい

漢字	異体字など	音読み	訓読み
叢		ソウ	くさむら むら(がる)
漕		ソウ	こ(ぐ) はこ(ぶ)
甑	甑	ソウ	こしき
聡	聰	ソウ	さと(い)
藪	薮	ソウ	さわ やぶ
惣		ソウ	すべ(て)
蚤		ソウ	つめ のみ はや(い)
匝	帀	ソウ	めぐ(る)
槍		ソウ	やり

漢字	異体字など	音読み	訓読み
噂	噂	ソン	うわさ
巽	巽	ソン	たつみ ゆず(る)
樽	樽	ソン	たる
鱒	鱒	ソン ゾン	ます
詑		タ	あざむ(く)
詫		タ	ほこ(る) わ(びる) わび
楕	橢	ダ	こばんがた
雫		ダ	しずく
陀		タ ダ	

漢字	異体字など	音読み	訓読み
柁		タ ダ	かじ
舵		タ ダ	かじ
驒	騨	タ ダ タン	
岱		タイ	
殆		タイ	あや(うい) ほとほと ほとん(ど)
碓		タイ	うす
黛	黛	タイ	かきまゆ まゆ まゆずみ
苔		タイ	こけ
腿	腿	タイ	もも

漢字	異体字など	音読み	訓読み
鎚	鎚	タイ ツイ	かなづち つち
梯		タイ テイ	はしご
醍		ダイ テイ	
悌		ダイ テイ	やわ(らぐ)
乃		ダイ ナイ	すなわ(ち) なんじ の
迺	迺廼	ダイ ナイ	すなわ(ち) なんじ の
呆		タイ ホウ ボウ	あき(れる) おろ(か)
托		タク	お(く) お(す) たの(む)
鐸		タク	すず

漢字	異体字など	音読み	訓読み
琢	琢	タク	みが(く)
擢	擢	タク テキ	ぬ(く) ぬき(んでる)
啄	啄	タク トク	ついば(む)
韃	韃	タツ ダツ	むち むちう(つ)
捺		ダツ ナツ	お(す)
蛋		タン	あま えびす たまご
耽		タン	おくぶか(い) ふけ(る)
坦		タン	たい(ら)
歎	歎	タン	たた(える) なげ(く)
簞	簞	タン	はこ ひさご わりご
椴		タン ダン	とど とどまつ
灘	灘	タン ダン	なだ はやせ
檀		タン ダン	まゆみ
湛		タン チン	あつ(い) しず(む) たた(える) ふか(い) ふけ(る)
蜘		チ	くも
智		チ	さと(い) ちえ
薙		チ テイ	か(る) そ(る) な(ぐ)
筑	筑	チク ツク	
丑		チュウ	うし
紬		チュウ	つむ(ぐ) つむぎ
註	註	チュウ	ときあか(す)
猪	猪	チョ	い いのしし
苧		チョ	お からむし
樗		チョ	おうち
儲	儲	チョ	そえ たくわ(える) もう(ける)
瀦	瀦	チョ	た(まる) みずたま(り)
蝶		チョウ	

漢字	異体字など	音読み	訓読み
寵		チョウ	いつく(しむ) めぐ(み) めぐ(む)
諜		チョウ	うかが(う) さぐ(る) しめ(す) ふだ
凋	凋	チョウ	しぼ(む)
喋		チョウ	しゃべ(る) ふ(む)
吊		チョウ	つ(る) つる(す)
蔦		チョウ	つた
暢		チョウ	とお(る) の(びる) の(べる)
脹		チョウ	は(れる) ふく(よか) ふく(れる)
肇		チョウ	はじ(め) はじ(める)

漢字	異体字など	音読み	訓読み
釘		チョウ テイ	くぎ
挺		チョウ テイ	ぬ(く) ぬき(んでる)
鯛	鯛	チョウ トウ	たい
銚		チョウ ヨウ	すき とくり なべ
砧		チン	きぬた
椿		チン	つばき
槌	槌	ツイ	う(つ) つち
碇		テイ	いかり
鵜		テイ	う

漢字	異体字など	音読み	訓読み
鼎		テイ	かなえ まさ(に)
禎	禎	テイ	さいわ(い)
剃		テイ	そ(る)
汀		テイ	なぎさ みぎわ
蹄		テイ	ひづめ わな
綴		テイ テツ	あつ(める) つづ(る) と(じる)
禰	祢	デイ ネ	かたしろ みたまや
荻		テキ	おぎ
鏑		テキ	かぶら かぶらや やじり

漢字	異体字など	音読み	訓読み
轍		テツ	あとかた のり わだち
畷		テツ	なわて
姪		テツ	めい
甜		テン	あま(い) うま(い)
顛	顚	テン	いただき くつがえ(る) たお(れる)
辿	辿	テン	たど(る)
纏	纒纏	テン	まつ(る) まつ(わる) まと(う) まと(める) まとい
澱		テン デン	おり よど よど(む)
佃		テン デン	か(り) たがや(す) つくだ
淀		テン デン	よど よど(む)
鮎		デン ネン	あゆ
撚		デン ネン	ひね(る) よ(り) よ(る)
菟	菟莵莬	ト	うさぎ
兎	兔兎	ト	うさぎ
堵	堵	ト	かき
鍍		ト	めっき
兜		ト トウ	かぶと
鐙		トウ	あぶみ たかつき
蕩		トウ	あら(う)／うご(く) とろ(ける) の(びやか) はら(う)／みだ(す) ほしいまま
禱	祷	トウ	いの(る) まつ(る)
套		トウ	おお(い) かさ(ねる)
桶		トウ	おけ
檮	梼	トウ	おろ(か) きりかぶ
沓		トウ	かさ(なる) くつ むさぼ(る)
嶋		トウ	しま

漢字	異体字など	音読み	訓読み
董		トウ	ただ(す)　とりし(まる)
塘	塘	トウ	つつみ
樋	樋	トウ	とい　ひ
濤	涛	トウ	なみ
宕		トウ	ほしいまま　ほらあな
淘		トウ	よな(げる)
萄		トウ　ドウ	
桐		トウ　ドウ	きり　こと
膿		ドウ　ノウ	う(む)　うみ
嚢	嚢	ドウ　ノウ	ふくろ
瀆	涜	トク	あなど(る)　けが(す)　みぞ
禿		トク	かむろ　ち(びる)　は(げる)　はげ
敦		トン	あつ(い)　とうと(ぶ)
沌		トン	ふさ(がる)
呑	呑	トン　ドン	の(む)
楠		ナン	くすのき
琶		ハ	
簸		ハ	あお(る)　ひ(る)
巴		ハ	うずまき　ともえ
頗		ハ	かたよ(る)　すこぶ(る)
杷		ハ	さらい
芭		ハ　バ	
播		ハ　バン	さすら(う)　し(く)　ま(く)
稗	稗	ハイ	こま(かい)　ひえ
盃		ハイ	さかずき
牌	牌	ハイ	ふだ
狽		バイ	

漢字	異体字など	音読み	訓読み
楳		バイ	うめ
煤		バイ	すす すす(ける)
吠		ハイ バイ	ほ(える)
粕		ハク	かす
狛		ハク	こま こまいぬ
箔		ハク	すだれ のべがね
駮		ハク バク	なじ(る) ぶち ま(じる) まだら
柏		ハク ビャク	かしわ
莫		バク ボ マク モ	く(れ) さび(しい) な(い) なかれ

漢字	異体字など	音読み	訓読み
摸		バク ボ モ	うつ(す) さぐ(る)
曝		バク ホク	さら(ける) さら(す) さらば(える)
捌		ハチ ハツ ベツ	さば(く) さば(ける) は(かす) は(ける)
醱	醗	ハツ	かも(す)
潑	溌	ハツ	そそ(ぐ) は(ねる)
筏		ハツ バツ	いかだ
挽	挽	バン	ひ(く)
磐		ハン バン	いわ わだかま(る)
蕃		ハン バン	えびす しげ(る) ふ(える) まがき

漢字	異体字など	音読み	訓読み
扮		ハン フン	かざ(る) よそお(う)
叛	叛	ハン ホン	そむ(く) はな(れる)
幡		ハン ホン マン	のぼり はた ひるがえ(る)
鰻		バン マン	うなぎ
蔓		バン マン	から(む) つる はびこ(る)
緋		ヒ	あか
斐		ヒ	あや
匪		ヒ	あら(ず) わるもの
庇		ヒ	かば(う) ひさし

漢字	異体字など	音読み	訓読み
轡		ヒ	くつわ たづな
誹		ヒ	そし(る)
琵		ビ	
梶		ビ	かじ こずえ
枇		ヒ ビ	くし さじ
毘	毗	ヒ ビ	たす(ける)
畢		ヒツ	お(わる) ことごと(く)
弼		ヒツ	すけ たす(け) たす(ける)
逼	逼	ヒツ ヒョク	せま(る)
謬	謬	ビュウ	あやま(る)
彪		ヒュウ ヒョウ	あや まだら
豹	豹	ヒョウ	
瓢	瓢	ヒョウ	ひさご ふくべ
鋲		ビョウ	
錨		ビョウ	いかり
廟	廟	ビョウ	おもてごてん たまや みたまや やしろ
彬		ヒン	あき(らか) そな(わる)
斌		ヒン	うるわ(しい)
瀕	瀕	ヒン	せま(る) そ(う) みぎわ
牝		ヒン	め めす
斧		フ	おの
埠		フ	つか はとば
芙		フ	はす
鮒		フ	ふな
撫		フ ブ	な(でる)
蒲		フ ブ ホ	がま かわやなぎ むしろ
甫		フ ホ	おお(きい) はじ(め)

漢字	異体字など	音読み	訓読み
輔		フ ホ	すけ たす(ける)
蒲		ブ ホ	
蔀		ブ ホウ	おお(い) しとみ
鵡		ブ ム	
蕪		ブ ム	あ(れる) かぶら しげ(る) みだ(れる)
楓		フウ	かえで
鳳		ブウ ホウ	おおとり
弗		フツ ホツ	…ず ドル
勿		ブツ モチ	なか(れ)
糞		フン	くそ けが(れ) つちか(う) はら(う)
吻		フン	くちさき くちびる
焚		フン	た(く) や(く)
箆	篦	ヘイ	かんざし すきぐし の へら
僻		ヘイ ヘキ	かたよ(る) ひが(む) ひめがき
碧		ヘキ	あお みどり
瞥	瞥	ベツ	み(る)
篇	篇	ヘン	ふだ ふみ まき
娩	娩	ベン	う(む) うつく(しい)
鞭		ヘン ベン	むち むちう(つ)
緬		ベン メン	とお(い) はる(か)
麪	麵 麺	ベン メン	むぎこ
鋪		ホ	し(く) みせ
圃		ホ	はた はたけ
菩		ホ ボ	
牡		ボ ボウ	お おす
戊		ボ ボウ	つちのえ
姥		ボ モ	うば ばば

漢字	異体字など	音読み	訓読み
逢	逢	ホウ	あ(う) おお(きい) むか(える) ゆた(か)
鵬		ホウ	おおとり
捧		ホウ	かか(える) ささ(げる)
鞄	鞄	ホウ	かばん なめしがわ
鋒		ホウ	きっさき さきがけ ほこ ほこさき
庖	庖	ホウ	くりや
鴇		ホウ	とき のがん
朋		ホウ	とも なかま
烹		ホウ	に(る)

漢字	異体字など	音読み	訓読み
峯		ホウ	みね やま
蓬	蓬	ホウ	よもぎ
卯		ボウ	う
茅		ボウ	かや ち ちがや
萌	萠	ホウ ボウ	きざ(す)／たみ めぐ(む)／めば(え) も(える)／も(やし)
孟		ボウ マン モウ	はじ(め)
牟		ボウ ム	かぶと な(く) むさぼ(る)
鉾		ボウ ム	きっさき ほこ
虻	蝱	ボウ モウ	あぶ

漢字	異体字など	音読み	訓読み
蒙		ボウ モウ	おお(う) おさ(ない) くら(い) こうむ(る)
卜		ホク ボク	うらな(い) うらな(う)
穆		ボク モク	やわ(らぐ)
沫		マツ	あわ しぶき よだれ
棉		メン	わた
悶		モン	もだ(える)
爺		ヤ	おやじ じじ
耶		ヤ	か
也		ヤ	か なり また や

漢字	異体字など	音読み	訓読み
埜	野	ヤ	いなかや いや(しい) の
愈	愈	ユ	い(える) い(やす) いよいよ
柚		ユ ユウ	ゆず
尤		ユウ	すぐ(れる) とが(める) もっと(も)
祐	祐	ユウ	たす(け) たす(ける)
酉		ユウ	とり ひよみのとり
宥		ユウ	なだ(める) ゆる(す)
猷	猷	ユウ	はか(る) はかりごと みち
涌		ユウ ヨウ	わ(く)
輿		ヨ	おお(い)／くるま こし／の(せる) はじ(め) めしつかい
蓉		ヨウ	
熔	鎔	ヨウ	い(る) いがた と(かす) と(ける)
耀	燿	ヨウ	かがや(く)
遥	遙	ヨウ	さまよ(う) とお(い) なが(い) はる(か)
蝿	蠅蝿	ヨウ	はえ
傭		ヨウ	やと(う)
楊		ヨウ	やなぎ
慾		ヨク	ほっ(する)
螺		ラ	つぶ にし にな ほらがい
萊	莱	ライ	あかざ あれち
洛		ラク	つら(なる) みやこ
蘭	蘭	ラン	あららぎ ふじばかま
裡		リ	うち うら
李		リ	おさ(める) すもも
浬		リ	かいり ノット
鯉		リ	こい てがみ
狸		リ	たぬき ねこ

漢字	異体字など	音読み	訓読み
哩		リ	マイル
栗		リ リツ	おのの(く) きび(しい) くり
葎		リツ	むぐら
掠		リャク リョウ	かす(める) かす(る) かす(れる) さら(う) むちう(つ)
笠		リュウ	かさ
劉		リュウ	ころ(す) つら(ねる)
溜		リュウ	したた(る) た(まる) た(める) ため
琉	琉	リュウ ル	
亮		リョウ	あき(らか) すけ
梁		リョウ	うつばり はし はり やな
諒		リョウ	おもいや(る) さと(る) まこと
凌		リョウ	しの(ぐ)
遼	遼	リョウ	はる(か)
菱		リョウ	ひし
椋		リョウ	むく
綾		リョウ リン	あや
嶺		リョウ レイ	みね
苓		リョウ レイ	みみなぐさ
稜		リョウ ロウ	いきお(い) かど
琳		リン	
燐	燐	リン	
鱗	鱗	リン	うろこ
麟	麟	リン	きりん
淋		リン	さび(しい) したた(る) そそ(ぐ) りんびょう
屢	屡	ル	しばしば
篭	籠	ル ロウ	かご こ(もる)
婁		ル ロウ	つな(がれる) つな(ぐ)

漢字	異体字など	音読み	訓読み
玲		レイ	
礪	砺	レイ	あらと と（ぐ） みが（く）
蠣	蛎	レイ	かき
伶		レイ	さか（しい） わざおぎ
怜		レイ	さと（い）
憐	憐	レン	あわ（れみ） あわ（れむ）
漣	漣	レン	さざなみ
簾	簾	レン	す すだれ
聯	聯	レン	つら（なる） つら（ねる）
煉	煉	レン	ね（る）
蓮		レン	はす はちす
櫓		ロ	おおだて やぐら
魯		ロ	おろ（か）
鷺		ロ	さぎ
蕗		ロ	ふき
聾		ロウ	
蠟	蝋	ロウ	
牢		ロウ	いけにえ かた（い） ごちそう さび（しい） ひとや
狼		ロウ	おおかみ みだ（れる）
肋		ロク	あばら
漉		ロク	こ（す） したた（らせる） す（く）
禄	祿	ロク	さいわ（い） ふち
歪		ワイ	いが（む） いびつ ひず（む） ゆが（む）
隈		ワイ	くま すみ
或		ワク	あ（る） ある（いは）
碗	盌	ワン	こばち
椀		ワン	はち

漢字	異体字など	音読み	訓読み
鰯	鰯		いわし
樫			かし
粁			キロメートル
喰	喰		く(う) く(らう)
粂			くめ
榊	榊		さかき
笹			ささ
鴫			しぎ
椙			すぎ

漢字	異体字など	音読み	訓読み
糎			センチメートル
凧			たこ
栂			つが とが
辻	辻		つじ
噸			トン
凪			な(ぐ) なぎ
硲			はざま
畠			はた はたけ
噺			はなし

漢字	異体字など	音読み	訓読み
柾			まさ まさき
俣			また
麿			まろ
粍			ミリメートル
匁			め もんめ
杢			もく
籾	籾		もみ
椛			もみじ
鑓	鑓		やり

受検をお考えの方は、必ずご自身で公益財団法人 日本漢字能力検定協会の発表する最新情報をご確認ください。
ホームページ：https://www.kanken.or.jp/kanken/
【試験に関する問い合わせ】
・ホームページ(問い合わせフォーム)：**https://www.kanken.or.jp/kanken/contact/**
・電話：**0120-509-315**

編集協力(データ分析、一部問題作成)　岡野秀夫

漢字検定準1級〔頻出度順〕問題集

編　者　資格試験対策研究会
発行者　清水美成
発行所　**株式会社 高橋書店**
〒170-6014 東京都豊島区東池袋3-1-1 サンシャイン60 14階
電話　03-5957-7103

本書の内容についてのご質問は「書名、質問事項(ページ、内容)、お客様のご連絡先」を明記のうえ、郵送、FAX、ホームページお問い合わせフォームから小社へお送りください。

回答にはお時間をいただく場合がございます。また、電話によるお問い合わせ、本書の内容を超えたご質問にはお答えできませんので、ご了承ください。本書に関する正誤等の情報は、小社ホームページもご参照ください。

【内容についての問い合わせ先】
書　面　〒170-6014 東京都豊島区東池袋3-1-1 サンシャイン60 14階　高橋書店編集部
F A X　03-5957-7079
メール　小社ホームページお問い合わせフォームから　(https://www.takahashishoten.co.jp/)

【不良品についての問い合わせ先】

ページの順序間違い・抜けなど物理的欠陥がございましたら、電話03-5957-7076へお問い合わせください。

ただし、古書店等で購入・入手された商品の交換には一切応じられません。